地理计算语言及其应用

周文生　著

科学出版社

北　京

内 容 简 介

"文档即系统"(document as system，DAS)是作者提出的一种新型地理计算模式，地理计算语言（GeoComputation Language，G 语言）是 DAS 的核心内容，该语言借鉴了最终用户编程和低代码编程思想，是一种面向业务人员的、描述地理分析过程的表格化编程语言。

本书由三篇组成：第一篇首先简要介绍地理计算和编程语言的相关知识以及所存在的问题，然后介绍 DAS 的基本原理和研究现状，G 语言的设计思想、技术特点和应用领域；最后重点介绍 G 语言的语法规则、结构化表达式、关键词和 G 语言应用系统的开发方法。第二篇介绍 G 语言常用关键词的用法，涉及网络大数据获取、空间分析、数据处理、统计分析以及成果表达等方面的内容。第三篇介绍 G 语言在 GIS 教学、时空大数据、遥感以及国土空间规划等方面应用的 10 个案例。

本书既可作为地理信息科学专业及相关专业的本科生、研究生教材，也可供从事 GIS 开发、应用与管理的科研工作者和业务人员参考使用。

图书在版编目（CIP）数据

地理计算语言及其应用 / 周文生著. —北京：科学出版社，2023.2

ISBN 978-7-03-074896-6

Ⅰ. ①地…　Ⅱ. ①周…　Ⅲ. ①地理语言学-计算语言学　Ⅳ. ①H004

中国国家版本馆 CIP 数据核字（2023）第 027151 号

责任编辑：彭胜潮／责任校对：胡小洁
责任印制：吴兆东／封面设计：图阅盛世

科 学 出 版 社 出版
北京东黄城根北街 16 号
邮政编码：100717
http://www.sciencep.com
北京中科印刷有限公司 印刷
科学出版社发行　各地新华书店经销
*
2023 年 2 月第　一　版　开本：787×1092　1/16
2023 年 2 月第一次印刷　印张：16 1/2
字数：391 000
定价：150.00 元
（如有印装质量问题，我社负责调换）

本书出版由以下项目资助

- 国家重点研发计划（2018YFB2100701，2018YFD1100303）
- 北京卓越青年科学家计划（JJWZYJH01201910003010）
- 清华大学国强研究院资助项目（2022GQI1303）

序

　　随着大数据、智能时代的到来，空间数据的可获取度越来越高，复杂空间分析逐步由研究领域向工程应用领域扩展。为此，人们对 GIS 应用的便捷性和分析成果的可验证性提出了更高的要求。长期以来，由于现有编程技术具有较高的技术门槛，普通无编程能力的业务人员只能通过工具箱模式进行复杂的地理分析任务，这种作业模式低效，且分析结果的质量也很难得到保障，严重影响了 GIS 技术广泛、深入的应用。

　　该书作者在城乡规划和文化遗产保护等领域做了大量理论和实践方面的工作，对 GIS 所面临的上述问题有较为深刻的体验和认识。在国家"十三五"重点研发计划项目的支持下，开创性地提出了"文档即系统"（document as system，DAS）这一新型地理计算模式。该模式通过在 Word 文档中采用易于理解和掌握的地理计算语言来描述复杂的地理计算过程，并通过地理计算语言解释器实现了地理计算高效、智能的实施，从而降低了人们学习和应用 GIS 的难度。该研究成果目前已在 GIS 教学、时空大数据、遥感和国土空间规划等方面得到应用，充分展示了 DAS 的应用潜力，同时也获得第 48 届日内瓦国际发明展金奖，并入册 2021 年世界互联网大会"世界互联网领先科技成果"。

　　近年来，在国际环境日益复杂的背景条件下，我国高度重视关键核心技术创新攻关，"大力提升自主创新能力，尽快突破关键核心技术"成为我国广大科研工作者的重大历史责任。虽然 GIS 在我国已有多年的研究和应用，但其理论、方法和软件大多原创于欧美国家，我国在该领域的原创性贡献度还需提升。地理计算语言的提出，为规范化、系统化地构建地理分析模型提供了一个新的范式，不但提升了地理分析过程的自动化和智能化水平，而且也保证了分析成果的可检验性，是对 GIS 领域的一大贡献。

　　该书是一本融合了地理计算语言理论、技术和实践的原创性学术专著，可作为学习、研究和应用 GIS 的参考书。

　　我由衷地祝贺作者在这一新的研究领域所取得的丰硕成果，并欣然为该书作序，希望这一研究成果能够发扬光大，为 GIS 的发展和广泛应用做出贡献。

中国工程院院士

李建成

2022 年 9 月 14 日

前　言

2019 年，笔者针对国土空间规划"双评价"计算所存在的问题，提出了"文档即系统"（document as system，DAS）这一全新的 GIS 应用模式。此后，在国家"十三五"重点研发计划项目的支持下，先后研发了"国土空间规划双评价智能数据处理与分析系统""时空大数据采集与分析 DAS 系统""清华 GIS 实践教学 DAS 系统""村镇聚落变化监测集成平台""地理市情分析 DAS 系统"等应用系统。在此基础上，2019 年在测绘出版社出版了《新型地理计算模式及其在双评价中的应用》。2021 年，Springer 引入该书版权，出版了 *A New GeoComputation Pattern and Its Application in Dual Evaluation*。同年，该成果获得第 48 届日内瓦国际发明展金奖，并入册 2021 年世界互联网大会"世界互联网领先科技成果"。此外，该研究成果也在 GIS 教学中得到应用，并获得第十届高校 GIS 论坛优秀教学成果奖。

地理计算语言（GeoComputation Language，简称 G 语言）是 DAS 的核心内容，它是一种面向非软件开发人员的地理分析过程描述语言，旨在解决工具箱模式下地理分析所存在的效率低下、验证困难，传统编程模式下技术门槛高、系统维护困难、计算过程不透明等顽疾。G 语言借鉴最终用户编程和低代码编程的思想，独辟蹊径，通过基于 MS Word 的表格化编程技术，不但降低了地理分析模型开发的难度，提升了地理分析过程的自动化和智能化水平，也首次将地理分析模型的描述性表达和计算性表达进行了整合，为地理分析模型的有效复用和传播奠定了基础。

本书是在《新型地理计算模式及其在双评价中的应用》基础上的提升，前者侧重介绍 DAS 技术以及基于 DAS 所开发的"国土空间规划双评价智能数据处理与分析系统"，目标是为国土空间规划"双评价"工作提供支持。本书则从编程语言的角度来系统介绍 G 语言的理论、开发方法以及应用实践方面的内容，目标是让 GIS 相关专业的学生、教师、研究人员和技术人员能够用 G 语言开发出个性化的地理分析模型，实现地理分析工作的自动化和智能化，这也是最终用户编程和低代码编程的愿景所在。

全书分为三篇，共 13 章。

第一篇　地理计算语言（第 1~4 章）

作为全书的开端，本篇首先介绍空间分析、地理计算、编程语言等与 DAS 相关的知识；之后，再简要介绍 DAS 的基本原理、技术特点和研究现状；最后，从 G 语言基础知识、G 语言基础以及 G 语言应用系统开发三个方面详细介绍 G 语言。

第二篇　G 语言常用关键词（第 5～9 章）

为满足读者开发 G 语言的需要，本篇详细介绍 G 语言中常用的 29 个关键词，这些关键词共分为 5 类，即数据采集类、空间分析类、统计分析类、数据处理类以及成果表达类。每个关键词的介绍都包括概述、参数说明和应用示例。相信读者读完本篇，并结合第三篇的应用案例，就能自主开发属于自己的 G 语言应用系统或地理分析模型。

第三篇　G 语言应用开发实例（第 10～13 章）

本篇详细介绍 G 语言在 GIS 教学、时空大数据、遥感、国土空间规划 4 个方面的 10 个应用案例，以期向读者展示 G 语言的应用潜力。这 10 个案例是：①基于矢量数据的市区择房分析；②基于栅格数据的学校选址分析；③基于网络数据的设施服务水平分析；④基于 POI 数据的城市用地功能识别；⑤基于街景图片的街道空间品质评价；⑥基于百度迁徙的城市人口流动时空分布格局研究；⑦基于遥感数据的生态环境质量评价；⑧基于 POI 和夜间灯光数据的城市空间结构分析；⑨国土空间规划"双评价"之土地资源评价；⑩国土空间规划"双评价"之区位优势度评价。

本书可以说是作者多年来从事 GIS 研究、教学和实践的感悟、总结和新的认识，希望更多的人能够通过 G 语言用好 GIS 这种空间分析工具。由于 G 语言是一种全新的表格化编程语言，可参考的资料有限，在技术和理论方面还有许多需要完善的空间，为此，作者开通了微信公众号（"双评价 DAS"），希望与广大读者进行交流，共同构建 G 语言生态。

由于本书的编写时间仓促，以及作者知识和水平的局限，书中难免挂一漏万，敬请读者批评指正。

周文生

2022 年 7 月 22 日于清华园

目　　录

第二篇　G 语言常用关键词

第三篇　　G 语言应用开发案例

第一篇

地理计算语言

　　本篇为地理计算语言的理论篇，分 4 章介绍地理计算语言的相关知识。第 1 章引论，介绍地理计算语言产生的相关背景知识和思考，包括空间分析、地理计算、编程语言等内容。其中，地理计算主要总结现有的 4 种地理计算模式，编程语言则分析编程语言的现状以及对未来编程语言的思考。第 2 章 G 语言基础知识，主要介绍新型地理计算模式和 G 语言的基本情况。其中，新型地理计算模式部分讲解该技术的基本思想、关键技术、技术特点以及研究现状，地理计算语言部分讲解 G 语言的概念、语言特点、G 语言解释器以及 G 语言集成开发环境，并对 G 语言的应用前景做了分析。第 3 章 G 语言基础，介绍 G 语言的基本术语、语言规则和关键词。第 4 章 G 语言开发，讲解利用 G 语言开发地理分析模型的方法，主要包括 G 语言开发基本流程、DAS 智能文档的开发、输出结果的定制以及模型的调试和运行等内容。

第1章 引 论

1.1 GIS 与空间分析

1.1.1 GIS 概述

1. GIS 的概念与发展

地理信息系统(geographic information system，GIS)是一种处理地理空间数据的信息系统。不同的学科专业、不同的应用领域，对 GIS 概念的理解也有所不同。例如，美国科学院院士、地理信息科学之父 Michael F. Goodchild 将 GIS 定义为"一个能够采集、存储、管理、分析和显示与地理现象有关的信息的综合系统"。我国地理信息系统研究的开拓者陈述彭先生则认为，GIS 是一种采集、存储、管理、分析与应用地理信息的计算机系统，是分析和处理海量地理数据的通用技术。1988 年美国国家地理信息与分析中心(NCGIA)下的定义为：为了获取、存储、检索、分析和显示空间定位数据而建立的计算化的数据库管理系统。尽管各自的表述有所不同，但通常人们认为，GIS 是在计算机硬、软件系统支持下，对整个或部分地球表层(包括大气层)空间中的有关地理分布数据进行采集、存储、管理、运算、分析、显示和描述的技术和工具。

自从 1963 年加拿大测量学家 R. F. Tomlinson 提出并建立世界上第一个 GIS 以来，经过 60 年的发展，GIS 已在政府、企业和产业等方面得到了广泛应用，应用领域包括城乡规划、房地产、公共卫生、国防、自然资源、考古学、运输和物流等。而网络技术和移动互联网技术的推广与普及，使 GIS 的应用范围从最初的科研和政府部门扩大到百姓的日常生活，从地图制图和应用发展到今天的地理信息服务。

随着云计算、物联网、移动终端等新技术的快速发展，未来的 GIS 将是普世化的 GIS，在这种情况下，很多人类的知识和经验都可通过地图的方式来表达，用户可以便捷地通过互联网和移动设备获取和使用空间数据或地理信息服务。

2. GIS 的功能

GIS 的功能大致包括数据采集、数据管理、空间分析以及可视化表达等四方面的内容。

(1)数据采集：数据采集是 GIS 最基本的功能，它是将地图数据、统计数据和文字报告等输入、转换成计算机可处理的数字形式的过程。数据采集的手段有多种，既可以通过数字化现有地图，也可以通过野外测绘、GPS 和遥感等技术直接获取空间数据。

(2)数据管理：包括数据库的设计，数据库的建立、更新与维护。

(3)空间分析：空间分析是 GIS 的核心功能，是区别于非 GIS 系统(如 CAD)的重要特征，包括空间查询、空间统计、一般空间分析和空间分析模型等内容。

(4)可视化表达：就是将 GIS 查询或分析的结果通过专题地图(包括二维、三维)、统计图、统计表等形式从多个方面进行展示。

3. GIS 的组成

(1)计算机硬件：硬件系统是 GIS 实现的物质基础，包括计算机、输入与输出设备、网络通信设备。

(2)计算机软件：包括系统软件、基础软件和 GIS 软件，系统软件主要指操作系统，基础软件包括数据库软件、编程软件和算法软件，GIS 软件提供 GIS 的各种功能。目前，国外比较有代表性的 GIS 商业软件有 ESRI 的 ArcGIS，国内有代表性的软件有 SuperMap 和 MapGIS。除此之外，也有很多免费 GIS 软件，如 GeoDa、uDig、OpenJump、QGIS、gVSIG、Whitebox GAT、GRASS GIS、MapWindow 以及 ILWIS 等。

(3)空间数据：空间数据是地理信息的载体，是 GIS 操作和分析的对象，也称为 GIS 的"血液"。再好的 GIS 软件，若没有合适的空间数据，GIS 软件也不能发挥其作用，可见空间数据对于 GIS 的重要性。因此，空间数据库的建设、维护和管理在 GIS 系统的建设中占有很大比重。

(4)GIS 用户：GIS 用户分为系统开发、管理、维护人员和 GIS 应用用户两大类。不同知识水平和不同专业背景的用户，使用 GIS 的水平也不一样，同样的数据、同样的 GIS 软件对于不同的 GIS 用户，其分析或应用效果会有所不同。

1.1.2　坐标系统与空间数据

1. 坐标系统

坐标系统是 GIS 图形显示、数据组织和分析的基础，GIS 的坐标系统通常有地理坐标系统(geographic coordinate system)和投影坐标系(projection coordinate system)，此外，还有平面坐标系统(plannar coordinate system)。平面坐标系统常常在小范围内不需要投影或坐标变换的情况下使用，而地理坐标系统和投影坐标系统是相互联系的，地理坐标系统是投影坐标系统的基础之一。

1)地理坐标系

地理坐标系是使用三维球面来定义地球表面位置，以实现通过经纬度对地球表面点位引用的坐标系。一个地理坐标系包括角度测量单位、本初子午线和参考椭球体三部分。

根据所选用的参考椭球体的不同会有不同的地理坐标系，我国常用的地理坐标系统有 1954 年北京坐标系(克拉索夫斯基椭球)、1980 西安坐标系统(IAG1975 椭球)、WGS84 坐标系统(WGS-84 椭球)以及 2000 国家大地坐标系(CGCS2000 椭球)。

2）投影坐标系

由于用于近似地球的地球椭球体表面也是个曲面，而我们日常生活中所使用的地图及量测空间通常是二维平面，为此需要在地图制图和量测时将球面转化成平面。而地图投影就是按照一定的数学法则将地球椭球面上的经纬网转换到平面上，使地面点位的地理坐标(ϕ, λ)与地图上相应点位的平面直角坐标(x, y)建立起一一对应的函数关系，从而实现由地球椭球面向地图平面的转换。

由于地球椭球面是一个不可展平的曲面，将球面投影到平面时会产生误差或变形（长度变形、面积变形和角度变形）。为了按照不同的需求减少某一方面的变形，就产生了不同投影方法，如高斯–克吕格投影就是一种投影前后角度不变，但长度和面积会发生变形的投影，且这种变形离中央经线越远，变形越大。为此，需要采用3°或6°投影分割带的方法将投影范围限制在一定范围，从而使变形不超过一定限度。

投影坐标系由地理坐标系和投影方法（如高斯–克吕格投影、Lambert 投影、Mercator投影）确定，如 ArcGIS 中的投影坐标系 Beijing 1954_3_Degree_GK_Zone_25，表示该坐标系的地理坐标系为 1954 年北京坐标系，投影为高斯–克吕格投影，3° 带，带号为 25。

2. 地理数据

作为对现实世界的表达和抽象，地理数据是以地球表面空间位置为参照，描述自然、社会和人文景观的数据。它直接或间接关联着相对于地球某个地点的数据，是表示地理位置、分布特点的自然现象和社会现象的诸要素文件，包括自然地理数据和社会经济数据，如土地覆盖类型数据、地貌数据、土壤数据、水文数据、植被数据、居民地数据、河流数据、行政境界及社会经济方面的数据等。

地理数据来源广泛，既可以是传统的纸质地图，也可以是遥感数据，或 GPS 定位数据，或各种统计数据，以及基于位置的社交网络数据等。尽管不同的 GIS 软件有各自特定的地理数据格式，但总体来说，可分为矢量数据和栅格数据两大类。

1）矢量数据

矢量数据是用点、线、面来对地理对象进行抽象。点对象由独立的坐标来表示，线对象由一系列坐标点表示，面对象由首尾相连的多个线要素构成，面要素的边界把区域分成内部和外部。矢量数据具有空间、属性和时间三大特征，空间特征又分为空间位置和拓扑关系。根据矢量数据是否包含拓扑关系，可分为无拓扑关系的矢量数据结构和有拓扑关系的矢量数据。无拓扑关系的矢量数据仅包含空间对象的位置坐标和属性信息，而有拓扑关系的矢量数据除包含有空间对象的位置坐标和属性信息外，还包含空间对象的拓扑关联信息。

2）栅格数据

栅格数据是以坐标隐含、属性信息明显的方式来表达、显示世界，通常用于表达连续分布的地理现象。栅格数据的结构是像元阵列，每个像元是栅格数据中最基本的信息存储单元，其坐标位置用行、列号确定。点实体在栅格数据中用一个像元表示，线实体用连接成串的像元集合表示，面实体用聚集在一起的相邻像元集合表示。

栅格的像元值通常是某一地理现象或地物的概况，如高程、气温、降水量、土地利用类型、植被类型等。栅格的像元一般为规则正方形，具有固定的尺寸和位置，像元的大小(栅格分辨率)决定了栅格数据的精度，也决定了栅格数据表达信息的详细程度。

3) 矢量数据与栅格数据的对比

矢量数据与栅格数据有各自的优缺点和适用范围。通常，矢量数据位置精度高，具有建立空间关系的能力，适合地理对象的几何转换和拓扑关系的描述，且图形输出效率高，但叠加分析操作算法复杂，空间分析效率低。栅格数据具有叠加分析的算法简单、空间分析效率高的优点，但无法满足拓扑关系分析的要求，且图形表达精度和输出效率低。

4) 空间数据格式

空间数据的组织形式有多种，如 ArcGIS 中常用的 Shapefile、Coverage、Tiff 的文件类型和 Geodatabase 数据库类型。

Shapefile：一种基于文件方式存储 GIS 数据的文件格式。至少由 shp、dbf、shx 三个文件作成，分别存储空间、属性和前两者的关系，是 GIS 中比较通用的一种数据格式。此外，还有 prj、shp. xml、sbn 和 sbx 四种文件：prj 存储了坐标系统，shp. xml 是对 shapefile 进行元数据浏览后生成的 xml 元数据文件，sbn 和 sbx 存储的是 shapefile 的空间索引，它能加速空间数据的读取。

Coverage：一种拓扑数据结构，数据结构复杂，属性缺省存储在 Info 表中。目前 ArcGIS 中仍然有一些分析操作只能基于这种数据格式。

Grid：是 ArcGIS 原生的栅格数据存储格式，该格式是 ArcGIS 空间分析扩展模块默认的输出格式。

Tiff：是一种流行的高位彩色图像格式，格式复杂，存储内容多，占用存储空间大，以 .tif 为扩展名。

Geodatabase：用于存储空间数据的数据库，根据应用场景的不同，有以下三种：

(1) FileGeodatabase：存储于文件中，文件大小没有限制。

(2) PersonalGeodatabase：用来存储小数据量数据，存储在 Access 的 mdb 格式中，文件不能大于 4GB。

(3) ArcSDEGeodatabase：存储大型数据，存储在大型数据库（如 Oracle、SQL Server、DB2 等）中，可以实现并发操作。

1.1.3 空 间 分 析

1. 空间分析的概念

空间分析的概念源于 20 世纪 60 年代地理与区域科学的计量革命。M. F. Goodchild

曾指出："地理信息系统真正的功能在于其利用空间分析技术对空间数据分析"。与一般空间数据库、信息系统和地图制图系统不同，GIS 空间分析不仅能进行海量空间数据管理、信息查询检索和量测，还可以通过图形操作与数值模拟运算，分析出地理空间数字中隐藏的模式、关系和趋势，挖掘出对科学决策具有指导意义的信息，从而解决复杂的地学应用问题。

由于空间分析内容十分复杂，GIS 学术界对空间分析的理解和认识也有差异，以下是著名学者的一些观点：空间分析是对空间信息、属性信息或两者共同的信息的统计描述或说明(Goodchild，1987)；空间分析是指从 GIS 目标之间的空间关系中获取派生的信息和新的知识(李德仁等，1995)；空间分析是指基于地理对象的位置和形态的空间数据分析技术，其目的在于提取和传输空间信息(郭仁忠，1997)。

总体来说，空间分析是集空间数据分析和空间模拟于一体的技术，它通过地理计算和空间表达挖掘潜在空间信息，以解决实际地理问题。其根本目标是建立有效的空间数据模型来表达地理实体的时空特征，发展面向应用的时空分析模拟方法，以数字化方式动态地、全局描述地理实体和地理现象的空间分布关系，从而反映地理实体的内在规律和变化趋势(刘湘南等，2005)。

2. 空间分析的作用

无论是对地理学科的研究、政府决策、商业经济决策，还是公众出行等方面，空间分析都有很大的作用。对于地理学科研究来说，可分析各种地理现象的分布规律，揭示地理事象的关联关系和时空演变，分析地理事象的空间结构以及揭示地理事物的空间效应；对于政府决策来说，可为政府管理提供分析工具和决策支持，为部门专业化管理提供科学依据；对于商业经济决策来说，可进行商业地理分析、商业选址分析以及商业营销辅助决策；对于公众出行来说，可提供车辆导航、出行决策以及安全驾驶等方面的支持(崔铁军，2016)。

3. 空间分析的内容

空间分析所涉及的内容较多，但总的来说，主要包括叠置分析、缓冲区分析、网络分析、统计分析、地形分析和空间插值分析等空间分析方法。

(1)叠置分析：指在同一空间参考下，将同一地区的地理对象的图层进行叠合，以产生空间区域的多重属性特征，或建立地理对象之间的空间对应关系。

(2)缓冲区分析：就是在点、线、面实体周围生成一定范围的区域，用以识别这些实体对邻近地理对象的辐射范围或影响度。

(3)网络分析：是指依据网络拓扑关系，通过考察网络元素的空间及属性数据，以数学理论模型为基础，对网络的性能特征进行多方面研究的一种分析计算。常见的网络分析方法包括路径分析、资源分配、选址分析和连通分析。

(4)统计分析：主要对数据进行分类和综合评价，主要包括统计图表分析、描述统计分析、主成分分析、层次分析和聚类分析等内容。

(5)地形分析：是指对地形及其特征进行分析。常用的地形分析方法包括地形表面模型建立、地形内插、精度分析、地形因子、可视化分析和剖面分析等。

（6）空间插值分析：是指将离散点的测量数据转换为连续数据表面的分析，以便将连续数据曲面与其他空间现象的分布情况进行比较。主要的空间插值方法有泰森多边形法、反距离权重插值法、样条函数插值法和克里金插值法等。

1.1.4　地理分析模型

所谓地理分析模型，指对地理环境中的地理要素或地理现象的抽象或简化，是对其最重要的构成及其相互关系的表述（张远等，2016）。对于不同的研究角度和应用场景，地理分析模型的表达形式也不尽相同。从地理学的角度来看，地理分析模型是在时空关系方面对地理实体或地理现象的推理论证；从数学角度来看，地理分析模型是各式各样的数学模型或者数学公式的集合；从计算机角度来看，地理分析模型是一套参数特定、数据类型指定的可执行程序（侯涛，2019）。

在地理问题的研究中，地理分析模型具有非常重要的作用。其原因在于，在现实世界中，受限于政治政策、空间尺度、时间尺度、复杂性等因素，很多研究的现象和过程难以实现。而借助于文字、符号、公式等，地理分析模型可以对客观事物和现象进行概括和描述，从而成为人们理解现实、解决未来的途径。因此，地理分析模型自然成为研究者进行模拟研究的理想工具。

1.2　地理计算概述

1.2.1　地理计算的概念

随着计算机技术和数学方法的不断进步，人们对处理海量地理空间数据和解决复杂地理问题的需求日益增长，迫切需要一种空间数据分析处理方法论的指导。为此，20世纪 90 年代，一种融合计算机科学、地理学、地球信息科学、信息科学、数学和统计学理论与方法的计算——地理计算（GeoComputation，GC）开始形成并逐渐发展起来，从此，地理空间数据分析与建模有了一个全新的技术平台（刘湘南等，2005）。

"地理计算"的概念最初由利兹大学计算地理研究中心的 Openshaw 教授提出，并于 1996 年在利兹大学召开了地理计算第一届年会。这次会议标志着地理计算学作为一个学科的诞生，它带来的科学思想深刻影响着地理学及相关学科。21 世纪以来，地理计算与 GIScience 国际大会隔年轮替召开，共同推动了地理计算的发展（蔡砥，2011）。

对于地理计算的内涵，目前还没有统一的定义。Openshaw 教授等认为，地理计算本质上是继地理信息科学之后的革命（Openshaw et al., 1997）。2000 年，Openshaw 教授又对地理计算有了进一步的认识，指出地理计算是一种以高性能计算为基础的、解决通常不可解甚至不可知问题的方法（Openshaw et al., 2000）。Longley 等将地理计算定义为计算密集型方法在自然和人文地理学中的应用（Longley et al., 2001）。P. Rees 等提出"地理计算可被定义为计算技术应用于地理问题的处理方法"（Rees et al., 1998）。

我国学者经过多年的研究认为，从广义看，地理计算是以计算机方法为基本科学工具的、处理地理信息和分析地理现象的地理学分支，它包括地理信息处理与管理、地理数据挖掘、地理过程建模模拟以及支持这些处理与分析的软件工程和计算体系研究。从狭义看，地理计算是地理信息科学的核心内容之一，主要研究地理信息科学的方法学问题，包括算法、建模和计算体系（王铮等，2007；2011）。

总体来说，地理计算就是使用一系列计算方法和工具，建立地理模型，并从中分析其复杂的、具有不确定性的地理问题。其研究目标主要包括以下几个方面（李霖等，2008）：

（1）将计算机工具引入地理学领域；

（2）设计合适的地理数据挖掘和知识发现操作；

（3）研发时空尺度上集群算法；

（4）获得超越目前软件、硬件能力的地理分析方法；

（5）使用可视化和虚拟现实手段实现人们对地理问题的理解与交流。

1.2.2　地理计算的模式

在目前地理计算研究中，学者们主要注重地理计算的理论、方法、体系的研究，而较少探讨如何应用这些方法解决具体的地理问题。但对地理分析相关的业务与研究来说，如何有序、规范、有效地进行地理分析模型的构建与计算，才是更为关心的内容。在这里，笔者将其归结为地理计算模式的问题。所谓地理计算模式，就是进行地理计算所采用的方法或手段。总结现有的地理计算手段，无非是手工模式和自动化模式两种类型，其中，自动化模式又根据对计算机编程专业化要求程度的高低分为可视化建模模式、脚本建模模式和独立系统开发模式（周文生，2019）。

1. 手工模式

手工模式，或称工具箱模式，是目前地理分析所普遍采用的方法。该模式是通过GIS平台所提供的分析工具（如叠置分析、缓冲区分析）来完成特定的地理计算任务。如在 ArcGIS 的 ArcToolbox 工具箱中就提供了 1 000 多个处理工具（图 1.1）。

2. 可视化建模模式

可视化建模模式就是采用可视化的方法来帮助用户构建地理分析模型，从而实现地理计算的自动化。由于这种建模方法不需要用户懂得编程的知识，从而降低了地理分析模型开发的难度。如 ArcGIS 中 ModelBuilder 就是这种可视化建模工具，该工具基于图解建模的基本原理，用直观的图形语言将所要研究的问题用一个或多个具体的过程模型表达出来。图 1.2 即为采用 ModelBuilder 所构建的一个地理处理模型。

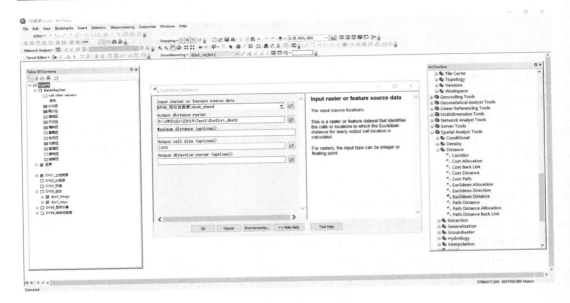

图 1.1　ArcGIS 中的工具箱模式

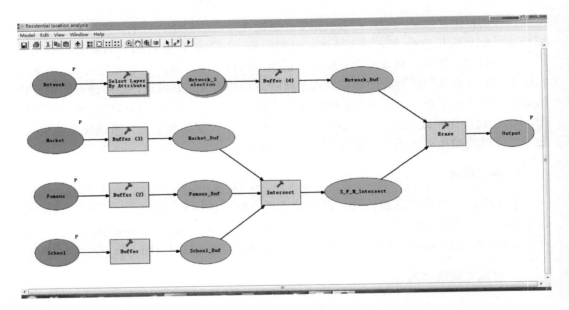

图 1.2　可视化建模示例

3. 脚本开发模式

脚本开发模式，就是采用专有脚本语言（如 MapInfo 中的 MapBasic 语言）或通用的脚本语言（如 VBA，Python）调用 GIS 平台中封装好的算法，来完成复杂的数据处理或地理分析模型的构建。

4. 独立系统开发模式

独立系统开发模式就是采用系统语言（如 C++和 .NET）从底层或在 GIS 组件基础上开发独立的 GIS 应用系统。目前普遍采用的是组件式 GIS 开发模式（宋关福，1998；周文生等，2007），常用的 GIS 组件有美国 MapInfo 公司的 MapX 和 ESRI 公司的 ArcEngine、中国超图公司的 SuperMap iObjects。

1.2.3　问题与分析

1. 存在的问题

空间分析的有效实施有赖于选择合适的地理计算模式，但现有的地理计算模式，无论是工具箱模式、可视化建模模式、脚本开发模式还是独立系统开发模式，在面对诸如国土空间规划"双评价"这种复杂的地理计算任务时均难以有效应对，具体分析如下。

1）工具箱模式

尽管工具箱对地理分析工作提供了很多方便，但利用工具箱进行较为复杂的地理计算不是一种明智的选择。因为在这种计算模式下，技术人员首先需要在众多工具箱中找到所需的工具，之后，需要在对话框输入若干参数。由于一个地理计算任务往往是由多个地理计算项构成，且各地理计算项具有前后关联关系。这样，当计算过程中有一个环节出现失误（如工具选择不当或参数设置错误）都会影响到最终的计算结果。此外，由于每次输入工具箱对话框中的参数无法保留，导致每次进行计算时均需重新输入，且由于无法保证各输入参数的正确性，从而无法保证计算结果的质量。

2）可视化建模模式

尽管可视化建模模式不需要编程基础，但这种模式只适合简单的地理分析模型，而当需要构建较为复杂的地理分析模型时，就会面对成百上千个位置不定的图形元素，要理解如此复杂的图形往往比阅读同等的代码更加困难。

3）脚本开发模式

尽管脚本语言（尤其是 Python 语言）和传统编程语言相比更容易被人接受，且代码对用户来说是可见的，但脚本语言毕竟也是一种编程语言，具有一般编程语言的特征，能够真正掌握这种语言的也是少数人。

4）独立系统开发模式

与脚本开发模式相比，系统开发模式需要专业的开发人员进行开发，开发成本和维护成本较高，且由于用户无法自行修改程序代码，致使所开发的系统很难满足地理计算工作对灵活性的要求。

除了上述所分析的问题外，在复杂地理计算中如何有效地检验其计算成果的质量，现有地理计算模式也不能给出一个有效的解决方案。

2. 原因分析

上述问题的产生，其原因在于，地理计算的实施，无论是在工程领域还是在科研领域，都缺乏一整套系统、科学、规范的手段和方法来保证地理计算任务高效、高质量的实施。而解决之道就是业务人员通过编程使地理分析过程实现自动化和智能化。只有通过编程，人们才有可能将处理、分析数据的经验和知识通过程序代码的形式精确记录下来，并由计算机自动完成一系列复杂的地理计算工作。这样地理计算就可以摆脱对个人经验的依赖，不但可以提高地理计算的效率，而且计算成果的质量也会得到保证。而之所以强调业务人员的编程能力，是因为地理分析过程并不像一般的应用程序那样，具有相对固定的应用模式，而地理分析过程较为灵活，这就需要业务人员根据需要对所构建的地理分析模型能够进行调整。

但令人遗憾的是，现有的编程技术门槛较高，而大部分业务人员都缺乏编程能力。编程，即使是脚本编程，对未受过大量编程训练的技术人员来说，都是一道难以逾越的坎。

之所以这么讲，是因为现有编程语言是与机器交流的语言，人们只有掌握这种语言，才具有与计算机交流的能力。但掌握一种编程语言并不是一件容易的事，现有编程语言的学习不仅仅是简单了解编程语言的基本语法，还需要通过大量的训练使人具有机器思维的能力，这种机器思维能力主要是指人们对需求的理解能力、严谨的逻辑思维能力以及从现实到程序的映射能力(建模能力)。很显然，对于非计算机专业的人员来说，由于投入的精力有限，编程训练不够系统，很难具备这种机器思维能力，也就不能在日常的学习和工作中灵活、自如地通过编程解决问题。

1.3　编　程　语　言

1.3.1　编程语言的发展

1. 编程语言的演化

语言是人类在长期的历史发展过程中，为了交流思想、表达感情和交换信息，逐步形成的交流思想工具。这类语言，如汉语、英语和法语，通称为自然语言；此外，人们为了某种目的又创造了一些语言，如旗语和哑语，这类语言通常称为人工语言。而作为人与计算机之间沟通工具的编程语言(或称程序设计语言)就属于人工语言，这是由于它是由人设计创造的、而非人类在长期交往过程中形成的自然语言，可以简单地理解为一种计算机和人都能识别的语言。

从 1946 年冯·诺依曼发明了第一台通用计算机开始，计算机科学家孜孜以求的共同目标就是让编程变得尽可能简单，到目前为止，人们已发明了成百上千种编程语言。总体来说，这些编程语言经历了以下三个阶段的发展(王晓斌等，2015)。

第一代语言，通常称为机器语言，以二进制 0 和 1 来表示，它是完全依赖机器的指令系统。程序员通过纸带打孔来编程。这种语言既难编写，又难读懂，很少有人能够掌握。

第二代语言，通常称为汇编语言，它将机器语言符号化，程序员可以用一些符号指令来操作内存，从而提高了程序的可写性和可读性。从机器语言到汇编语言的转变是一个质的飞跃，不仅代表着软件和硬件的分离，更是程序员可以用自己的语言来表达自己的想法。

第三代语言，通常是指高级编程语言，它是较接近自然语言和数学公式的编程语言，与计算机的硬件结构及指令系统无关，具有更强的表达能力，可方便地表示数据的运算和程序的控制结构，能更好地描述各种算法，而且容易学习掌握。

从以上编程语言发展历史来看，从第一代机器语言到第三代语言，编程语言越来越接近人类语言，学习和理解的难度逐渐降低，从而编程效率有了显著提高。但也应该看到，编程语言学习难度的降低仍不能解决软件供需的问题。为了进一步提高软件开发效率，软件开发技术进行了许多尝试，其中最成功的是可视化、组件化和框架化这三种技术[1]。

1）可视化技术

可视化技术最初是为了提高用户界面开发效率而产生的一种技术，该技术使开发人员可以通过拖放，快速构建用户界面、实现"所见即所得"的目标。该技术不仅可以提高软件的开发效率，而且可以降低软件开发的技术门槛。之后，可视化技术的应用范围逐步延伸到软件开发的其他领域，如数据库设计、工作流设计和业务逻辑设计。地理计算中的可视化建模模式，就是将可视化技术用于地理分析工作流程搭建的典型例子。

2）组件化技术

组件是使用高级语言生成的，其本质是可重用的代码。当一段代码可以在一个软件中使用或可以成为另一软件的一部分时，可以将其抽象为组件。组件的价值不仅在于提高代码重用和开发效率，而且还通过组件化设计来减少整个系统的耦合，并提高系统的可维护性。地理计算中的独立系统开发模式基本都采用组件技术来进行地理分析系统的构建。

3）框架化技术

可视化技术和组件化技术都聚焦在具体的功能实现，而框架则为整个软件和开发流程提供支撑。框架是指可被应用开发者定制的应用架构，它规定了应用的体系结构，阐明了整体设计、协作构件之间的依赖关系、责任分配和控制流程。由于框架提供软件的总体架构，简化了设计工作，从而降低了人们对软件架构师的能力依赖。同时，由于框

1）https://www.sohu.com/a/539764982_120608187。

架抽出了非功能需求，使开发者能更加专注于业务逻辑的实现，从而提升了开发效率。目前，应用较广的框架有 Spring 框架和大前端框架。

2. 编程语言的现状与发展方向

从上面的分析可以看出，由于编程语言由面向机器的思维逐步向面向人的思维方向发展，这使得软件生产的效率大大提高。然而，随着人们对计算机依赖程度越来越高，软件供不应求的现象仍然没有改变：一方面是由于数字化已逐步渗透到人类社会工作与生活的方方面面，真正的软件需求很难清晰地表述出来；另一方面是软件的开发需要业务知识的支撑，由于软件应用的覆盖范围越来越广，覆盖内容越来越细致，再优秀的程序员也很难对所有的业务细节有深入的理解和认识（韦青等，2021）。

产生这种问题的深层次原因在于，软件生产技术远落后于硬件的发展，软件生产范式与 20 世纪 50 年代相比并没有实质性的进步，导致目前编程技术门槛依然很高，只有少数人能掌握编程技能。若想改变这种局面，编程语言必须向自然语言发展，也就是说，未来的编程语言会越来越接近自然语言，编程的技术门槛会进一步降低，编程过程会越来越接近技术文档的撰写，从而使更多的人具有软件生产能力。

为了改变上述编程语言所遇到的困境，人们进行了多种努力和尝试，并取得一些可喜的成绩。最终用户编程和低代码编程就是其中的代表，其理念与方法值得研究和借鉴。

1.3.2 最终用户编程

所谓最终用户编程，就是让没有软件开发基础的用户利用他们自己的领域知识去开发软件。最终用户既是开发者也是使用者，他们对自己的需求是最明确的，不会存在沟通的问题。同时采用最终用户编程所开发的程序是最终用户自己所能理解和看懂的，在软件维护过程中，最终用户也就能了解整个软件的不足，缩短维护周期。此外，在传统软件开发过程中，软件供不应求是另一个长期面临的问题，软件的开发速度和生产效率永远达不到用户的需要。而由于最终用户编程能让更多的用户自行开发自己需要的软件，这会使软件开发的速度会提高、周期会缩短（Burnett et al.，2004）。

目前，面向最终用户编程有程序合成（program synthesis）、模型驱动（model driven development）、简捷编程（sloppy programming）以及领域特定语言（domain-specific language，DSL）四种方法（郁天宇，2013）。其中，领域特定语言是针对某一特定领域具有受限制表达性的一种编程语言（Martin，2010），其基本思想是"求专不求全"。与一般通用编程语言不同，其目标范围不是涵盖一切软件问题，而是专门针对某一特定问题的计算机语言。DSL 的首要目的是使程序尽可能地接近业务领域中的问题，从而消除不必要的间接性和复杂性。由于 DSL 针对特定领域，它能更简洁、清晰、系统地描述需求的意图，从而提高开发效率，使开发过程更加轻松。

Martin（2010）总结了 DSL 的四个重要特性。

第一，DSL 是一种计算机编程语言，它是人类设计出的、让计算机执行的命令。故其除了要让人容易理解以外，必须要可执行。

第二，DSL 具有语言的表达能力，语法不能是一个个单独的表达式，必须有一定的组合表达的能力。

第三，DSL 具有有限的表达能力，它不需要像通用程序语言（如 C 语言、Python 语言）那样强的表达能力，它只需要支持某个特定的领域即可。

第四，DSL 只关注某个特定领域，只有关注某个特定的领域，有限的表达能力才能发挥最大的作用。

Debasish（2011）总结了 DSL 与通用编程语言的两点差异。

第一，DSL 为用户提供了更高层次的抽象，这使得用户不用去关心诸如特殊的数据结构或低层次实现等细节，而仅仅去着手解决当下的问题即可。

第二，DSL 对于其关注的领域提供了有限的词汇，它不用像通用编程语言那样为特定的建模领域提供额外的帮助。

以上这两点使得 DSL 更适合非程序员的领域专家使用。也正是这些特性，通过 DSL 能在更高抽象级直观地表达应用问题，能在领域级完成需求确认，同时，又能通过工具支持领域知识复用，使许多从规范说明到可执行代码的转换任务能实现自动化，让先进技术能在更广范围内使用，避免因开发人员技能水平差异带来大的起伏，从而显著提高软件开发效率和质量，加快产品开发速度，满足应用多变的需求。

DSL 相关的研究已经取得了一些研究成果，如描述 Web 页面的 HTML，构造软件系统的 Ant、RAKE、MAKE，表达语法的 BNF 范式，语法分析器生成的 YACC、Bison、ANTLR，数据库结构化查询的 SQL，行为驱动测试的 Cucumber，描述样式表的 CSS 等。

1.3.3　低代码编程

近年来，低代码编程开始得到人们的关注，有人认为，它是第四代编程语言，有人认为，它是开发模式的颠覆，也有人认为，是企业管理模式的变革。据 Gartner 预测，到 2024 年将有 75%的企业使用低代码或零代码工具，来满足 IT 应用和企业开发的需求[1]。

所谓低代码编程，就是指开发者仅写少量的代码，通过低代码平台提供的界面、逻辑、对象、流程等可视化编排工具来完成大量开发工作。这不但可以降低软件开发中的不确定性和复杂性，也可以降低软件的开发成本和降低技术门槛，从而可以大幅度提升软件的开发效率。

低代码编程的模式不同于传统编程的"算法+数据结构=程序"模式，而是采用类似"公式+表格=程序"的开发模式，开发人员不再拘泥于数据结构和算法，而是用公式来决定应用的行为，这种开发模式不但可以将降低软件开发的技术门槛，软件的开发效率也会大大提升。

低代码编程的最终目标是实现软件开发的大众化，实现人人都是开发人员的美好愿

---

1) https://baijiahao.baidu.com/s?id=1730797152445728079&wfr=spider&for=pc。

景。低代码编程可以降低应用系统搭建的门槛，减轻对开发人员的依赖，让业务人员通过拖拽的方式自行搭建应用平台，以满足业务部门个性化需求，降低人力成本，减少与 IT 部门反复沟通的流程，缩短项目整体开发周期。

目前，低代码编程在大数据、AI、拖拽式工具的加持下，逐步成为国内外企业布局数字化战略的重要选择。国内外厂商都纷纷推出了低代码相关的平台和工具。国外的产品主要有 Microsoft Power Platform，OutSystem，Mendix，Kony 等，国内的有雀书、钉钉、企业微信(韦青等，2021)。

可以预见，数智化引领的科技时代，低代码编程的普及不但会提高软件生产的效率，更会改变软件生产的方式。

第 2 章　G 语言基础知识

2.1　新型地理计算模式

2.1.1　基本原理与关键技术

1. 基本原理

针对传统地理计算模式所存在的问题，借鉴最终用户编程和低代码编程的思想，作者提出了"文档即系统"（document as system，DAS）这一新型地理计算模式，其核心思想是，在 MS Word 或金山 WPS 文档处理环境下（后文统称为 Word），由业务人员利用地理计算语言（简称 G 语言）对地理计算过程进行规范化描述，形成计算机可以理解的 DAS 智能文档，之后，由 DAS 智能文档驱动后台 G 语言解释器完成地理计算（图 2.1）。

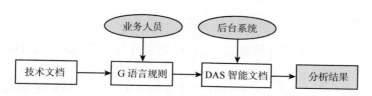

图 2.1　新型地理计算模式的基本原理

G 语言是一种业务人员易于理解和掌握的表格化编程语言，该语言通过内置关键词和用户自定义关键词实现地理计算的具体操作。

2. DAS 关键技术

DAS 的实现涉及 4 项关键技术，如图 2.2 所示。

（1）G 语言：G 语言是 DAS 的核心，是一种在 Word 文档中描述地理分析过程的表格化编程语言，该语言借鉴了最终用户编程的核心思想：强调"做什么"，而隐藏"怎么做"。与传统编程语言不同，G 语言易于理解和掌握，其语法规则就是若干 Word 表格的填写规定。利用该语言，普通业务人员就可以进行地理分析模型的构建与维护。

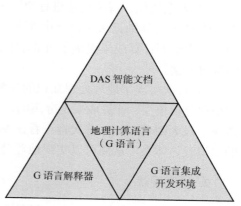

图 2.2　新型地理计算模式关键技术

(2) DAS 智能文档：DAS 智能文档是指业务人员利用 G 语言所编写的描述地理分析过程的 Word 文档。从编程的角度来说，DAS 智能文档也可以理解为由 G 语言所编写的程序代码，这些程序代码通过 G 语言解释器可以自动完成一系列地理计算。从应用的角度来看，DAS 智能文档就是为解决某一地理问题的地理分析模型。通常，地理分析模型是以计算机程序或系统的形式存在，而 DAS 智能文档所表达的地理分析模型则是以可读的 Word 文档形式存在。

(3) G 语言解释器：G 语言解释器是根据 G 语言的语法规则对 DAS 智能文档进行解析，提取地理计算的关键词和控制参数，并调用底层 GIS 开发库和第三方开发库执行地理计算。

(4) G 语言集成开发环境：G 语言集成开发环境(integrated development environment，IDE)是用于 DAS 智能文档开发的应用系统，该系统集成了 G 语言代码编写、分析、解释、调试和运行等一系列功能。与其他编程语言集成开发环境不同，G 语言集成开发环境是在 Word 基础上开发的，充分利用了 Word 的图表编辑功能，实现了地理分析模型从模型理论、模型实现到分析成果表达的一体化。

2.1.2　技术特点与研究现状

1. 技术特点

DAS 作为一种新型地理计算模式，与传统地理分析模型相比，具有以下三个显著的技术特点。

(1) 为复杂地理计算提供了便利的计算环境和描述语言。DAS 采用人们熟悉的 MS Word 或金山 WPS 作为地理分析模型构建和运行的环境，极大地方便了地理计算的实施。而 G 语言采用独特的关键词技术和表格化编程技术，降低了地理分析模型或分析系统构建的技术门槛。

(2) 为系统化、规范化地进行空间分析提供了可行的计算范式。DAS 通过人们易于理解的 G 语言详细记录了每一个地理计算处理步骤所使用方法、参数和中间结果，为回溯和检查地理计算成果提供了可靠的技术保证，同时也为杜绝研究成果造假提供了可行的解决方案。

(3) 首次实现了地理处理知识的完整表达。在传统 GIS 应用模式中，地理计算过程和地理分析模型、计算成果是分离的，这给后续地理分析模型的复用和计算成果的验证造成了极大困难。DAS 首次将三者在 MS Word 或金山 WPS 中进行了整合，形成了完整的知识表达体系，从而可以实现地理分析知识的高效传播和复用。

2. 研究现状

DAS 自 2019 年提出以来，在理论、平台和应用方面均进行了有益的探索，开发了以 MS Word 和金山 WPS 为载体的 G 语言集成开发平台 DAS2019，利用该平台构建了一系列 DAS 应用系统，涉及国土空间规划"双评价"、地理市情监测、时空大数据分析、遥感监测、GIS 教学以及论文过程复现等多个方面。目前，这些系统已在全国 240 多家单位得到广泛应用，如中国国土勘测规划院、中国地质调查局、国家海洋信息中心、中国科学院空天信息创新研究院、中国城市规划设计研究院、中国测绘科学研究院等。同时，该成果已获得授权发明专利 3 项、软件著作权 5 项（见书后附录）。

在此基础上，形成的专著《新型地理计算模式及其在双评价中的应用》已由测绘出版社出版（周文生，2019），英文版专著 *A New GeoComputation Pattern and Its Application in Dual-Evaluation* 也由施普林格·自然（Springer Nature）出版（Zhou，2021），该专著也是测绘出版社首次向国外输出版权[1]。2021 年，该成果获第 48 届日内瓦国际发明展金奖。同年，该成果作为国家重点研发计划课题的中期标志性成果，经工业和信息化部与科学技术部推荐，并经国内外专家评审，与"北斗全球卫星导航系统建设与应用"和"HarmonyOS 鸿蒙操作系统"共同入册 2021 年世界互联网大会"世界互联网领先科技成果"[2]。此外，该研究成果也在 GIS 教学中得到应用，并获得第十届高校 GIS 论坛优秀教学成果奖。

2.2　G 地理计算语言概述

2.2.1　G 语言的设计思想

G 语言是 DAS 技术体系中最核心的部分，DAS 所具有的技术特点来源于 G 语言的独创性。为了克服传统地理计算模式的不足，G 语言的设计考虑了以下几点。

（1）面向不具备编程能力的业务人员。通常，编程语言的目标群体为程序员（使用 C#或 VB. net）或具有一定编程能力的业务人员（使用 Python 语言或 R 语言），而 G 语言的目标群体是那些不具备编程能力的大部分业务人员。对于这些用户，只要熟悉自己的业务，对 GIS 有基本的了解，即可利用 G 语言解决地理计算问题。

（2）易于理解和掌握。既然 G 语言的用户群体为不具备编程能力的业务人员，为了减少他们学习 G 语言的难度，G 语言的语法规则应简洁、明了，易于学习、便于记忆，以便普通不具备编程能力的业务人员能够很快理解和掌握。

（3）代码具有可读性。对于编程来说，程序源代码是用编程语言书写的代码程序，程序源代码的可读性对开发人员很重要，由于最终用户接触到的是编译后的软件系统，用户不用关注代码的可读性。但对于 G 语言来说，用其所开发的地理分析模型或系统，本身就是 G 语言代码，这就需要 G 语言应提供足够多的信息，以保证业务人员能够对所使用或开发的地理分析模型从原理、模型到参数含义都能够有充分的理解，以便对模型进行调整。

（4）分析过程可追溯性。由于传统地理计算模式没有一种有效的手段来保证分析成果的正确性，为此，G 语言应能提供一种机制，来保证地理计算过程的可验证性和可追溯性。

---

1) https://www.sohu.com/a/397109758_772793；
2) http://www.wicwuzhen.cn/web21/news/original/202112/t20211202_23438208.shtml。

(5) 表格化编程。为了降低普通业务人员使用 G 语言的难度，G 语言在形式上应利用 MS Word 或金山 WPS 中的表格进行地理计算过程的表达。换句话说，就为了保证 G 语言的易用性，业务人员仅需按照 G 语言的简单规则填写表格即可完成地理分析模型的构建。

(6) 平台无关性。G 语言应是一种跨 GIS 平台的地理计算过程描述语言，虽然具体的地理计算是通过现有 GIS 平台来实现，但 G 语言中所使用的关键词与具体的 GIS 平台无关，任何 GIS 平台只要实现了 G 语言所设定的关键词，即可使用 G 语言进行地理计算。这也就是说，对于不同的 GIS 平台(如 ESRI 的 ArcGIS，或超图的 SuperMap)，只要利用这些平台所提供的二次开发库实现了 G 语言不同版本(如 ArcGIS 版本或 SuperMap 版本)的解释器，就可以利用 G 语言完成各种地理计算。这样，当普通业务人员需要构建地理分析模型时，只需掌握 G 语言，而无需掌握各种 GIS 软件具体的操作细节。这无疑会降低学习 GIS 的成本和应用门槛。

2.2.2　G 语言的技术特点

G 语言就是作者基于以上的设计思想，并借鉴最终用户编程以及低代码编程的理念而设计的一套描述地理分析模型或计算过程的语言。该语言以 Word 为开发和运行平台，用表格来规范代码的编写，降低了编程的技术门槛，使编程的群体扩大到了最终用户，进而使地理计算模式由手工模式向编程模式发展。

总体来说，G 语言具有以下技术特点。

(1) 抽象层次高。G 语言是一种面向地理建模的领域特定语言，与传统编程语言相比，抽象层次更高，关注做什么的问题，而不关注怎么做的问题，方便无编程基础的用户使用。

(2) 跨 GIS 平台。G 语言屏蔽了不同 GIS 平台(ArcGIS，SuperMap，MapGIS，开源 GIS)的差异。业务人员只需掌握 G 语言的语法规则和 G 语言关键词的使用方法，就可构建个性化的地理分析模型，而无需掌握 GIS 平台的操作。这样就使 GIS 的应用由平台级应用跨入语言级应用，降低了 GIS 的应用门槛，对 GIS 的大众化应用具有重要作用。

(3) 表格化编程。G 语言是一种表格化编程语言，通过表格来表达整个地理计算的逻辑，将输入、输出和控制参数分别放置在表格的不同栏中，替代了传统编程语言对代码格式的种种限制(如 Python 语言的缩进、大小写区别)。这种设计既有效减少了用户编写 DAS 智能文档时发生错误的概率，也简化了后台 G 语言解释器对 DAS 智能文档解析的难度。

(4) 计算留痕。在传统应用系统中，对话框是用户与系统交流的手段，但在 G 语言中摒弃了对话框，而直接使用 Word 文档作为用户和后台系统交流的媒介，用户每次计算的输入或修改均可完整保留，达到"一次输入，多次使用"的目标。这不但可以避免下次计算的重复输入(对比对话框模式)，提升了复杂地理计算的计算效率，也可以清楚地了解每次计算过程所使用的各种参数，为检查计算成果的正确性奠定了基础。

(5) 代码可读。由于用 G 语言所描述的地理分析模型实质上就是一个 Word 文档，用户可充分利用 Word 强大的图文表达能力，对地理分析模型的构建原理、方法和过程进行详尽地说明，同时也可对每个地理计算项步骤进行单独的说明，从而可以确保用户对地理分析模型的全面理解和认识。

2.2.3　与传统编程语言的对比

G 语言与传统编程语言的区别主要体现在 10 个方面，如表 2.1 所示。

表 2.1　G 语言与传统编程语言的对比

序号	对比项	传统编程语言	G 语言
1	开发环境	专用开发环境	Word 或 WPS
2	运行环境	独立系统	Word 或 WPS
3	应用系统目标	数据管理、数据分析(包括可视化)	数据分析，知识生产，论文、报告编写
4	展示模式	交互、查询式	平铺、叙事式
5	开发人员要求	专业开发人员(对编程和 GIS 均有较高要求)	业务人员(无编程要求，懂基本 GIS 操作)
6	开发过程	系统设计、代码编写、代码调试	逐行编写，逐行调试
7	计算成果的可追溯性	代码不可读，分析结果追溯困难	文档可读，计算成果可追溯
8	系统的可维护性	系统需开发人员	模型可自维护
9	系统的可复用性	系统为固化专用系统	可根据业务自由组合
10	系统的可部署性	需要进行安装	一个 Word 文档就是一个系统

（1）开发环境。采用传统编程语言开发应用系统，通常都需要有特定的集成开发环境(integrated development environment，IDE)，如微软的 Visual Studio 系列，Borland 的 C++ Builder，JetBrain 的 PyCharm，Eclipse 基金会的 Eclipse。但 G 语言的开发环境是以 MS Word 或金山 WPS 为依托，这不但降低了 G 语言集成开发环境的开发与维护成本，而且还减轻了非编程人员学习和使用 G 语言的负担。

（2）运行环境。利用传统编程语言所开发的应用系统(后称传统应用系统)最终是一个独立运行的系统，以可执行文件的形式存在。而 G 语言所开发的地理分析模型或应用系统(或称 DAS 应用系统)则是一个 Word 文档，模型的运行仍需在 MS Word 或金山 WPS 中进行。

（3）系统应用目标。传统应用系统主要用于数据的管理和数据的分析(包括可视化分析)两大类，而 DAS 应用系统则主要用于数据分析，同时还可直接用于知识的生产，如论文和分析报告的编写。

（4）展示模式。传统应用系统多采用对话框式的交互方式进行信息的提取与展示，是一种发散型的信息输出方式。而 DAS 应用系统则会采用文献或报告组织的形式，以平铺、叙事的方式进行信息的条理化展示。

（5）开发人员要求。传统 GIS 应用系统的开发，对开发人员的开发能力和 GIS 开发经验均有较高的要求。而 DAS 应用系统的开发，只需业务人员对 G 语言的语法规则有基本的了解，并能描述地理分析模型的分析步骤，即可上手搭建自己的地理分析模型。

(6) 开发过程。传统应用系统通常会经过系统设计、代码编写和代码调试的过程，一段代码或一个模块进行调试，而 G 语言则采用逐行编写、逐行调试的方式来完成 DAS 应用系统的开发。

(7) 计算成果的可追溯性。传统应用系统，对于用户来说代码是不可读的，或者说应用系统是一个黑箱，计算成果难以追溯。而 DAS 应用系统的代码是可读的 Word 文档，各计算步骤的输入、输出均可随时查阅，为计算成果的追溯提供了保障。

(8) 系统的可维护性。传统应用系统是一个固化系统，只有开发人员才能进行系统维护和更新。而 DAS 应用系统是业务人员可理解的 Word 文档，使得业务人员可根据业务的需要自行对 Word 文档进行修改，而无需开发人员的介入。

(9) 系统的可复用性。传统应用系统通常是为特定目标所开发的，在系统级别很难进行复用。而 DAS 应用系统是一个源代码系统，业务人员可根据业务的需要，将不同 DAS 应用系统中的源代码进行组合，从而实现系统的复用。

(10) 系统可部署性。传统应用系统通常都需要进行安装，方能运行。DAS 应用系统仅需要进行路径设置，一个 DAS 智能文档就是一个独立的应用系统。

2.2.4　G 语言的应用领域

由于 G 语言较传统编程语言的独特性，其应用范围较传统 GIS 分析系统有更多的应用潜力，目前主要应用于空间数据分析业务、学术研究和 GIS 教学三个方面。

1. 空间数据分析业务

目前，随着 GIS 技术的日益成熟以及可获取的空间数据越来越多，复杂的空间数据处理、分析业务已成为很多部门重要的工作内容。例如，国土空间规划"双评价"、地理设计、规划评估、地理市情监测、城市体检等。这些数据处理、分析工作具有数据密集、计算密集、知识密集以及学科交叉等特点，传统系统开发的方法由于灵活性差，更新、维护不能满足实际业务的需求，这些工作被迫采用工具箱模式，但正如前面所分析的那样，这种手工计算模式效率低下、成果质量不易控制。而 G 语言用于这些工作不但可以保证数据分析或数据处理成果的质量和提高工作效率，而且可以使业务工作的开展更加规范、有序。

例如，青岛市基础性地理市情监测报告的编写，就是一项极富挑战性的工作，该工作包括生态环境监测、综合交通监测、公共服务监测、城市建设监测以及地理市情指数等 5 大类 27 个中类指标、95 个小类指标的计算内容，且计算模型复杂、成果质量要求高。为此，青岛市勘察测绘研究院与清华大学合作将 DAS 用于该项工作，利用 G 语言搭建了基于 Word 的"青岛市自然资源监测智能统计分析 DAS 系统"（图 2.3～图 2.6）。实践表明，该系统的应用不但降低了业务人员的工作强度，提高了指标计算的效率，也为计算成果的检查、验证提供了可行、规范的方法。更为重要的是，该系统首次将监测报告的编写与计算过程完全整合，为智能化生成监测报告开启了一个全新的模式。

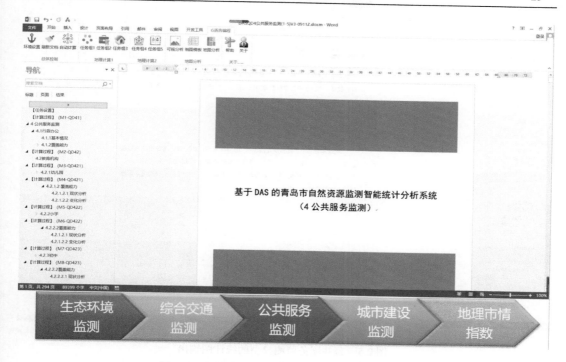

图 2.3　青岛市自然资源监测智能统计分析系统

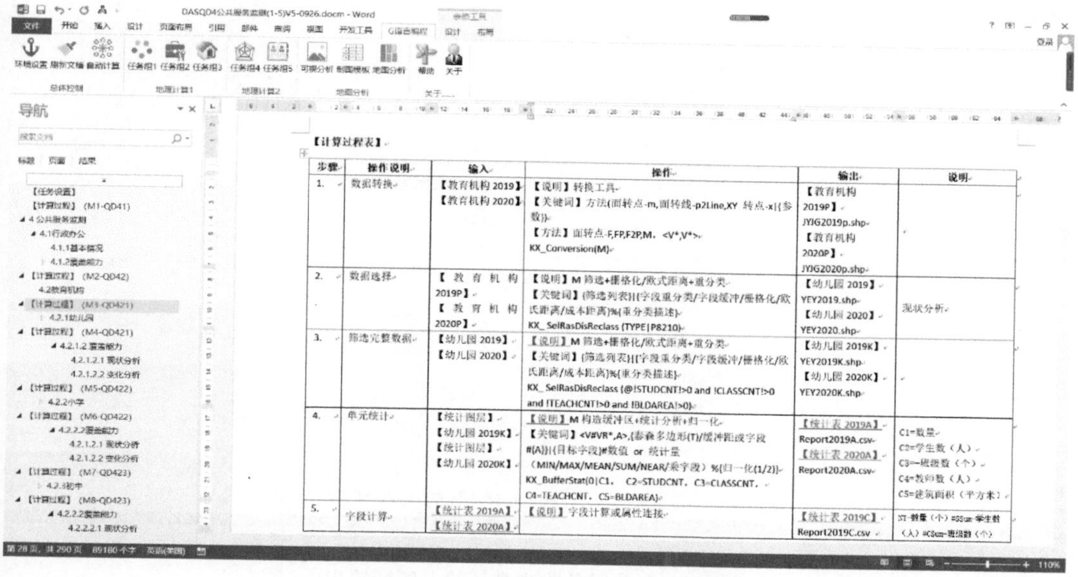

图 2.4　公共服务监测模型的 G 语言描述

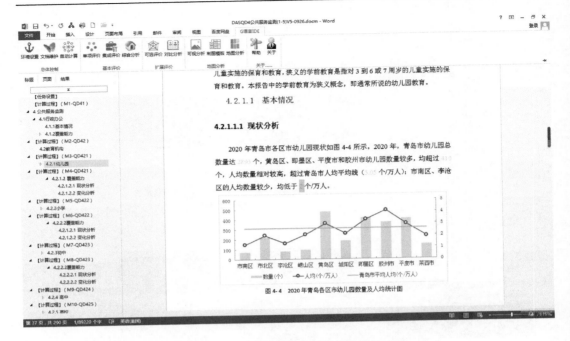

图 2.5　公共服务监测模型的统计图输出

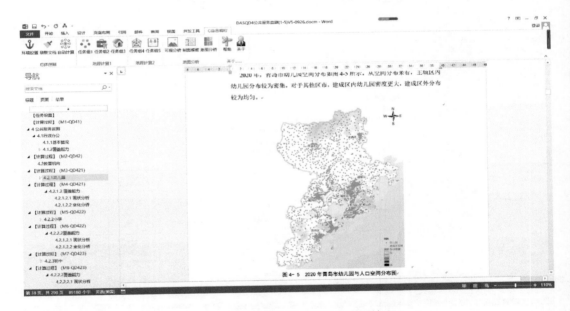

图 2.6　公共服务监测模型的专题图输出

2. 学术研究

随着 GIS 技术的日益成熟和不断普及，越来越多的学术领域开始引入 GIS 方法进行地理相关的研究。但比较遗憾的是，目前大多数研究人员基本都采用工具箱模式进行空间数据的处理与分析。正如前文所分析的那样，这种手工计算模式，低效且不能保证处理成果的质量。此外，由于是手工计算，没有有效的办法记录操作的具体过程，这给后续的研究带来了问题。而利用 G 语言则可以在 Word 文档中有效整合研究的理论、计算过程和计算成果，成为一个真正可验证、可回溯、可复用的知识系统。研究人员利用该知识系统，可方便地验证和比较不同的理论与方法，检验不同参数的设置对最终结果的影响，从而可以提高数据分析的效率。

除此之外，目前学术论文的基本形式都是仅仅提供学术研究的相关理论、方法以及最后的分析结果，而对于重要的数据分析过程，只是简单的文字描述，并没有一个具体的实现说明或实现系统。由此造成学术论文的计算成果不易验证，或根本没有办法验证的局面。而由于 G 语言具有完整描述研究理论、计算过程和计算成果的能力，可利用 G 语言完整复现有价值的学术论文，为研究成果的有效复用提供切实的支持，对学术研究以及研究成果的转换具有重要价值。该模式的推行，将成为一种新的学术论文范式。

图 2.7～图 2.12 为用 G 语言复现论文"合肥市地表温度与植被覆盖度的关系研究"（方刚等，2021）的示例。该系统的详细介绍见公众号"双评价 DAS"，其中有完整系统的下载地址。

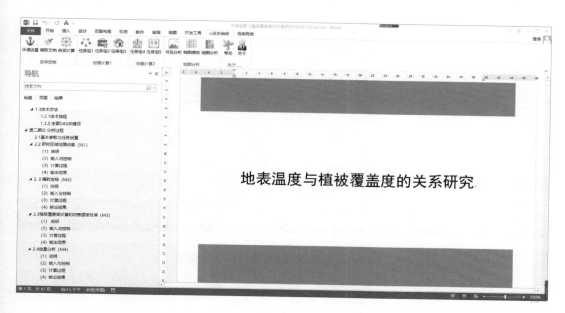

图 2.7　地表温度与植被覆盖度的关系研究 DAS 系统

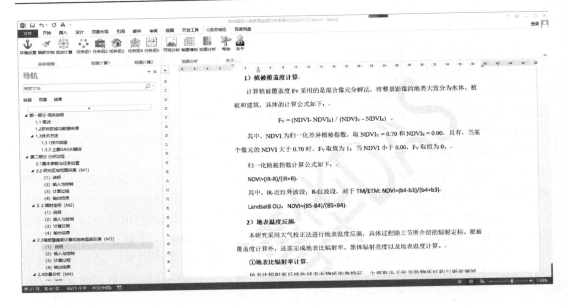

图 2.8　地表温度反演模型

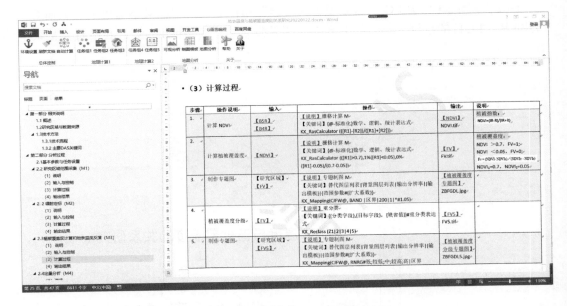

图 2.9　地表温度反演模型的 G 语言描述

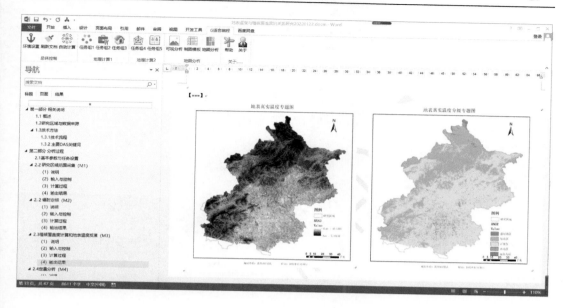

图 2.10　地表温度反演模型的专题图输出

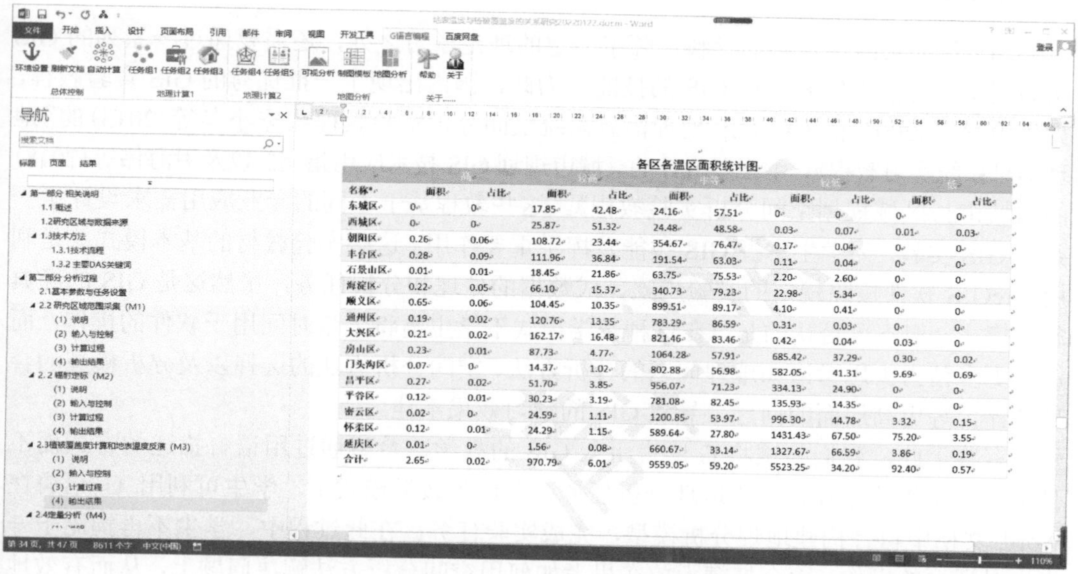

图 2.11　地表温度反演模型的统计图输出

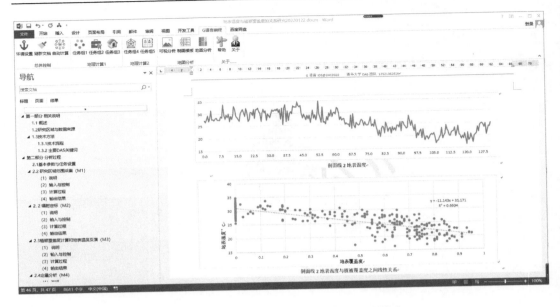

图 2.12　　植被与温度相关性分析的统计图输出

3. GIS 教学

GIS 作为实践性很强的学科，除了一定的理论学习之外，还需要通过一系列的 GIS 实验训练，方能理解和掌握 GIS 的技能。为此，国内出现了一批优秀的 GIS 实验教程，如汤国安等（2007）的《ArcGIS 地理信息系统空间分析实验教程》、宋小冬等（2013）的《地理信息系统实习教程》、牛强（2011）的《城市规划 GIS 技术应用指南》以及尹海伟等（2018）的《城市与区域规划空间分析实验教程》。这些教程基于不同的专业应用需求设计了一系列 GIS 实验，为学生掌握 GIS 技能发挥了重要作用。这些实验教材的基本模式就是利用 ArcGIS 软件按照规定的实验步骤完成数据的处理和分析任务，虽然这是 GIS 的经典教学模式，但不可否认的是，在这种教学模式下学生需将大量时间用于软件的操作，而没有更多精力去思考诸如地理问题的分析方法、空间分析方法的选择以及分析模型的合理性评价等更高层面的问题，导致 GIS 的学习效果不佳。

有鉴于此，我们尝试将 G 语言引入 GIS 的教学，希望通过用语言描述的方式而不是工具箱操作的方式来完成地理分析任务。在这种教学模式下，学生可利用 G 语言在 Word 文档中自行构建地理分析模型，完成实验任务。在此过程中，学生不再拘泥于一步步对话框的操作，而会把精力放在思考如何用空间分析方法解决问题上，从而有效地提升了学生地理思维能力。同时，由于学生所完成的实验报告是一个可验证、可复用的 Word 文档，这无论是教师检查学生完成实习的情况，还是学生将来使用自己所学的知识都是十分便利的。图 2.13～图 2.15 为其中一个实验案例。

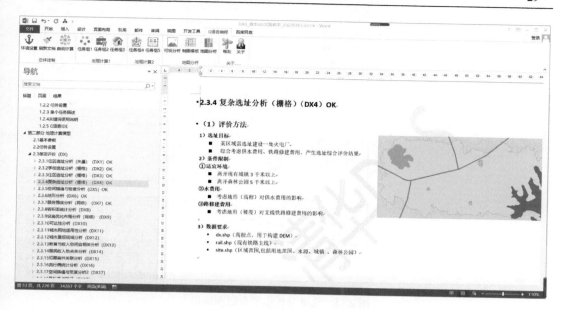

图 2.13　选址分析模型描述

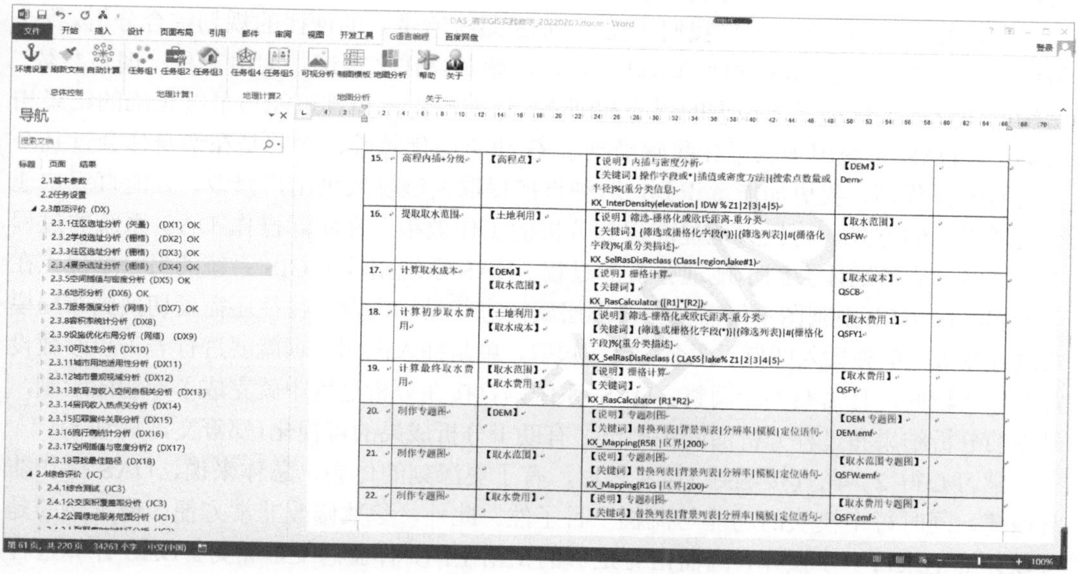

图 2.14　选址分析模型 G 语言描述

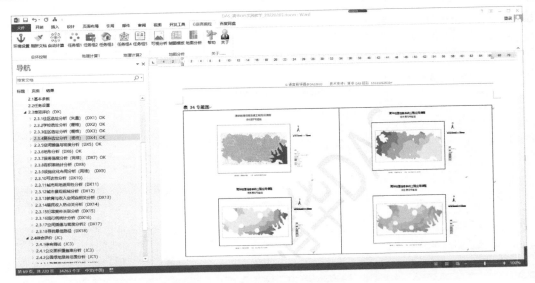

图 2.15　选址分析模型专题图输出

通过将 G 语言引入 GIS 教学，教学效果明显提升，以下摘选了两位学生的学习体会，从中可以感受到这一教学方法的优势。

学习心得 1　此次课程让我们感受了 DAS 系统所带来的便捷的规划综合分析。我在暑假正好自学过一些 GIS 软件的基础内容，深感其操作之艰深。调用工具、调整参数、连接属性表等工作都需要极大的耐心和细心，任何一步出错都可能与最终正确的结果相去甚远。DAS 系统用于教学让我感受到了 G 语言的优越性，尤其是在亲身体会过几个月的 GIS 操作后，我更加能意识到，这种直接提取关键参数供用户修改，且能直观快速地展现成果的方式，将极大地提高规划分析的工作效率。在实际操作 DAS 系统的过程中，我也更清晰地体会到了地理分析的过程。DAS 系统相较于 GIS 系统的另一个优点在于制图，在 GIS 中制图不仅需要打开图层属性进行显示设置，往往还需要切换到布局模式进行排版，单独插入图例、图名、比例尺等，单是插入图例一项就要进行若干步参数设置，效率较低，且需要不断调整，DAS 系统则直接在分析过程中就完成了专题图绘制，最终的分析结果和过程分析图同步产出，有助于分析成果的可视化(郑舒文，规划 8)。

学习心得 2　在真接触到 DAS 之后，有了更深刻的体会，总体来说，DAS 操作非常便捷，同时每个模块的功能与流程一目了然。此外，参数修改非常方便，最重要的是可以详细记录每一步操作，因而留有足够的试错空间，体验感受非常好。DAS 计算过程表的完成相当于有了一个万能的快速模板，可以重复无限使用；其次，出图过程极其简便与迅速；最重要的是，一旦熟悉掌握了这种搭建方法，堪比熟练掌握了整个 GIS，而前者投入的学习成本是大大低于后者的(张译匀，规划)。

2.2.5　G 语言解释器

语言解释器是用来将程序代码解释为可被机器或虚拟机识别的语言。编程语言分两大类：编译型和解释型。编译型是通过编译程序将程序代码编译成可直接运行的机器码，其特点是运行效率高，但平台迁移性差。解释型是将程序代码一边解释为机器码，一边执行，其特点是：运行效率较编译型要低，但不用事先编译，平台迁移性好，调试方便。

　　G 语言是一种解释型语言，采用 G 语言编写的 DAS 智能文档，需要 G 语言解释器逐行解释执行。图 2.16 展示了该解释器的工作原理。

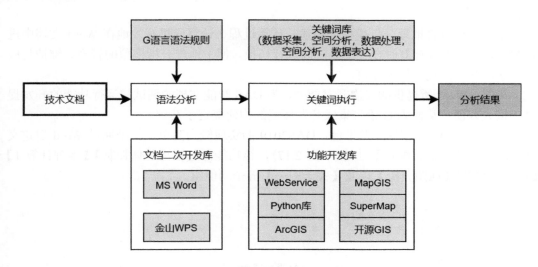

图 2.16　G 语言解释器的工作原理

　　G 语言解释器主要由语法分析模块和关键词执行模块构成，其中，语法分析模块是在文档二次开发库以及 G 语言语法规则的支持下，对 DAS 智能文档进行解析。关键词执行模块则根据语法分析模块的结果，在功能开发库和关键词执行库的支持下完成地理计算操作。其中，文档二次开发库是指 MS Word 或金山 WPS 的开发库，功能开发库是指 WebService、Python 库、ArcGIS 开发库、SuperMap 开发库、MapGIS 开发库和开源GIS 开发库。关键词执行库则实现了 G 语言内置的关键词功能。

　　需要说明的是，由于关键词执行库是建立在现有 GIS 软件平台基础上，从用户的角度来看，G 语言解释器就实现了跨 GIS 平台的目标，即最终用户只需要了解 G 语言中关键词的使用方法，而并不需要了解关键词是如何在不同 GIS 平台中执行的具体细节。这就意味着，G 语言解释器虽然是基于现有 GIS 平台实现的，但最终用户并不需要熟悉这些 GIS 平台的操作，从而减轻了 GIS 学习的负担，降低了 GIS 的应用门槛，使更多的最终用户可以通过 G 语言轻松完成复杂的 GIS 操作。

2.2.6　G 语言集成开发环境

　　G 语言集成开发环境 DAS2019 是用于 DAS 智能文档的编写、调试和运行的环境，DAS2019 基于 Word 开发，之所以将 Word 作为开发平台，基于以下考虑：

第一，MS Word 是目前世界上最流行的文档编辑软件，而金山 WPS 在我国很多政府机构和公司都在使用，将这种常用的文档处理软件作为 G 语言开发环境，能大大减轻非编程人员学习和使用 G 语言的负担。

第二，G 语言将表格作为语法规则表达的基础，无论是基本参数的表达，地理计算任务的注册，地理计算过程的描述以及地理计算成果的表达均通过表格来实现，而 MS Word 和金山 WPS 软件均具有强大的表格处理能力，能为 DAS 智能文档的编写提供很大便利。

第三，可以将地理分析模型的描述、计算过程、计算成果有效地在 Word 文档中进行整合，避免地理计算时在几个系统间进行切换，便于地理分析模型的管理、维护与应用，从而减少系统应用的难度。

第四，Word 所提供的二次开发能力，为 DAS 智能文档的调试与运行功能的开发提供了极大方便，从而为 G 语言集成开发环境的构建奠定了基础。

由于采用 Word 作为开发平台，DAS2019 的实现较为简单，就是通过 Word 自定义功能增加了【G 语言编程】功能区（图 2.17），该功能区包括【总体控制】【地理计算 1】【地理计算 2】【地图分析】以及【关于……】五个功能组。

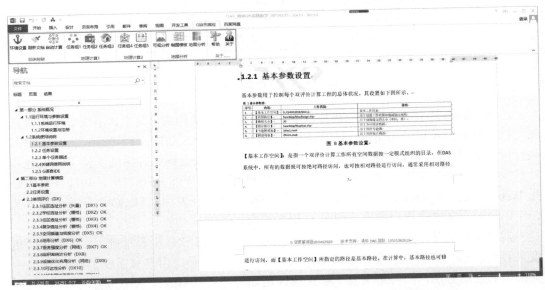

图 2.17　G 语言编程功能区

【总体控制】功能组：包括【环境配置】【自动计算】和【刷新文档】。其中，【环境配置】用于系统运行环境的配置，【自动计算】用于多个地理计算任务的批量运行，【刷新文档】主要用于【计算任务表】表标识的刷新。

　　【地理计算 1】功能组：包括【任务组 1】【任务组 2】以及【任务组 3】，用于各地理计算任务的调试和运行。

　　【地理计算 2】功能组：同【地理计算 1】功能组。

　　【地图分析】功能组：用于空间数据的编辑、浏览以及专题地图模板的维护。

　　【关于……】功能组：包括【帮助】和【关于】2 个功能，其中，【帮助】可打开系统所提供的《G 语言开发指南》文档(图 2.18)，该文档包含有 G 语言开发相关的各种资料，尤其是 G 语言关键词的使用方法，其中的代码可直接拷贝使用。

图 2.18　G 语言开发帮助文档

2.3　软件下载与环境设置

2.3.1　软　件　下　载

　　G 语言开发包 DAS2020 是清华 DAS 团队所开发的、用于 G 语言开发和运行的系统，可通过发送邮件到邮箱 qhspj2020@163.com 申请获得。

　　DAS2020 包括 DAS 基础包——DAS，Python 定制包——Python，以及 DAS 工程包——DASProject(图 2.19)。

图 2.19　DAS 软件下载内容

1. DAS 基础包

DAS 基础包为 G 语言的解释器，包括 system、setup、Python27、config、UserModel 以及 Log 6 个目录（图 2.20）。

名称 ˄	修改日期	类型	大小
config	2022/2/12 19:55	文件夹	
Log	2022/2/19 8:18	文件夹	
Python27	2021/5/22 19:52	文件夹	
setup	2020/10/11 10:36	文件夹	
system	2022/2/18 23:43	文件夹	
UserModel	2022/1/1 21:26	文件夹	

图 2.20　DAS 基础包目录结构

■ system：包括一个主系统执行文件 QHSPJ.exe 及其一系列支持文件。除此之外，也包括一个 DAS 应用系统基础框架【DASProjectN2022】。

■ setup：包括 G 语言 IDE 配置文件以及第三方 Python 库。

■ Python27：为 Python 定制库包的存放位置。

■ config：包括获取网络地图大数据所需文件。

■ UserModel：包括第三方支持模块以及用户自定义模块。

■ Log：包括系统每次执行时的日志文件。

2. Python 定制包

Python 定制包是预先安装了关键词运行所需的第三方库的 Python 包。目前包括 ArcGIS 10.1 至 ArcGIS 10.8 所对应 8 个定制包。用户可根据自己电脑中的 ArcGIS 版本下载，下载后解压至 DAS 系统安装目录下的 Python27 目录。

3. DAS 工程包

DAS 工程包为基于 G 语言所开发的各种应用系统，目前包括 DASProjectSPJ（国土空间规划双评价智能数据处理与分析系统）、DASProjectBigData（时空大数据爬取与分析

DAS 系统）、DASProjectQHJX（清华 GIS 实践教学 DAS 系统）、DASProjectPaper（论文过程复现系列）以及 DASProjectBook（本书案例）的 5 个目录，每个目录中包括若干 DAS 工程。

2.3.2　系统运行环境

（1）操作系统：Window 系统（WIN7，WIN8，WIN10）。
（2）文档系统：Microsoft Word 2011 以上或金山 WPS2012 以上，建议 Word 2013。
（3）GIS 系统：ArcGIS 10.1 以上，建议 ArcGIS 10.4。

2.3.3　环境设置与注册

➢步骤 1　在 MS Word 环境中导入【G 语言编程】定制工具栏。
操作：【文件】→【选项】→【自定义功能区】→【导入/导出】→【导入自定义文件】（图 2.21）。

图 2.21　设置【G 语言编程】定制工具栏 1

在文件对话框中导航至系统安装目录，选择【setup】目录下的【G 语言 1104.exportedUI】文件（图 2.22）。

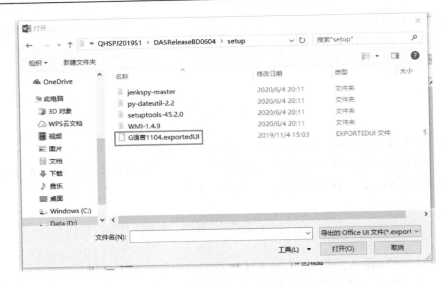

图 2.22　设置【G 语言编程】定制工具栏 2

➢步骤 2　在 MS Word 中设置运行环境参数。

操作：【G 语言编程】→【环境设置】（图 2.23）。

图 2.23　系统运行环境参数设置

【DAS 目录】是 DAS 系统包所在目录，设置时需注意：

■ 【DAS 目录】应设置为软件包解压目录，如 D：\QHSPJ2019S1（该目录包括 system 和 setup 子目录）。

■ 软件包解压路径不能包含汉字、空格和点号。

【Python 库目录】为 ArcGIS 的 Python 库所在目录，该目录既可设为 ArcGIS 10.*的 Python 库目录，如 C：\Python27\ArcGIS10.*，也可设置为 Python 定制包解压目录。

【创建基本工作空间】可根据模板构建项目工作目录结构，创建后可在文档【基本信息表】中指定为【基本工作空间】。

➤步骤 3　基本功能库的安装。

若【Python 库目录】设置为 ArcGIS 的 Python 库目录情况下（如 C：\Python27），首次执行【计算任务 1】时，系统会自动安装一系列 Python 第三方库；若设置为 Python 定制包则无需安装。

➤步骤 4　系统注册。

操作：【G 语言编程】→【基本评价】→【任务组 1】，进入"计算任务 1"（图 2.24）。

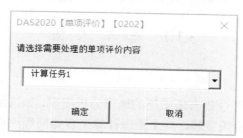

图 2.24　选取地理计算任务

当系统没有注册时，系统会给出注册信息，用户根据提示完成注册。若系统已完成注册，则会执行【计算任务 1】。

2.3.4　网络地图 API 开发秘钥

G 语言中包含了网络地图数据（如 POI、LOI、AO、瓦片地图、街景图片等）获取关键词，这些关键词是在高德地图、百度地图所提供的网络服务接口基础上开发的，用户若需要使用这些关键词，则需在高德地图和百度地图开放平台上申请开发秘钥，并将所申请的开发秘钥写入 DAS 系统安装目录中的【congfig\MapKey.txt】文件中。

第3章 G语言基础

3.1 基本术语与数据类型

3.1.1 基本术语

1. 地理计算工程

地理计算工程是指用 G 语言所实现的地理分析模型，如选址分析模型、土地适宜性评价模型、街道活力评价模型等。一个地理计算工程如同程序设计中的一个工程文件，其结构如图 3.1 所示。

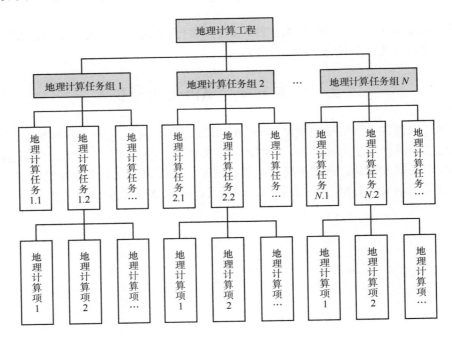

图 3.1 地理计算工程组织

2. 地理计算任务

地理计算任务是地理计算工程的组成部分，当地理分析模型较为简单时，一个地理计算工程仅需一个地理计算任务，否则，一个地理计算工程需多个地理计算任务。如在国土空间规划"双评价"中就包含生态评价、土地资源评价、水资源评价等 20 多个地理计算任务。

3. 地理计算项

地理计算项是组成地理计算任务的基本单元，可单独完成一项具体的数据分析操作，如叠置分析、栅格计算、专题图制作等。通常一个地理计算任务由 20 多个地理项组成，若地理计算项太多，可以将地理计算任务拆分为多个地理计算任务，以方便对地理分析模型的调试和维护。

4. 地理计算任务组

当一个地理计算工程包含的地理计算任务较多时，为了方便管理，可将地理计算任务划分为若干地理计算任务组，如在国土空间规划"双评价"中，就分为单项评价、集成评价、综合分析、可选评价、对比分析、地图分析等多个地理计算任务组。

5. DAS 智能文档

DAS 智能文档是指利用 G 语言在 MS Word 文档中所描述的地理分析模型文档，之所以称为智能文档，是因为与一般 MS Word 文档不同，该文档所描述的地理计算过程可被 G 语言解释器识别并通过后台执行。从编程角度来看，DAS 智能文档也可视为 G 语言的程序代码，是地理计算工程的载体，也是地理分析模型可执行文档的表现形式。

6. DAS 应用系统

DAS 应用系统是指利用 G 语言所开发的地理分析系统，实质就是用 G 语言构建的地理分析模型，其表现形式就是 DAS 智能文档。

3.1.2　数　据　类　型

G 语言所支持的数据类型主要是图层文件和表格数据文件，具体如表 3.1 所示。

表 3.1　G 语言所支持的数据类型

序号	数据名称	数据类型	输入输出	文件扩展名
1	shp 格式	矢量数据	输入输出	shp
2	grid 格式	栅格格式	输入输出	无
3	tif 格式	栅格格式	输入输出	tif
4	DWG 格式	CAD 类型	输入输出	dwg
5	xls 格式	表格格式	输入	xls
6	xlsx 格式	表格格式	输入	xlsx
7	csv 格式	表格格式	输入输出	csv
8	txt 格式	表格格式	输入输出	txt
9	jpg 格式	图片格式	输出	jpg
10	emf 格式	图片格式	输出	emf

注：DWG 格式仅用于 KX_Conversion 中 DWG 与 Shp 之间的转换。

3.2　G 语言语法规则

3.2.1　概　　述

1. 语法规则的表示方法

编程语言的语法规则是指使用编程语言的基本法则，如变量、条件选择、循环重复、数据类型和方法的表达方式。

BNF（Backus-Naur Form），即巴科斯范式，是由 John Backus 和 Peter Naur 引入的一种用形式化符号来描述给定语言的语法，也可看作是一种描述语言的语言或程序设计语言的描述工具（郑刚，2018）。其内容如表 3.2 所列。

表 3.2　巴科斯范式

元符号	含义	备注
->	定义为	也可用:=或::=表示
<>	必选项	
[]	可选项	
" "	双引号内的字符串代表字符串本身，之外代表语法部分	
|	或	用于候选式
()	括号内的作为一项	

以下是用 BNF 来定义的 Java 语言中的 For 语句的实例。

```
FOR_STATEMENT ::=
"for" " (" ((variable_declaration ";") |
(expression ";") | ";")
[ expression ] ";"
[ expression ]
 ")" statement
```

2. G 语言的语法规则

传统编程语言的语法规则采用的都是文本表达方式，而 G 语言采用的是表格表达方式，具体来说，就是用表格填写规定代替文本编写规则。之所以采用这种表达方式，主要是考虑到以下三个方面。

（1）G 语言的用户多为非编程业务人员，通过表格填写的方式来进行编程，可以有效地消除传统编程语言中潜在的语法错误，从而更易产生格式正确的程序。

（2）由于表格化编程中各类信息的位置是相对固定的，这样就便于对代码语义的理解以及进行信息的定位。

（3）表格较文本具有更好的表现力，除文本外，专题地图、统计表和统计图等计算结果均可通过表格来展示，从而有利于程序逻辑的表达。

　　与传统编程语言相比，G 语言的语法规则要简单得多，整个规则就是由【基本参数表】【地理计算任务注册表】以及【地理计算任务】的填写规则构成，用 BNF 描述如下。

G 语言语法规则 ::= <基本参数表><地理计算任务注册表><地理计算任务>

3.2.2　基本参数表

　　【基本参数表】是一个地理计算工程最基本的数据表，每个地理计算工程都有一张【基本参数表】，该表所表示的参数相当于一般编程语言中的全局变量，用于整个地理计算工程中相关地理计算所需要的信息，【基本参数表】的规则如下所示。

基本参数表 ::= <序号><对象逻辑名><对象物理名>[内容说明]

　　【序号】参数的编号，通常设为 Word 的自动编号。

　　【对象逻辑名】参数标识，这里的对象可以是图层、网络数据集、文件、目录，也可以是数值或字符串。

　　【对象物理名】参数的具体值，通常为文件存放路径。

　　【内容说明】参数的附加说明信息，说明参数的用途。

　　【基本参数表】的具体内容已在系统中进行了预设，不能进行修改、增加或删除。

　　目前预设了 8 个基本参数，即【基本工作空间】【范围图层】【栅格大小】【统计图层】【专题地图模板】【图谱模板】【评价地区】以及【导出空间】(表 3.3)。

表 3.3　基本参数表内容

序号	对象逻辑名	对象物理名	内容说明
1	【基本工作空间】	D：\QHSPJ2019P1\T20190615	基本工作目录
2	【范围图层】	BaseMap/MapStat.shp	用于设置工作范围、坐标系统和裁剪输出地图
3	【栅格大小】	20	用于设置像元的大小(单位：米)
4	【统计图层】	BaseMap/MapStat.shp	用于分区统计数据
5	【专题地图模板】	Atlas1.mxd	用于制作专题地图
6	【图谱模板】	ZPoint.mxd	用于制作疑点图谱
7	【评价地区】	广州	用于统计表输出
8	【导出空间】	T20190616	用于备份输入数据

　　【基本工作空间】是指一个地理计算工程中所涉及的各类处理数据按一定方式组织的存储目录。该目录中包含有各地理计算任务的工作空间和制图模板。图 3.2 是一个地理计算工程的基本工作空间示例。

　　【范围图层】用于设置一个地理计算工程的工作范围、坐标系统和剪裁输出图层。该参数既可采用相对路径也可采用绝对路径。

BaseMap
DB
DT
DX
JC
KX
LayerStyle
ZH
1单项评价.mxd
2集成评价.mxd
3综合分析.mxd
Atlas1.mxd
ZPoint.mxd

图 3.2　地理计算工程的基本
　　　　工作空间示例

【栅格大小】指一个地理计算工程中栅格计算时所采用的栅格单元大小，该参数主要用于地理计算工程中所有与栅格数据处理相关的操作。

【统计图层】指用于生成统计表的统计单元图层，这里所定义的图层是全局量，可直接用于所有地理计算任务中的统计表制作，具体应用方法参见 9.1。

【专题地图模板】用于专题地图的制作，其中包括预设的图层样式，以便在制图时应用，具体应用方法参见 4.3.1。

【图谱模板】该模板也用于专题地图的制作，利用该模板所制作的地图较为简单，不包括指北针、图例、比例尺等地图要素。

【评价地区】生成统计表时自动填写在表格第一列的信息。

【导出空间】将【基本参数表】和【输入与控制表】中的数据导出、备份时的路径。

3.2.3　地理计算任务注册表

为了将地理计算工程中的地理计算任务被后台的 G 语言解释器识别并执行，需要将地理计算任务在【地理计算任务注册表】中进行注册。【地理计算任务注册表】相当于传统编程中的模块声明，注册表的规则如下所示。

地理计算任务注册表::= <序号><任务标识><是否计算><工作空间><输入与控制表>[说明]

【序号】地理计算任务的编号，通常设为 Word 的自动编号。

【任务标识】指一个地理计算任务的唯一名称标识，如"单项评价_生态""单项评价_土地资源"等。

【是否计算】用于地理计算工程全自动计算时的计算控制，包括"参与计算"和"不参与计算"两个状态，"参与计算"时用 "Y"表示，否则为空。当进行自动计算时，G 语言解释器可根据该项信息选择是否执行该地理计算任务，详见 4.4.1。

【工作空间】用于指定本地理计算任务的输入数据、过程数据和输出数据的存储目录。该存储目录既可用相对路径，也可用绝对路径。

【任务说明】对计算地理任务的简要说明。

【输入与控制表】是【任务标识】所对应的地理计算任务的【输入与控制表】序号，G 语言解释器会根据该信息定位到该表并读取表中的信息。需注意的是，该信息需通过题注的交叉引用方式填写。

表 3.4 为一个地理计算任务注册表的示例。

表 3.4　　计算任务注册表示例

序号	任务标识	是否计算	工作空间	输入与控制表	任务说明
1	单项评价_生态	Y	DX/DX1	表 6	生态评价
2	单项评价_土地资源	Y	DX/DX2	表 12	土地资源评价
3	单项评价_水资源	Y	DX/DX3	表 18	水资源评价
4	单项评价_气候	Y	DX/DX4	表 25	气候评价
5	单项评价_环境	Y	DX/DX5	表 30	环境评价
6	集成评价_生态保护		JC/JC1	表 62	生态保护评价
7	集成评价_农业生产		JC/JC2	表 66	农业生产集成评价
8	集成评价_城镇建设		JC/JC3	表 70	城镇建设集成评价

3.2.4　地理计算任务

对于一个地理计算任务的规范化描述是 G 语言的核心内容。一个地理计算任务的规则如下所示。

地理计算任务::= [相关说明]<输入与控制><计算过程><结果输出>

1. 相关说明

该部分内容不属于 G 语言解译器处理内容，相当于传统编程语言中的注释，G 语言解译器对这部分内容不做任何处理。该部分属于地理分析模型的描述性表达，是传统地理分析模型的表达方式，尽管 G 语言解译器不对该部分进行处理，但该部分对理解后续【计算过程表】的内容具有重要作用。不同地理计算任务其描述内容不尽相同，一般包括研究背景、任务要求、评价模型、评价方法、分析流程图以及分析过程等内容。

2. 输入与控制

该部分为如表 3.5 所示的【输入与控制表】。

表 3.5　【输入与控制表】示例

序号	对象逻辑名	对象物理名	说明
1	【高程】	DX2_GC2	市、县 20 m×20 m 或 30 m×30 m
2	【土壤质地】	DX2_TRZD2	土壤粉砂含量百分比
	【计算控制】		
	1-3		

该表包括输入数据描述与计算控制两部分内容。

1）输入数据描述

输入数据描述是参与地理计算的输入数据的描述，其规则如下所示。

输入数据::= <序号><对象逻辑名><对象物理名>[说明]

【序号】数据项编号，通常设为 Word 的自动编号。

【对象逻辑名】描述输入图层或其他数据(如网络数据集、文件、文件目录)的中文名称，在【计算过程表】中引用。

【对象物理名】输入图层或其他数据的物理保存路径，可采用绝对路径和相对路径。采用相对路径时需和【地理计算任务注册表】的【工作空间】共同确定绝对路径。

【说明】对输入图层或其他数据的相关信息进行说明。

2)计算控制

用于控制地理计算任务的计算过程，具体使用方法见 4.4.1。

3. 计算过程

该部分为地理计算任务的主体，由如表 3.6 所示【计算过程表】构成。

表 3.6　计算过程表示例

步骤	操作说明	输入	操作	输出	说明
1	计算农业坡度	【高程】	【说明】地形分析 【关键词】方法(坡度-s，坡向-a，粗糙度-c，起伏度-q，表面曲率-q2，填挖方-c2，反向-f，山体阴影-h，视场-v)|{参数} 【方法】坡度分析-s，Slope，pd，<R，R> KX_TerrainAnalysis(PD%5：<2| 4：2-6| 3：6-15 |2：15-25 | 1：>=25)	【农业坡度】 NYPD.tif	
2	土壤质地修正	【土壤质地】 【农业坡度】	【说明】栅格计算[M] 【关键词】{$-文件变量}{@-标准化}算数表达式、逻辑表达式、单元统计、焦点统计 KX_RasCalculator(([R1]>=80)，1%([R1]>=60) and ([R1]<80)，[R2]-1%[R2])	【农业耕作条件1】 NYGZTJ1.tif	
3	调整值	【农业耕作条件1】	【说明】栅格计算[M]* KX_RasCalculator(([R1]<1)，1，[R1])	【农业耕作条件2】 NYGZTJ2.tif	

注：为了表格内容表达简洁，计算过程表和输入与控制表中的破折号"——"均用英文对开符"-"表示。下同。

【计算过程表】的规则如下所示：

计算过程表::= <步骤><操作说明><输入><操作> <输出> [说明]

【步骤】地理计算项序号，设为 Word 的自动编号。该序号为【输入与控制表】中【计算控制】所使用的序号。

【操作说明】该信息内容在地理计算项执行时在【计算窗口】中显示。

【输入】为地理计算项的输入对象列表，输入对象可以是【输入与控制表】中的图层数据、表格数据和目录，也可以是本【计算过程表】之前输出的输出对象。

【操作】该部分为地理计算项的核心部分，由说明和关键词两部分组成，具体内容见 3.3 的说明。

【输出】为地理计算项的输出对象，输出对象可以是图层数据、表格数据、目录，也可以是【结果输出】部分的表序号。如果输出对象是图层数据、表格数据和目录，则一个输出对象包括【对象逻辑名】和【对象物理名】两部分内容。

【说明】对地理计算项的相关说明，主要是对输出结果的说明。

4. 结果输出

结果输出为地理计算任务的成果表达或成果可视化部分，可将计算过程中所产生的专题地图、统计表和统计图在指定的表格中输出，以便用户及时观察和分析计算结果，或在后续的报告编写中直接使用该部分的图表成果。结果输出部分的规则如下所示。

结果输出::= [专题地图][统计表][统计图]

1）专题地图

专题地图是空间数据常用的表达形式，不但可以表达制图对象的空间分布规律及其相互关系，而且也能反映制图对象的发展变化和动态规律。在 G 语言中可通过 **KX_Mapping** 关键词生成，并通过 **KX_InsertPic** 关键词将其插入指定表格中（图 3.3）。

步骤	操作说明	输入	操作	输出	说明
1.	剪裁@	【农业生产适宜性】【范围图层】	【说明】剪裁【关键词】被剪裁图层,剪裁图层 KX_ExtractByMask	【农业生产适宜性Z】DB3_NYSCSYXZ	
2.	制作【市县级农业生产适宜性评价图】	【农业生产适宜性Z】	【说明】专题制图【关键词】替换列表|背景列表|分辨率|模板|定位语句 KX_Mapping(C2|区界|200)	【市县级农业生产适宜性评价图】DB3_SXDB_3.EMF	
3.	剪裁@	【农业生产适宜性-省域】【范围图层】	【说明】剪裁【关键词】被剪裁图层,剪裁图层 KX_ExtractByMask	【农业生产适宜性-省域Z】DB3_NYSCSYXSZ	
4.	制作【省域农业生产适宜性评价图】	【农业生产适宜性-省域Z】	【说明】专题制图【关键词】替换列表|背景列表|分辨率|模板|定位语句 KX_Mapping(C2|区界|200)	【省域农业生产适宜性评价图】DB3_SXDB_4.EMF	
5.	插入地图	【市县级农业生产适宜性评价图】【省域农业生产适宜性评价图】	【说明】图谱制作【关键词】图片高度|删除字|空（不标注） KX_InsertPic(11)		1

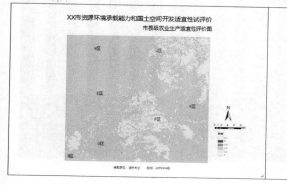

图 3.3　专题地图多图输出模式示例

2) 统计表

统计表是反映统计数据的表格，是对统计指标合理叙述的形式，它使统计数据条理化、简明清晰，便于检查数据的完整性和准确性，以及对比分析(图 3.4)。G 语言提供了有专门的关键词（KX_Statistic、KX_Info 和 KX_Table），用于统计表或数据表的生成。

名称	高		较高		中等		较低		低	
	面积	占比%	面积	占比%	面积	占比%	面积	占比%	面积	占比%
东城区	0.03	0.07	0.97	2.30	2.94	6.97	5.68	13.46	32.58	77.20
西城区	0.03	0.06	0.61	1.21	2.05	4.07	6.50	12.89	41.23	81.77
朝阳区	12.84	2.77	43.83	9.45	63.73	13.75	87.59	18.89	255.63	55.14
丰台区	7.06	2.32	34.22	11.25	45.61	15	57.21	18.82	159.96	52.61
石景山区	11.82	14	11.98	14.19	9.43	11.17	13.76	16.30	37.41	44.32
海淀区	47.82	11.13	73	16.99	63.95	14.88	72.41	16.85	295.43	29.29
顺义区	140	13.88	208.52	20.67	196.89	19.52	180.08	19.91	293.63	32.46
通州区	51.93	5.74	170.92	18.90	207.92	22.99	240.58	23.28	376.45	36.42
大兴区	26.37	2.55	140.34	13.58	249.79	24.17	301.65	15.11	497.19	24.90
房山区	228.30	11.43	527.08	26.39	442.76	22.17	95.13	6.57	87.78	6.07
门头沟区	327.89	22.66	593.34	41	343.18	23.71	151.98	11.32	236.49	12.71
昌平区	330.85	24.65	400.45	29.83	222.62	16.58	71.27	7.52	120.40	12.71
平谷区	384.33	40.57	252.63	26.66	118.79	12.54	143.50	6.45	283.63	12.75
密云区	724.29	32.56	730.01	32.81	343.31	15.43	111.98	5.28	114.62	5.40
怀柔区	826.91	38.99	720.74	33.98	346.53	16.34	138.60	6.95	132.18	6.63
延庆区	584.08	29.30	745.63	37.40	393.15	19.72				
合计	3704.55	22.60	4654.27	28.39	3052.65	18.62	1845.84	11.26	3137.21	19.14

图 3.4　统计数据输出表示例

注：本图内容虽为表格，但以图片处理，故以插图表示。下同。

3) 统计图

计算成果的表达除通过专题地图和统计表外，还可以用统计图将统计表中的数据通过不同的图形直观、生动地表达出来，统计图可以使复杂的统计数字简单化、通俗化、形象化，使人一目了然，便于理解和比较(图 3.5)。在 G 语言中通过 KX_Table 关键词可输出丰富、多样的统计图。

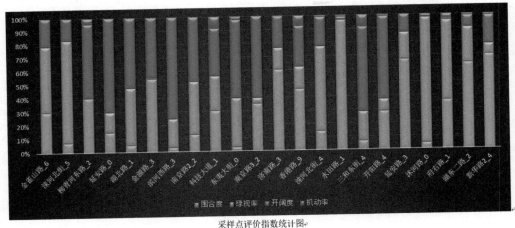

采样点评价指数统计图

图 3.5　统计图输出表示例

3.2.5　结构化表达式

结构化表达式是 G 语言独特的语法现象，是根据表格化编程的特点而提出的一种替代传统编程语言循环逻辑的方法。

所谓结构化表达式或称迭代表达式，就是将重复性的操作通过简洁的方式进行表达，以便在表格中将多行相似的操作通过一行表达。通过结构化表达式，不但可以节省表格空间，使用户更容易理解文档所表达的逻辑，还可以减少重复性输入，便于对地理分析模型的修改和维护。

结构化表达式可分为枚举式、列表式、混合式、重复式、连接式、分组式和分组混合式 7 种类型。

1. 枚举式

枚举式就是抽取原有基本表达式各子项中的差异部分作为列表进行表达，其表达形式为：A[item1；item2；…]B，该式所代表的基本表达式为：Aitem1B# Aitem2B#...。

在这里 A、B 分别表示基本表达式各子项中前、后相同部分的字符串；"item*"既可以是数值，也可以是字符串，各子项通过"；"分割。如"专题地图([林地；草地；耕地])"，则表示：专题地图(林地)#专题地图(草地)#专题地图(耕地)。

2. 列表式

在枚举式基础上若"item*"为连续变化的整数，则可用采用列表的形式表达基本表达式，其形式为：A[item1：item2]B。

当 item1<item2，所代表的基本表达式为：Aitem1B# Aitem1+1B#...#Aitem2B。如"专题地图[1：3]"，则表示：专题地图 1#专题地图 2#专题地图 3。

当 item1>item2，所代表的基本表达式为：Aitem1B# Aitem1-1B#...#Aitem2B。如"专题地图([3：1])"，则表示：专题地图(3)#专题地图(2)#专题地图(1)。

此外，列表式展开后的序号字符长度不小于 item1 的字符长度，如"专题地图([01：03])"，则表示：专题地图(01)#专题地图(02)#专题地图(03)。

3. 混合式

混合式是指将枚举式和列表式混合使用，其形式为：A[item1：item2；item3]B。如"波段[1：3；10]"，则表示：波段 1#波段 2#波段 3#波段 10。

4. 重复式

重复式是指将枚举式、列表式或混合式(后称简单结构式)重复 n 次，重复式可分前重复式和后重复式两种。前重复式是指将简单结构式的每个元素重复 n 次，而后重复式是指将简单结构式的所有元素作为组，重复 n 次。

前重复式的形式为：$n*$；item1；item2；…

如"2*；上海市；杭州市"，则表示：上海市#上海市#杭州市#杭州市。

后重复式的形式为：item1；item2；*n。

如"上海市；杭州市；*2"，则表示：上海市#杭州市#上海市#杭州市。

5. 连接式

连接式是指将两个简单结构式以相乘方式进行连接，相乘方式有左相乘和右相乘，左相乘的是指左结构式的每个元素分别与右结构式的每个元素进行连接，是一种"一对多"的连接操作，连接操作符为"*"；右相乘的是指右结构式的每个元素分别与左基本式的每个元素进行连接，是一种"多对一"的连接操作，连接操作符为"**"。

左相乘连接式的形式为：itemA1；itemA2；…；*；itemB1；itemB2；…

如"上海市；杭州市；*；春节；国庆"，则表示：上海市春节#上海市国庆#杭州市春节#杭州市国庆。

右相乘连接式的形式为：itemA1；itemA2；…；**；itemB1；itemB2；…

如"上海市；杭州市；**；春节；国庆"，则表示：上海市春节#杭州市春节#上海市国庆#杭州市国庆。

相对于简单结构式，重复式与连接式称为复杂结构式，而无论简单结构式，还是复杂结构式，统称为结构式。

6. 分组式

分组式就是将结构式的规则通过分组标识符"[*]"应用在分组中的所有子项，其表达形式为：A [item1；item2；item3]#B[*]#C[*]#D#E，或 A[item1：item2；item3]#B[*]#C[*]#D#E。

在这里，A、B 和 C 为分组项，D 和 E 为一般项。分组式展开时枚举式或列表式展开的每一项分别替换分组标识符[*]。如"Value [3；6；9]#Rvalue[*]#Sum"，则表示：Value3#Rvalue3#Value6# Rvalue6#Value9# Rvalue9#Sum。

分组式中允许有多个组，如"A[1：3]#B[*]#C[*]#X [1；5]#Y[*]#Z[*]"，该式包含了两个组分别为(A，B，C)和(X，Y，Z)，第一组采用列表式，第二组采用枚举式，则表示：A1#B1#C1#A2#B2#C2#A3#B3#C3#X1#Y1#Z1#X5#Y5#Z5。

7. 分组混合式

分组混合式是指在分组式中包含有固定的子项，此时，需要固定项标识符"@"来标识固定项，其表达形式为：A [item1；item2；item3]#@B[*]#C[*]或 A [item1：item3]#@B[*]#C[*]。

上式中，A、B、C 为一分组，但 B 子项为固定项，当该式展开时，B 子项的内容不发生变化，如"A[3；6；9]#@B[*]#C[*]"，则表示：A3#B#C3#A6#B#C6#A9#B#C9。

3.2.6　结构化表达式应用规则

1. 输入与控制表

【输入与控制表】中【对象逻辑名】和【对象物理名】可采用不同的结构式，但各自所表达的基本式的元素个数应一致，否则，【对象逻辑名】和【对象物理名】就不能建立一对一的关系。

2. 计算过程表

【计算过程表】的应用包括【输入】【操作】和【输出】3 个方面。

1）【输入】

【输入】通常包含多个输入项，采用分组式或分组混合式进行结构化表达，需注意的是【输入】项中需添加结构化标识"[]"与固定项标识"@"。如输入项为：

【@范围图层[上海；杭州；南京]】
【[*]出行 OD】

该输入项所表达的内容为：

【范围图层】
【上海出行 OD】
【范围图层】
【杭州出行 OD】
【范围图层】
【南京出行 OD】

2）【操作】

控制参数中的每个数据项均可独立使用结构化表达式，但包含有结构式的数据项所表示的元素应该相同。如关键词 KX_BD_GetQX 的控制参数为：

{[2*；上海市；杭州市]}|202110{[01：02；*2]}|in|c

该控制参数所表达的内容为：

{[上海市；上海市；杭州市；杭州市]}|202110{[01；02；01；02]}|in|c

3）【输出】

一般情况下，【输出】中的结构化表达式的应用方法与【输入】基本相同，但也允许【输出】中的【对象逻辑名】和【对象物理名】使用各自的结构表达式，当两个结构化表达式展开时，结构化表达式的元素应交叉排列。如输出项为：

【[上海；杭州；南京]出行】

[SH；HZ；NJ]CX.csv

　　该输出项所表达的内容为：

【上海出行】

SHCX.csv

【杭州出行】

HZCX.csv

【南京出行】

NJCX.csv

3. 应用示例

1)【输入与控制表】中应用示例

　　表 3.7 中【对象逻辑名】和【对象物理名】均有结构化特征，此时可分别将【对象逻辑名】和【对象物理名】采用列表式表达（表 3.8）。

表 3.7　【输入与控制表】中基本表达式示例

序号	对象逻辑名	对象物理名	说明
1	【迁入 20220101】	QR20220101.csv	
2	【迁入 20220102】	QR20220102.csv	
3	【迁入 20220103】	QR20220103.csv	
【计算控制】			

表 3.8　【输入与控制表】中列表式示例

序号	对象逻辑名	对象物理名	说明
1	【迁入 202201[01：03]】	QR202201[01：03].csv	
【计算控制】			

2)【计算过程表】应用示例 1

　　表 3.9 中的【输入】与【输出】都具有结构化特征，操作栏内容没有变化，且 KX_FieldCalculator 关键词具有批量处理能力，此时可采用如表 3.10 所示的结构化方式进行表达。其中，【输入】采用列表式，【输出】采用分组式。

表 3.9　【计算过程表】的基本表达式示例 1

步骤	操作说明	输入	操作	输出	说明
1	字段计算	【出行 1】	【说明】字段计算或属性连接 M* KX_FieldCalculator（FID|Bus08#Bus12#Car08#Car12| JB=[F1]/[F2]，JC=[F3]/[F4]，P=[F1]/[F3]）	【出行 A1】 CXA1.shp	

续表

步骤	操作说明	输入	操作	输出	说明
2	字段计算	【出行 2】	【说明】字段计算或属性连接 M* KX_FieldCalculator（FID|Bus08#Bus12#Car08#Car12| JB=[F1]/[F2]，JC=[F3]/[F4]，P=[F1]/[F3]）	【出行 A2】 CXA2.shp	
3	字段计算	【出行 3】	【说明】字段计算或属性连接 M* KX_FieldCalculator（FID|Bus08#Bus12#Car08#Car12| JB=[F1]/[F2]，JC=[F3]/[F4]，P=[F1]/[F3]）	【出行 A3】 CXA3.shp	

表 3.10　【计算过程表】的结构式示例 1

步骤	操作说明	输入	操作	输出	说明
1	字段计算	【出行[1：3]】	【说明】字段计算或属性连接 M* KX_FieldCalculator（FID|Bus08#Bus12#Car08#Car12| JB=[F1]/[F2]，JC=[F3]/[F4]，P=[F1]/[F3]）	【出行 A[1：3]】 CXA[*].shp	3 天出行 数据处理

3）【计算过程表】应用示例 2

表 3.11 中的【输入】【输出】与【操作】均具有结构化特征，且 KX_BD_GetQX 关键词具有批量处理能力，此时可采用如表 3.12 所示的结构化方式进行表达。其中，【输入】采用列表式表达方式，【操作】采用前重复式和后重复式，【输出】则采用复杂的连接式和分组式。

表 3.11　【计算过程表】的基本表达式示例 2

步骤	操作说明	输入	操作	输出	说明
1	获取迁入数据	【城市点】	【说明】获取百度迁徙数据[M]* KX_BD_GetQX（{上海市|20211001|in|c）	【SH1001 国庆迁入】 SH1001GQQR.csv	
2	获取迁入数据	【城市点】	【说明】获取百度迁徙数据[M]* KX_BD_GetQX（{上海市|20211002|in|c）	【SH1002 国庆迁入】 SH1002GQQR.csv	
3	获取迁入数据	【城市点】	【说明】获取百度迁徙数据[M]* KX_BD_GetQX（{上海市|20211003|in|c）	【SH1003 国庆迁入】 SH1003GQQR.csv	
4	获取迁入数据	【城市点】	【说明】获取百度迁徙数据[M]* KX_BD_GetQX（{杭州市|20211001|in|c）	【HZ1001 国庆迁入】 HZ1001GQQR.csv	
5	获取迁入数据	【城市点】	【说明】获取百度迁徙数据[M]* KX_BD_GetQX（{杭州市|20211002|in|c）	【SH1002 国庆迁入】 HZ1002GQQR.csv	
6	获取迁入数据	【城市点】	【说明】获取百度迁徙数据[M]* KX_BD_GetQX（{杭州市|20211003|in|c）	【SH1003 国庆迁入】 HZ1003GQQR.csv	

表 3.12　【计算过程表】的结构式示例 2

步骤	操作说明	输入	操作	输出	说明
1	获取迁入 数据	【@[1：6]城市点】	【说明】获取百度迁徙数据[M]* KX_BD_GetQX（{[3*：上海市；杭州市]}| 202110{[01：03；*2]}|in|c）	【[SH；HZ；*；1001： 1003]国庆迁入】 [*]GQQR.csv	获取迁 2 城市 3 日 入数据

3.3　G 语言关键词

3.3.1　概　　述

1. G 语言关键词的概念

G 语言关键词是 G 语言最为核心的内容，也最能体现 G 语言的技术特点。从功能上来讲，关键词是 G 语言中执行地理计算的最基本操作单元(如叠置分析、统计分析)。

G 语言的关键词借鉴了组件 GIS 技术的思想，即将一系列有相互关联的数据处理逻辑封装在一个关键词，用户只需设置控制参数，即可完成相对独立而又复杂的数据处理任务。这种强调"做什么"，而隐藏"怎么做"的方法可以大大降低用户使用 GIS 的难度。如专题地图制作关键词 KX_Mapping 就封装了设定制图范围、图层剪裁、图层样式、数据源替换、图层重分类、图片输出等多个功能。

利用 G 语言进行地理分析模型的开发如同利用 G 语言关键词撰写文章的过程，如果将【计算过程表】看做文章的段落，【计算过程表】中的【地理计算项】则可看成文章的句子，一个完整的句子主要由主语、谓语、宾语组成，【地理计算项】中的【输入】相当于句子的主语，【操作】相当于句子的谓语，【输出】则相当于句子的宾语，而【操作】是通过 G 语言的关键词来实现的。按照这种逻辑来看，G 语言的关键词也可以称为功能词或谓词。

2. G 语言关键词分类

G 语言关键词从开发角度来说，可分为内置关键词和用户自定义关键词。

(1)内置关键词：指 G 语言预先设定并实现的关键词，可直接用于地理分析模型的构建，是 G 语言开发过程中用户常用的关键词。

(2)用户自定义关键词：指用户根据自己的需要自行开发的关键词。该类关键词通常由软件开发人员开发。

G 语言关键词从功能复杂度来说，可分为简单关键词、复合关键词和组合关键词。

(1)简单关键词：就是功能单一的关键词，如图层剪裁关键词 KX_Clip，只用于矢量图层和栅格图层的剪裁。

(2)复合关键词：包含有多个具有前后处理关联功能的关键词，如增强式栅格化关键词 KX_SelRasDisReclass 就包含了特征筛选、矢量栅格化、欧式距离以及重分类等多个经常需要进行组合操作的功能，这样用户用一条语句中就能一次性完成多个功能，提高了 G 语言的表达效率。

(3)组合关键词：包含了有多个功能相近的关键词，如矢量空间叠置分析关键词 KX_VecOverlay 就包含了图层并集、图层交集、图层剪裁等与空间叠置相关的功能，这种设计可以减少关键词的数量，从而减轻用户记忆关键词的负担。

最后，根据关键词是否具有批量处理功能而分为批量式关键词和普通关键词。批量式关键词是指关键词内部包含了循环处理逻辑，这类关键词结合 3.2 节所介绍的结构化表达式,可将结构相同的地理计算项进行整合,从而使地理分析模型的表达更加简洁。

3. G 语言关键词与函数的对比

从软件开发角度来看,G 语言与传统编程语言中函数具有一定相似性,但两种之间有以下区别。

(1)函数不一定有输入、输出,如在 C 语言中函数可以不返回任何值。但 G 语言关键词均有输入和输出。

(2)G 语言内置关键词相当于 C 语言的库函数或内置函数,用户自定义关键词相当于 C 语言的用户自定义函数。通常,用户在利用 G 语言构建地理分析模型时,只是利用内置关键词构建地理分析模型,如同利用积木块搭积木一样,并不需要用户自己去构建自定义关键词。但在 C 语言中,用户自定义函数是编程过程中不可或缺的工作。

(3)在一般编程语言中也有关键词(或称保留词)的概念,它是编程语言中内置的、起一定作用的限定词,如 C 语言的变量类型声明关键词 float、条件语句关键词 if、循环语句关键词 for 等。而在 G 语言中为了保证 G 语言的易用性,将循环、判断等内容封装在关键词内部,用户在使用 G 语言开发应用系统时,就不存在一般编程语言中的关键词。

(4)在调用方法上,函数是将调用参数统一管理,而 G 语言关键词则将调用参数区分为输入对象、输出对象和控制参数,且在不同的区域输入(详见 3.3.4)。

3.3.2　G 语言关键词的构成与调用

1. G 语言关键词的构成

G 语言关键词的规则如下所示:

> 关键词::= <关键词名称><输入><输出><控制参数><功能说明><控制参数说明>

【关键词名称】调用关键词时所使用的标识,采用英文或拼音名称,且以"KX_"开始。考虑到用户使用的方便性,关键词的名称不区分大小写,如 KX_RasCalculator 与 KX_RASCALCULATOR 都是正确的表达方式。

【输入】关键词需处理的对象列表,为【计算过程表】的【输入】内容。

【输出】关键词处理完成后的对象列表,为【计算过程表】的【输出】内容。

【控制参数】是调用关键词时控制对【输入】对象进行处理的参数,对于不同的关键词对应有不同的控制参数(各关键词具体的控制参数见第二篇内容)。控制参数中不同用途的参数采用不同级别的分割符进行分割,这些分隔符包括"%""|"";""#"。其中,"%"级别最高,"#"级别最小。通常"%"在组合关键词中使用,用于分割不同功能的控制参数,如:

> K X_SelDisReclass(DJ|1% 3:<80|2:80-160|1:>=160)

以上控制参数中,"DJ|1"为筛选参数,"5:<80|4: 80-160|3: 160-280|2: 280-400|1: >=400"

为重分类参数。

【功能说明】是对关键词功能的简要说明。

【控制参数说明】是对关键词控制参数中各部分参数的语义说明。在关键词输入输出内容描述时，矢量数据用"V"表示，栅格数据用"R"表示，表格文件用"F"表示，无特殊规定用"A"表示，若有多个数据则用"*"表示。

2. G 语言关键词的调用

G 语言关键词的调用比较特殊，它通过【计算过程表】调用，关键词的 6 部分信息分布在表格的不同单元。表 3.13 为调用重分类关键词 KX_ReClass 的示例。

表 3.13　G 语言关键词调用示例

步骤	操作说明	输入	操作	输出	说明
1	重分类	【DEM】	【说明】重分类 【关键词】{{分类字段}, {目标字段}, {缺省值}}#重分类表达式 KX_Reclass（5：<30| 4：30-100|3：100-200|2：200-400| 1：>=400)	【高程分级 1】 GCFJ1.tif	

以上示例中，【关键词名称】为"KX_Reclass"，【输入】为"【DEM】"，输出为"【高程分级 1】GCFJ1.tif"，【控制参数】为"5：<30\| 4：30-100\|3：100-200\|2：200-400\| 1：>=400"，【功能说明】为"重分类"，【控制参数说明】为"{{分类字段}, {目标字段}, {缺省值}}#重分类表达式"。

关键词调用时，需注意以下两点。

(1)【说明】和【控制参数说明】信息无需用户填写，系统根据【关键词名称】自动填写，若在【说明】行手工增加标识"*"，则地理计算项执行操作时，不填写【控制参数说明】，以节省表格空间。

(2)【关键词名称】的填写不区分大小写。【控制参数】通常也不区分大小写，只是在个别需要区分大小的关键词中才需注意。

3.3.3　G 语言关键词体系

利用 G 语言进行地理分析模型的开发，分浅开发和深开发两种模式。其中，浅开发是 G 语言开发常用的开发模式，在这种开发模式下，业务人员根据数据处理逻辑利用内置的关键词来构建地理分析模型。而深开发则是指当内置关键词不能满足建模需要时，由软件开发人员利用 Python 语言或 R 语言开发用户定义关键词（参见 3.3.4）。很显然，内置关键词是最为常用的关键词，用户定义关键词是一种补充。为了保证 G 语言的广泛适用性，内置关键词的设置应遵循以下原则：

(1)功能完备性原则。所设置的关键词应能最大限度地满足常规地理分析模型构建的需要，为此，内置关键词首先应包含 GIS 常用的空间分析功能，如缓冲区分析、叠置分析、网络分析、空间插值、核密度分析、地形分析和空间格局分析；其次，在空间分析的基础上，应具有数据处理和统计分析功能，以便分析趋势、找出变化规律和特征等；第三，图表历来是表现数据的最佳工具，通过图表可以达到转化思维方式的目的，有利于增强思维的逻辑性与思考性。为此，内置关键词应具有足够的分析成果的图表表达能力；最后，随着互联网地图服务的出现，可用于地理分析模型的空间数据的可获取度越来越高，为此，增加时空数据在线获取关键词将有助于一体化地理分析模型的构建。

（2）易掌握性原则。由于地理分析模型的多样性和复杂性，需要众多关键词的支持。然而，过多的关键词会增加学习的负担，不利于对关键词的掌握。例如，ArcGIS 中提供了 1 000 多个分析工具，这对用户来说，能熟练掌握、应用这些工具是一种不小的挑战。为此，应内置尽量少的关键词，以保证业务人员构建常规地理分析模型的需要。对特殊功能的需要，可通过用户自定义关键词来进行补充。为减少内置关键词的数量，可采用复合关键词和组合关键词来最大限度地整合相关功能。

根据上述原则，将 G 语言的内置关键词设置为 5 大类，即数据获取类关键词、空间分析类关键词、数据处理类关键词、统计分析类关键词以及成果表达类关键词，以满足地理分析模型从数据采集到成果表达的需要。

（1）数据获取类关键词。数据获取类关键词封装了百度地图和高德地图所提供的数据获取 API 接口，主要包括获取瓦片地图关键词 KX_BD_GetTile、获取兴趣点关键词 KX_BD_GetPOI、获取兴趣线关键词 KX_BD_GetLOI、获取兴趣面关键词 KX_BD_GetAOI、获取街景图片关键词 KX_BD_GetStreetPic 以及获取人口迁徙数据关键词 KX_BD_GetQX。这些关键词与其他空间分析关键词（如空间叠置、插值与密度分析、空间统计、专题地图制作）配合，可以形成集数据采集、数据分析以及成果输出为一体的高效地理分析模型。第 11 章所介绍的"基于 POI 数据的城市用地功能识别"和"基于街景图片的街道空间品质评价"两个案例就是典型的例子。

（2）空间分析类关键词。空间分析类关键词提供了传统空间分析所用的主要空间分析方法，且进行了整合，主要包括矢量空间叠置关键词 KX_VecOverlay、栅格空间叠置关键词 KX_RasOverlay、网络分析关键词 KX_NetWork、地形分析关键词 KX_TerrainAnalysis、空间统计分析关键词 KX_SpatialStat 以及空间插值与密度分析关键词 KX_InterDentity。

（3）数据处理类关键词。数据处理类关键词内容较杂，主要包括字段计算器关键词 KX_FieldCalculator、栅格计算器关键词 KX_RasCalculator 和数据转换关键词 KX_Conversion，此外，还包括同时支持矢量数据和栅格数据的重分类关键词 KX_Reclass，将数据筛选、栅格化处理、欧氏距离分析以及重分类融合为一体的增强式栅格化关键词 KX_SelRasDisReclass，用于多个栅格数据集成的判断矩阵关键词 KX_JudgeMatrix，用于土地变化分析的转移矩阵关键词 KX_TransMatrix，用于街景图片目标识别的图像识别关键词 KX_PicRecognition。

（4）统计分析类关键词。统计分析类关键词主要包括支持栅格和矢量统计的增强式单元统计关键词 KX_BufferStat，用于分组统计的字段分组统计关键词 KX_FieldStat 以及用于特殊指标计算的指标计算器关键词 KX_IndexCalculator 等。此外，考虑到基于规则网格统计分析的需要，还包括规则网格绘制关键词 KX_DrawGrid。

(5)成果表达类关键词。成果表达类关键词用于输出、展示地理分析模型中的分析成果，主要包括专题地图制作关键词 KX_Mapping、统计图制作关键词 KX_Table 和统计表制作关键词 KX_Statistic，除此之外，还提供了数据表输出关键词 KX_Info 以及 OD 弧制作关键词 KX_DrawOD。

表 3.14 列出了目前 G 语言中常用的关键词，这些关键词的具体使用方法见本书第二篇内容。

表 3.14　G 语言关键词体系

序号	类别	关键词	说明
1	数据获取类	KX_BD_GetPOI	获取兴趣点
2		KX_BD_GetLOI*	获取兴趣线
3		KX_BD_GetAOI	获取兴趣面
4		KX_BD_GetTile	获取瓦片地图
5		KX_BD_GetStreetPic2	获取街景图片
6		KX_BD_GetQX	获取人口迁徙数据[M]
7	空间分析类	KX_VecOverlay*	矢量空间叠置
8		KX_RasOverlay*	栅格空间叠置
9		KX_InterDentity*	密度与内插分析
10		KX_TerrainAnalysis*	地形分析
11		KX_NetWork*	网络分析
12		KX_SpatialStat*	空间统计分析(包括空间自相关，热点分析，地理加权回归，最小二乘回归)
13		KX_CA	CA 模拟预测
14		...	
15	数据处理类	KX_FieldCalculator**	字段计算器[M]
16		KX_RasCalculator	栅格计算器[M]
17		KX_Reclass**	重分类[M]
18		KX_SelRasDisReclass**	增强式栅格化(包括特征筛选，栅格化，欧式距离，重分类)
19		KX_JudgeMatrix	判断矩阵
20		KX_TransMatrix	转移矩阵
21		KX_PicRecognition**	图片识别
22		KX_Conversion	数据转换
23		...	
24	统计分析类	KX_DrawGrid	绘制网格(正方形、正六边形、规则点)
25		KX_BufferStat**	增强式单元统计(包括绘制缓冲区，栅格数据统计，矢量数据统计)
26		SPJ_FieldStat	字段分组统计
27		KX_IndexCalculator	指标计算器(分形维数、几何中心、形状分维数、空间紧凑度)
28		...	

序号	类别	关键词	说明
29		KX_Statistic	统计表制作(空间单元分类统计)
30		KX_Info	属性表制作
31	成果表达类	KX_Table*	统计图制作(包括产生数据表与制作统计图)
32		KX_Mapping	专题地图制作[M]
33		KX_DrawOD	绘制 OD 弧
34		…	

注：表 3.14 中 G 语言中的关键词复合关键词标识为"*"；组合关键词标识为"**"；批量关键词标识为"[M]"。

3.3.4　用户自定义关键词

G 语言关键词除了上面所介绍的内置关键词外，还有用于特殊功能的用户自定义关键词。用户自定义关键词主要由软件开发人员采用 Python 语言和 R 语言进行开发，所开发的功能既可以是对现有遗留系统的重新封装，也可以是利用各种外部库(如 Python 库、R 库)所开发的新的功能。

用户自定义关键词的开发过程包括用户自定义抽象关键词的设计、方法接口标识设计、接口化脚本的编写以及接口化脚本的调用 4 方面的内容。

1. 用户自定义抽象关键词

用户自定义抽象关键词命名为 KX_MyKeyWord，与 G 语言的内置关键词不同，该关键词是一个抽象关键词，即该关键词的功能需要通过用户编写的脚本来实现。该关键词的控制参数为：

脚本文件|方法接口控制参数列表

【脚本文件】包括 Python 语言脚本(扩展名为 py 或 txt)和 R 语言脚本(扩展名为 R)。

【方法接口控制参数列表】该控制参数列表实际上是脚本功能模块的应用界面，通过一系列参数实现对脚本运行逻辑的控制。该列表的内容根据脚本的具体内容来确定。

2. 方法接口标识设计

为了使用户开发的功能模块能够用 G 语言调用，并进行参数的双向传递，需对传递方法进行设计。

由于 G 语言并没有提供对话框式的交互方式，只能通过 DAS 智能文档【计算过程表】中的【输入】【操作】以及【输出】与后台系统进行交互，为此，需要在脚本中对这些信息进行标识。

【输入】该栏所提供的信息是用于处理的图层或数据表，可包括一个或多个图层或数据表，用"[IN*]"作为标识符，其中"*"代表 1 到 N，N 为输入项的数量。

【输出】该栏所提供的信息是关键词处理后的结果，包括填写表格序号、图层和数据表，在这里仅处理图层和数据表，用"[OUT*]"作为标识符，其中"*"代表 1 到 N，

N 为输出项(不包括表格序号)的数量。

【操作】该栏信息包括关键词描述数据和关键词控制参数,关键词描述数据包括关键词中文简要说明和关键词输入输出以及控制参数说明信息,分别用"#【说明】"和"#【关键词】"进行标识,关键词控制参数则说明具体调用关键词时所使用的参数,用"|"分割,分别用[P1]、[P2]、…等标识。

3. 接口化脚本的编写

接口化脚本就是利用【计算过程表】中【输入】【输出】与【操作】中的信息作为脚本的输入、输出以及参数控制信息。在普通 Python 语言或 R 语言脚本中植入接口标识,即可成为接口化脚本。具体过程如下。

➤步骤 1　用 Python 或 R 语言编写功能脚本,并用具体的示例进行调试。

下面是一个用 R 语言绘制一元线性回归分析图的脚本。具体功能是对研究区域 N 个采样点的植被覆盖度与温度数据进行一元线性回归,并绘制分析图。输入数据为"d:\data1.csv"表格文件,该文件包括植被覆盖度列"VALUE1"和温度列"VALUE2"(图3.6)。输出为所绘制的分析图"d:\TJT.jpg",分析图图名为"植被覆盖度与温度一元线性回归",纵、横坐标轴的标签分别为"植被覆盖度"和"温度",散点颜色为 blue,回归线颜色为 green。

```
#读取文件
data=read.csv("d:\data1.csv")
library(ggplot2)
#分析图轴标签信息
pLab=" 植被覆盖度, 温度"
#分析图颜色信息
pColor="blue,green"
#处理轴标签信息和颜色信息
pLab<-strsplit(pLab,",",fixed = TRUE)
pColor<-strsplit(pColor,",",fixed = TRUE)
#绘制分析图
ggplot(data,aes(x=VALUE1,y=VALUE2))+
        geom_point(pch=17,color=pColor[[1]][1],size=2) +
        geom_smooth(method="lm",color=pColor[[1]][2],linetype=2) +
        labs(title="植被覆盖度与温度一元线性回归",x=pLab[[1]][1],
        y=pLab[[1]][2])
#保存分析图
ggsave(file="d:\TJT.jpg")
```

	A	B	C
1	DIST1	VALUE1	VALUE2
2	0	0.41	27.68
3	0.5	0.41	26.39
4	1	0.49	28.14
5	1.5	0.46	29.16
6	2	0.6	27.18
7	2.5	0	28.76
8	3	0.03	32.54
9	3.5	0.63	27.88
10	4	0.63	27.56
11	4.5	0.39	27.75
12	5	0.41	28.21
13	5.5	0.28	29.14
14	6	0.57	27.57
15	6.5	0.59	27.56
16	7	0.5	27.51
17	7.5	0.29	28.76
18	8	0.47	28.42
19	8.5	0.01	33.33
20	9	0.1	31.04

图 3.6　输入数据表

➢步骤 2　根据脚本设计 KX_MyKeyWord 关键词方法接口设计。

包括 4 方面的内容，即功能说明、输入对象、输出对象以及控制参数。示例脚本所对应的信息内容为：

- 功能说明：一元线性回归分析，接口标识为"#【说明】"；
- 输入对象：数据表文件（CSV 格式），用 F 表示，接口标识"[IN1]"；
- 输出对象：图片文件（包括 jpg，bmp，emf，pdf 等格式），用 F 表示，接口标识"[OUT1]"；
- 控制参数：图名|XName|YName|XLab，YLab|PointColor，LineColor，所对应的接口标识分别为"[P1]""[P2]""[P3]""[P4]"和"[P5]"。

➢步骤 3　将接口标识植入脚本。

将步骤 2 所设计的接口标识替换脚本中的对应字符串，形成接口化脚本。

示例脚本植入接口标识后的接口化脚本如下。

```
#【说明】一元线性回归分析
#【关键词】<F,F>，脚本名|图名|XName|YName|XLab,YLab|PointColor,LineColor
#读取文件
data=read.csv("[IN1]")
library（ggplot2）
#分析图轴标签信息
pLab="[P4]"
#分析图颜色信息
pColor="[P5]"
```

```
#处理轴标签信息和颜色信息
pLab<-strsplit(pLab,",",fixed = TRUE)
pColor<-strsplit(pColor,",",fixed = TRUE)
#绘制分析图
ggplot(data,aes(x=[P2],y=[P3]))+
            geom_point(pch=17,color=pColor[[1]][1],size=2)+
            geom_smooth(method="lm",color=pColor[[1]][2],linetype=2)+
            labs(title="[P1]",x=pLab[[1]][1],y=pLab[[1]][2])
#保存分析图
ggsave(file="[OUT1]")
```

4. 接口化脚本的调用

接口化脚本保存在 DAS 安装目录中的 UserModel 子目录，该脚本在【计算过程表】中通过 KX_MyKeyWord 关键词调用。调用时，控制参数中的"脚本文件"替换为接口化脚本文件，"方法接口控制参数列表"则根据关键词方法接口的设计规则填写相应的参数。表 3.15 为示例脚本调用前的设置。示例执行后，【说明】和【关键词】的信息内容系统会自动填写，并且输入对象、脚本以及输出对象会增加超链接，方便用户浏览（图3.7）。图 3.8 为输出结果。

表 3.15　脚本调用前

步骤	操作说明	输入	操作	输出	说明
1	用户自定义功能	【植被与温度】	KX_MyKeyWord（RModel1/一元线性回归.R|植被覆盖度与温度一元线性回归|VALUE1|VALUE2|植被覆盖度，温度|blue，green|）	【一元线性回归统计图】TJT.jpg	

图 3.7　脚本调用前后

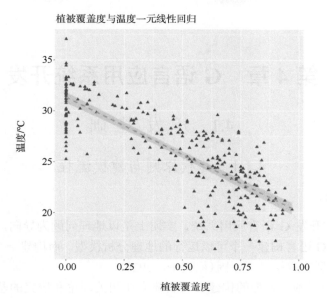

图 3.8　示例输出结果

第4章 G语言应用系统开发

4.1 开 发 基 础

4.1.1 建模原则与建模流程

1. 建模原则

利用 G 语言开发 G 语言应用系统，实质上是以地理问题为导向，以相关理论和研究为依据，利用 G 语言构建一个可以运行的地理分析模型。而构建一个科学、有效、合理的地理分析模型应遵循以下原则(徐建华，2020)。

(1)理论充分原则。模型的构建必须要建立在相关理论和研究的基础上，可以反映地理问题背后的客观规律。

(2)标准化原则。同类型的地理分析模型在形式上尽量一致，以便于模型的推广与应用以及相关理论的推导。

(3)易理解性原则。模型的内容与表达应足够清晰，能被相关人员理解，便于模型的维护和扩展。

(4)简洁性原则。模型应尽量简单，尽可能降低地理问题的求解难度，模型的维度尽可能低，以便于模型的开发。

(5)客观性原则。评价类模型中，尽量避免主观因素的影响，如在多因子评价分析中，尽量避免主观性的权重赋值。

(6)数据可获取性原则。数据是支持模型运行的基础，没有数据，再好的模型也难以发挥作用。为此，模型的构建首先需要考虑是否有正常的数据获取渠道以及数据的可获取度。

2. 建模流程

从总体来看，利用 G 语言构建地理分析模型，其建模过程与常规的地理分析模型的建模过程基本一致，只是在这里将传统建模方法中的软件开发过程转为利用 G 语言对地理分析过程的描述，而这种描述性的工作是由业务人员来完成，而非软件开发人员。参考地理建模的相关研究成果，并结合 G 语言的特点，作者给出了如图 4.1 所示的 G 语言开发过程基本流程。

➢步骤 1　厘清地理问题

分析所需解决的地理问题，判断是否可以通过空间分析方法进行解决？所涉及的数据是否可以进行量化处理？是否有相关数据的支持？

➢步骤 2　构建地理分析模型

地理分析模型的构建涉及地理分析模型的功能、地理要素的构成、关系以及动态演变过程等内容。如在住房选址分析模型中，应明确选址的目标、选址条件、分析方法以及分析结果等内容。

➤步骤 3　构建地理数据模型

地理数据模型是通过点、线、面、网络、场等形式对地理现实世界的抽象表达，具体包括矢量数据模型和栅格数据模型。地理分析模型中的地理要素需要通过地理数据模型进行表达。如在住房选址分析模型中涉及道路、学校、商场、公园等地理要素，其中道路为线要素，学校、商场、公园为点要素。

➤步骤 4　明确数据分析方法和分析步骤

明确地理分析模型中各地理要素数据的处理方法和数据集成方法，明确各处理方法的阈值等量化参数。如在住房选址分析模型中，首先需要对道路、学校、商场、公园等地理要素进行缓冲区分析操作，且要明确各类地理要素的缓冲距大小；其次需要分析学校、商场、公园的缓冲区的交集，最后需要从交集中删除道路缓冲区。

➤步骤 5　G 语言描述地理分析模型

用 G 语言规范化地描述上述分析步骤，主要包括选择合适的关键词和控制参数以及输入与输出对象。如住房选址分析模型中的学校缓冲区的生成，其输入为【学校】点图层，输出为【学校缓冲区】面图层，关键词为 KX_BufferStat，控制参数为 750#A，输出结果为【学校缓冲区】。

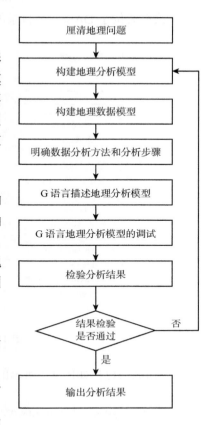

图 4.1　G 语言开发基本流程

➤步骤 6　G 语言地理分析模型的调试

在 G 语言集成开发环境中，对 G 语言地理分析模型的计算项逐行进行调试，排除语法、参数和逻辑错误，保证各地理计算项可以准确、无误地执行。

➤步骤 7　检验分析结果

对计算的最终结果进行验证，判断其是否与预期值相符。若符合，则执行步骤 8，否则从步骤 2 开始逐一检查，主要检查内容包括：

■ 地理分析模型的构建是否合理？

■ 数据分析方法是否正确？控制参数是否合理？

■ 各地理计算项的计算结果是否正确？

➤步骤 8　输出分析结果

对分析结果进行输出，分析结果除最终结果外，也可根据实际需要输出中间结果，成果的表达形式可以是专题地图、统计表或统计图。

4.1.2　开发基础框架

G 语言应用系统是基于 G 语言应用系统基础框架构建的(也可利用已有的 DAS 工

程)，该框架位于 DAS 安装目录的"system/DASProjectN2022"子目录中(图 4.2)。

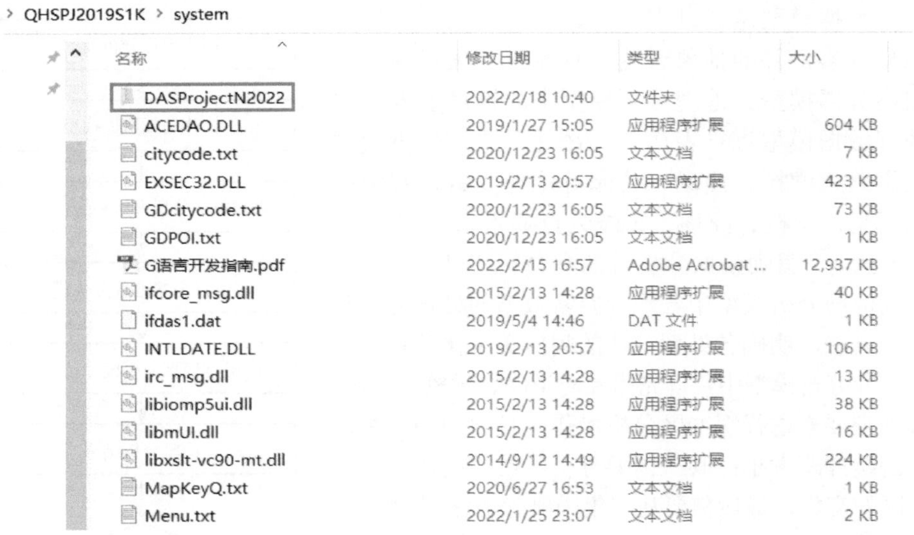

图 4.2　G 语言应用系统基础框架

基础框架包括如图 4.3 所示的四部分内容。

图 4.3　应用系统基础框架内容

(1)菜单文件：Menu.txt，用于定制 Word 中【G 语言编程】功能区的菜单内容，用户可根据需要进行修改(图 4.4)。

(2)系统标题文件：Title.txt，用于在系统运行小窗口显示系统的标题，用户可以修改(图 4.5)。

(3)DAS 智能文档：DAS 用户定制系统 2022.docm，是 G 语言应用系统的主体，用于地理分析模型的说明、运行逻辑的组织和展示运行结果。系统的开发、调试、运行等工作均在该文档内完成(图 4.6)。需要说明的是，不能用空 Word 文档构建 DAS 智能文档，空 Word 文档没有内置执行 DAS 智能文档所必须的执行逻辑。

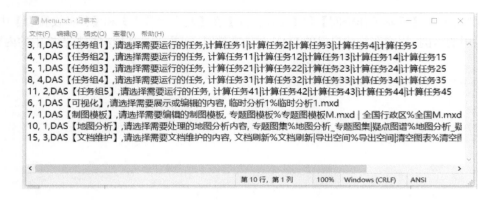

图 4.4　系统菜单文件

图 4.5　系统标题文件

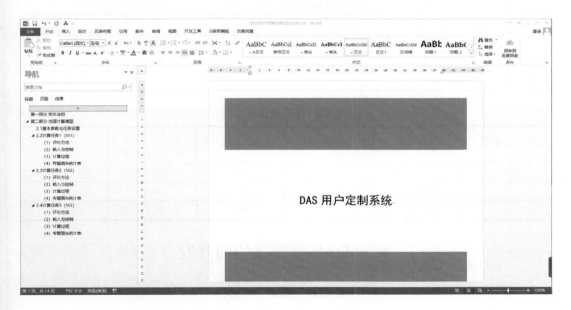

图 4.6　用户定制系统中 DAS 智能文档

（4）基本工作空间：DB2022 目录，是 DAS 智能文档【基本参数表】中所定义的【基本工作空间】。该目录包括制图模板和各计算任务所指定的【工作空间】（图 4.7）。表 4.1

和表 4.2 分别为【基本工作空间】和【工作空间】在【基本参数表】和【任务设置表】中被交叉引用的示例。用户在构建自己的 DAS 智能文档时,可根据具体情况调整表格中的内容。

I9S1K > system > DASProjectN2022 > DB2022			
名称 ^	修改日期	类型	大小
📁 BaseMap	2022/2/18 10:36	文件夹	
📁 LayerStyle	2020/9/21 19:55	文件夹	
📁 M1	2022/2/18 10:33	文件夹	
📁 M2	2022/2/18 10:34	文件夹	
📁 M3	2022/2/18 10:34	文件夹	
⊕ 0临时分析.mxd	2020/10/9 12:46	ArcGIS ArcMap ...	578 KB
⊕ ZPoint.mxd	2020/9/21 19:55	ArcGIS ArcMap ...	1,841 KB
⊕ 专题图模板M.mxd	2020/10/7 14:50	ArcGIS ArcMap ...	650 KB

图 4.7   用户定制系统中的目录结构

表 4.1   基本参数表示例

序号	对象逻辑名	对象物理名	说明
1	【基本工作空间】	DB2022	
2	【范围图层】	BaseMap/MapRange1.shp	用于设置工作范围、坐标系统和裁减输出地图
3	【栅格大小】	50	用于设置像元的大小(单位:米)
4	【统计图层】	BaseMap/MapRange1.shp	用于分区统计数据
5	【专题图模板】	专题图模板 M.mxd	用于制作专题图
6	【图谱模板】	ZPoint.mxd	用于制作疑点图谱
7	【评价地区】		在统计报表中输出
8	【导出空间】		

表 4.2   任务设置表示例

序号	计算任务	是否计算	工作空间	表位置 (输入与控制表)	说明
➢	计算任务 1		M1	表 4	
➢	计算任务 2		M2	表 8	
➢	计算任务 3		M3	表 12	

4.2 DAS 智能文档的开发

4.2.1 概   述

G 语言应用系统的开发就是将地理分析模型在 DAS 智能文档中进行充分地描述。由于 DAS 智能文档除传统文档的图文表述功能外,还具有文档内容的可计算性,即文档可同程序代码一样执行地理计算任务。因此,DAS 智能文档所描述的内容包括描述性表达和计算性表达两部分。

描述性表达是指将地理分析模型通过图文的方式对地理问题、分析任务、分析方法、数学模型、数据描述以及分析步骤等进行全面的描述。这也是传统地理分析模型的表达方式。从编程的角度来看，描述性表达就像程序代码中的注释，不影响地理分析模型的执行，但可以帮助用户理解地理分析模型的计算性表达部分，同时也是地理分析模型更新、维护的基础。

计算性表达是通过编程的手段将地理分析模型的运算逻辑通过程序的方式表达出来。在过去，地理分析模型的计算性表达的形式就是可执行程序。在 G 语言中，地理分析模型的计算性表达的形式就是用 G 语言所描述的可读性代码，具体来说，就是由【基础参数表】【地理计算任务注册表】【输入与控制表】以及【计算过程表】所构成的可读、可执行的表格。

4.2.2　模型的描述性表达

1. 地理分析模型的目标

每个地理分析模型的构建都应针对地理问题有一个较为明确的目标或任务要求，如国土空间规划"双评价"这个大型地理分析模型的总体目标就是评价研究区域土地资源对生态环境、农业生产以及城镇建设三方面的适宜程度。如图 4.8 是第 12 章【基于遥感数据的生态环境质量评价】案例所描述的任务要求。

> **2)任务要求**
>
> (1)对参与计算的多光谱遥感数据进行辐射定标。
>
> (2)分别进行湿度、绿度、干燥度和地表温度的计算。
>
> (3)利用湿度、绿度、干燥度和地表温度数据，采用主成分分析法进行生态环境质量的综合评价。

图 4.8　任务要求示例

2. 地理计算任务的构成

当地理分析模型所涉及的内容较多时，需要将模型划分为若干地理计算任务，如国土空间规划"双评价"中，由于需要评价的内容很多，需划分为单项评价、集成评价、综合分析、可选评价、对比分析、地图分析等 6 个地理计算任务组，每个地理计算任务组又包含若干地理计算任务，如单项评价地理计算任务组就包括生态评价、土地资源评价、水资源评价等地理计算任务。需说明的是，当地理分析模型较为简单时，无需设置地理计算任务组。

3. 分析流程图

在明确地理分析模型目标的基础上，需要通过分析流程图将整个地理分析模型的实施过程清晰地表达出来。需要注意的是，分析流程图所表达的是分析过程的主体框架，具体细节不易在这里表现，否则，所绘制的流程图过于复杂，不易理解。图 4.9 为【基于遥感数据的生态环境质量评价】案例中所绘制的流程图，图中温度、绿度、干燥度以及热度的计算的具体细节没有在这里表达出来，具体计算细节在过程描述中进行说明。

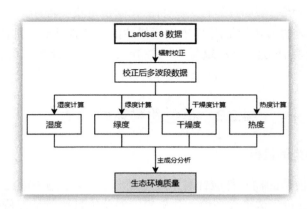

图 4.9　分析流程图示例

4. 输入数据的组织与描述

（1）数据组织。数据是地理分析模型运行的基础，为此，需根据地理分析模型的需要，收集、整理、处理相关的数据。收集数据时，应保证数据的权威性、准确性、实效性。空间数据应采用统一的坐标系统，通常采用投影坐标系。

G 语言应用系统所处理、分析的数据包括矢量图层数据、栅格图层数据和表格数据。为了便于数据处理，矢量图层数据统一采用 shp 格式，栅格图层数据采用 tif 或 grid 格式，表格数据采用 CSV 格式或 XLSX 格式。为了图层数据的管理，也可将空间数据集中存放在 GDB 数据库中，但 GDB 中的图层数据仅作为输入数据使用。

对于空间数据的组织，所有的数据统一存放在基本工作空间目录下，不同计算任务所涉及的处理结果（包括中间结果）均存储在基本工作空间下不同的工作空间目录中，以方便对处理结果的管理和使用，具体的目录组织如图 4.7 所示。

（2）输入数据的描述。输入数据就是各地理计算任务中【输入与控制表】中输入部分的内容。输入数据包括图层、数据文件、目录等，统称为对象。每个对象有两个名称，即对象逻辑名和对象物理名，对象逻辑名相当于编程语言中的变量名，用于数据处理时的引用。为提高地理分析模型的可读性，常采用中文或英文专业术语命名，如【土壤质地】【DEM】等。对象物理名则指对象的具体存放路径，相当于编程语言中的变量值。考虑到有些数据处理库不支持中文的问题，尽量避免对象物理名使用中文，通常采用英文或拼音头字母缩写的方法命名，如【土壤质地】、【DEM】的物理名命名为"TRZD.tif"

和 "DEM.tif"。

图 4.10 为【基于遥感数据的生态环境质量评价】案例中输入数据描述的示例。

序号	对象逻辑名	对象物理名	值及说明
1.	【B1】	R2019B1.tif	Landsat 8 OLI 蓝波段
2.	【B2】	R2019B2.tif	Landsat 8 OLI 绿波段
3.	【B3】	R2019B3.tif	Landsat 8 OLI 红波段
4.	【B4】	R2019B4.tif	Landsat 8 OLI 近红外波段
5.	【B5】	R2019B5.tif	Landsat 8 OLI 短波红外波段
6.	【B6】	R2019B6.tif	Landsat 8 TIRS 热红外波段
7.	【变量】	变量 1.csv	包含辐射定标的 6 个波段的加常数和乘常数以及湿度计算公式中的 6 个系数。

图 4.10　输入数据示例

5. 分析过程的描述

分析过程描述是用自然语言对分析流程图的细化和量化，相当于软件开发中的伪代码，是填写【计算过程表】的依据。当然，正如人们在编写程序时可以省去伪代码，直接编写程序一样，当地理分析模型较为简单时，也可以省去这个步骤。

分析过程的描述需注意以下几点。

(1)将整个分析过程划分为若干步骤，当所描述的步骤内容较多时，也可将这个步骤细化为若干子步骤。需注意的是，这里所描述的步骤不一定与后续的【计算过程表】内容严格一致。如成果输出会包含在【计算过程表】中，但在这里就不一定明确写出。

(2)每个步骤的描述应包括对数据处理的方法、数学计算公式、等级划分标准等具体内容。

(3)为了描述简洁起见，应明确每个处理步骤的输入对象和输出对象的对象逻辑名，以方便后续在【计算过程表】中使用。

图 4.11 为【基于遥感数据的生态环境质量评价】案例中分析过程描述的示例。

4.2.3　模型的计算性表达

计算性表达的内容是地理分析模型具体执行的代码，该部分的描述包括基本参数表、任务注册表、输入与控制表以及计算过程表的填写。

1. 基本参数表与任务注册表

根据【基本参数表】和【地理计算任务注册表】的填写规定，填写相应的内容。图 4.12 为【基于矢量数据的市区择房分析】案例的示例。

> ➤ 步骤 6 计算热度 LST。

(1)根据式 12.7 由【绿度】计算植被覆盖度 Fv，得到【FV】栅格图层。

$$Fv = \begin{cases} 0.7, & NDVI > 0.7 \\ 0, & NDVI < 0 \\ \dfrac{NDVI}{0.7}, & 0 \leq NDVI \leq 0.7 \end{cases} \tag{12.7}$$

(2)根据式 12.8 由【FV】【绿度】计算地表比辐射率 e，得到【E】栅格图层。

$$e = \begin{cases} 0.7, & NDVI \leq 0 \\ 0.9589 + 0.086 \times Fv - 0.0671 \times Fv^2, & 0 < NDVI < 0.7 \\ 0.9625 + 0.0614 \times Fv - 0.0461 \times Fv^2, & NDVI \geq 0.7 \end{cases} \tag{12.8}$$

(3)根据式 12.9 计算黑体辐射亮温计算 lt，得到【LT】栅格图层。

$$lt = (b_e - u - t \times (1-e) \times d)/(\tau \times e) \tag{12.9}$$

式中，b_e——热红外辐射亮度，e——地表辐射率，τ——大气在热红外波段的透过率，u——大气向上辐射亮度，d——大气向下辐射亮度，τ、u、d 这 3 个参数可在 NASA 公布的网站(http://atmcorr.gsfc.nasa.gov)查询。

图 4.11　分析过程描述示例

表2　基本参数表

序号	基本参数项	基本参数内容	说明
1.	【基本工作空间】	BOOK_GIS01	基本工作目录
2.	【范围图层】	M1/ MapRange1.shp	用于设置工作范围、坐标系统和裁减输出地图
3.	【统计图层】	M1/ MapRange1.shp	用于分区统计数据
4.	【栅格大小】	20	用于设置像元的大小（单位：米）
5.	【专题图模板】	专题图模板 M.mxd	用于制作专题图
6.	【图谱模板】	ZPoint.mxd	用于制作疑点图谱
7.	【评价地区】		
8.	【导出空间】		

表3　地理计算任务注册表

序号	任务标识	是否计算	工作空间	输入与控制表	任务说明
1.	计算任务 1	Y	M1	表 4	

图 4.12　【基本参数表】和【地理计算任务注册表】示例

说明：表标题中的"表 2"和"表 3"为 Word 中的题注，系统会根据该标识来定位表格；【基本工作空间】在 DAS 智能文档所在目录下的"BOOK_GIS1"子目录下；本地理计算工程只包含一个地理计算任务——"计算任务 1"，该地理计算任务的【工作空间】为【基本工作空间】下的"M1"子目录;【输入与控制表】"表 4"为"计算任务 1"所对应的【输入与控制表】的交叉引用。

2. 输入与控制表

每个地理计算任务都对应一个【输入与控制表】,按照【输入与控制表】的填写规定填写本地理计算任务的输入数据,图 4.13 为【基于矢量数据的市区择房分析】案例中"计算任务 1"的【输入与控制表】示例。

表4　市区择房分析输入与控制

序号	对象逻辑名	对象物理名	值及说明
1.	【研究范围】	MapRange1.shp	用于设置工作范围、坐标系统和裁减输出地图
2.	【统计图层】	MapRange1.shp	用于分区统计数据
3.	【研究范围】	MapRange1.shp	
4.	【道路】	Network.shp	线图层,字段 Type-道路等级,其中 ST-主干道,影响范围 200 米
5.	【商场】	Marketplace.shp	点图层,字段 Scope 为商场服务半径
6.	【学校】	school.shp	点图层,服务范围 750 米
7.	【公园】	Park.shp	点图层,服务范围 500 米
			【计算控制】

图 4.13　【输入与控制表】示例

说明:表标题中的"表 4"同样为 Word 中的题注,该题注在【地理计算任务注册表】中被交叉引用;表标题中的"输入与控制"为表识别符,用于系统对该表的识别。

3. 计算过程表

【计算过程表】是地理分析模型的具体实现部分,该表实际就是将 4.2.2 节中用自然语言描述的"分析过程的描述"部分用 G 语言描述出来。具体来说,就是将每个计算步骤用 G 语言关键词转换为地理计算项。G 语言关键词的具体应用方法见第二篇的介绍。需要说明的是,当若干地理计算项具有相近的结构时,可采用结构化表达方法,使计算过程的表达更为简洁。如图 4.14 为【基于矢量数据的市区择房分析】案例的【计算过程表】示例,其中的步骤 1 采用的就是结构化表达方法。

4. 结果输出

模型输出结果包括专题地图、统计表和统计图,这些输出结果均需在 Word 中的表格进行表达(图 4.15)。专题地图、统计表和统计图的表达样式、风格、排列方式等均需要按照 4.3 节的规定进行定制。

步骤	操作说明	输入	操作	输出	说明
1.	制作专题图	【@[道路;商场;学校;公园]研究范围】 【[*]】	【说明】专题制图[M] 【关键词】替代图层列表|背景图层列表|输出分辨率|{输出模板}|{范围参数#{扩大系数}} KX_Mapping(MapRange1@,*network@ | 区界|200)	【[道路;商场;学校;公园]专题图】Map[Network;Marketplace;School;Park].jpg	S1:制作输入数据专题地图
2.	插入专题图	【[道路;商场;学校;公园]专题图】	【说明】插入图片 【关键词】图片高度（6-12）|{图名过滤信息} KX_InsertPic (9)	1	
3.	筛选	【道路】	【说明】筛选+栅格化|缓冲区|欧式距离|成本距离+重分类[M] 【关键词】{筛选表达式}|处理表达式（*-欧式距离或成本距离,字段或数值-栅格化,缓冲字段名#A|栅格化字段#赋值-构建缓冲区）%{重分	【主干道】roadS.shp	S2:生成缓冲区

图 4.14　【计算过程表】示例

（4）结果输出

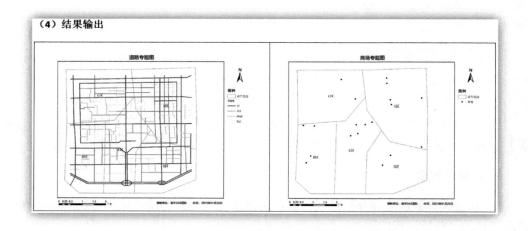

图 4.15　专题地图输出示例

4.3　输出结果的定制

4.3.1　专题地图模板定制

G 语言中专题地图是通过 KX_Mapping 关键词来制作的，该关键词主要涉及专题地图模板和图层样式的使用。

1. 专题地图模板

专题地图模板是用于保存图层显示样式（简称样式）的 MXD 文件，MXD 文件通过【基本参数表】或各地理计算任务中的【输入与控制表】中的【专题地图模板】和【图谱模板】指定，在 KX_Mapping 中分别用 1 和 2 表示（表 4.1）。

专题地图模板文件可通过【地图分析】→【制图模板】打开，并进行样式的增、删、改、查（图 4.16、图 4.17）。

图 4.16　通过【制图模板】功能编辑制图模板

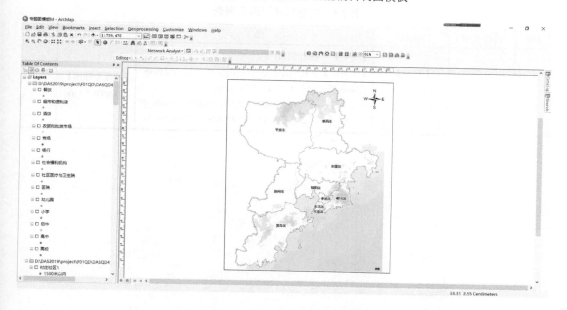

图 4.17　样式模板文件的编辑

2. 样式类型

专题地图模板模板中的样式类型总体分为两大类，即固定样式和动态样式。

（1）固定样式：固定样式是指样式的内容在引用时不能修改，但样式的标题可以进行修改。

（2）动态样式：动态样式是指样式中的类别数量和类别标识可根据需要进行动态设置。动态样式分为动态矢量样式和动态栅格样式两种。动态矢量样式应设定为"Graduated

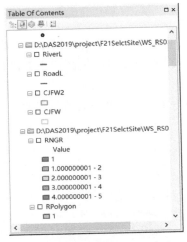

图 4.18　专题地图制图模板图层样式示例

Colors"模式，动态栅格样式应设定为"Classified"模式。为方便引用起见，通常用特定的标识代表不同类型的动态样式，如"VNR"样式中"V"表示矢量样式(vector)，"N"表示动态(类别数量可设定)，"R"表示红色(red)，"RNGR"样式中"R"表示栅格样式(raster)，"GR"表示颜色由绿色到红色渐变(图 4.18)。

表 4.3 和图 4.19 为样式的引用与使用效果。其中，【道路线】【水系线】分别使用了固定样式 RoadL 和 RiverL，且样式标题改为"道路"与"水系"；【坡度因子 1】采用动态样式 RNGR，并采用自然断裂法将坡度分为 5 级。

表 4.3　动态样式引用示例表

步骤	操作说明	输入	操作	输出	说明
1	制作专题图	【研究区域】 【B654】 【道路线】 【水系线】 【坡度因子 1】	【说明】专题制图[M] 【关键词】替代图层列表|背景图层列表|输出分辨率|{输出模板}|{范围参数#{扩大系数}} KX_Mapping(CJFW2@研究范围，*Map2，RoadL@道路，RiverL@水系，**RNGR#Z5.0**|区界|200|1|*#1.1)	【坡度专题图】 MapPDZTT.jpg	

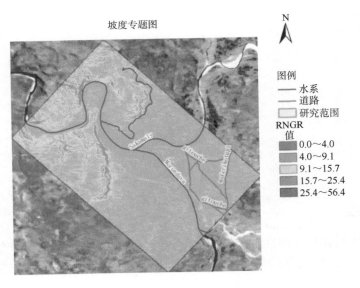

图 4.19　使用动态样式的专题地图示例

4.3.2　统计表定制

1. 统计表的制作

G 语言中的统计表需要根据 KX_Info 关键词和 KX_Table 关键词的输出内容进行预先设置，为了保证表格的正确输出，预设表格应遵守以下原则：

(1)表格主体的列数应不少于 KX_Info 关键词和 KX_Table 关键词输出数据的列数。

(2)表格中除表头外不允许出现纵向合并单元，如图 4.20 中的第 1、2 列均出现了纵向合并单元，这种表格系统不能处理。如需要进行合并处理，首先需要通过增加表格线的方法保证表格中无纵向合并单元；之后通过隐藏其中的表格线来间接实现纵向合并单元(图 4.21、图 4.22)。

统计指标		年份	A区	B区	C区	D区	E区	F区	G区	H区	I区	J区	总计
数量(个)	建成区内	2018	64	55	21	19	37	13	23	16	13	20	281
		2020	65	58	20	22	42	18	21	16	15	26	303
		2018-2020	1	3	-1	3	5	5	-2	0	2	6	22
	建成区外	2018	0	0	0	27	9	11	13	8	16	11	95
		2020	0	0	0	25	10	11	9	6	14	10	85
		2018-2020	0	0	0	-2	1	0	-4	-2	-2	-1	-10
	合计	2018	64	55	21	46	46	24	36	24	29	31	376
		2020	65	58	20	47	52	29	30	22	29	36	388
		2018-2020	1	3	-1	1	6	5	-6	-2	0	5	12

图 4.20　不符合规定的表格图

统计指标		年份**	A区	B区	C区	D区	E区	F区	G区	H区	I区	J区	总计
数量(个)	建成区内	2018	64	2	21	3	3	2	12	8	6	15	136
		2020	65	2	20	6	0	2	10	9	7	20	144
		2018-2020	1	0	-1	3	0	0	-2	1	1	5	8
	建成区外	2018	0	0	0	0	0	0	0	0	0	0	0
		2020	0	0	0	0	0	0	0	0	0	0	0
		2018-2020	0	0	0	0	0	0	0	0	0	0	0
	合计	2018	64	2	21	3	3	2	12	8	6	15	136
		2020	65	2	20	6	0	2	10	9	7	20	144
		2018-2020	1	0	-1	3	0	0	-2	1	1	5	8

图 4.21　不符合规定表格的规范化

统计指标		年份**	A区	B区	C区	D区	E区	F区	G区	H区	I区	J区	总计
数量（个）	建成区内	2018	64	2	21	3	3	2	12	8	6	15	136
		2020	65	2	20	6	3	2	10	9	7	20	144
		2018-2020	1	0	-1	3	0	0	-2	1	1	5	8
	建成区外	2018	0	0	0	0	0	0	0	0	0	0	0
		2020	0	0	0	0	0	0	0	0	0	0	0
		2018-2020	0	0	0	0	0	0	0	0	0	0	0
	合计	2018	64	2	21	3	3	2	12	8	6	15	136
		2020	65	2	20	6	3	2	10	9	7	20	144
		2018-2020	1	0	-1	3	0	0	-2	1	1	5	8

图 4.22　隐藏表格线

（3）表格允许有一个或两个表头行，对于只有一个表头行的表格，表头行的各列与其他行应一致（图 4.23）。对于有两个表头行的表格，表格第二行的各列应与其后各行一致，第一行可根据需要进行横向单元合并（图 4.24）。

名称*	平均步行指数	平均可达设施数（个）
A区	117.15	113.54
B区	0	0

图 4.23　符合要求的 1 个表头行的表格

区市*	<0.5 千米				0.5-2 千米				>=2 千米			
	建成区内	建成区外	合计	占比	建成区内	建成区外	建成区内	占比	合计	建成区外	建成区内	占比
A 区	13.72	13.82	27.55	84.37%	1.71	3.35	5.06	15.50%	0	0.04	0.04	0.13%
B 区	44.61	11.04	55.64	39.66%	12.35	35.22	47.58	33.91%	0.11	36.98	37.09	26.43%
C 区	28.16	26.61	54.76	72.47%	10.98	9.02	20	26.46%	0.78	0.03	0.81	1.07%

图 4.24　符合要求的 2 个表头行的表格

2. 统计表的填写控制

（1）表标题：当表标题的文字中包含"*"时，表示系统不会修改表标题，否则，会根据【计算过程表】中【输出栏】的内容替换该名称（图 4.25）。

（2）表格表头：当表格第 1 列、第 1 行或第 2 行（若只有一个表头行，则为第 1 行；若有两个表头行，则为第 2 行）单元（以下称标识单元）中包含"*"时，表明系统不会填写表头行的内容，否则，系统会用输出数据进行填写（图 4.26）。

测试表*

NAME	D1	D2	D3	D4	D5	D6	CLASS
段庄	-3693.21	7.34	556.90	605.45	616.74	1219.20	2
石炮沟	1328.65	58.10	248.48	-72.75	796.89	168.81	6
常州	-1432.61	81.01	46.95	1697.52	-1924.90	-1844.09	3
西大峪	1454.20	6.76	101.04	-238.21	977.39	858.82	1

图 4.25　固定表标题

测试表*

名称*	变量1	变量2	变量3	变量4	变量5	变量6	类别
段庄	-3693.21	7.34	556.90	605.45	616.74	1219.20	2
石炮沟	1328.65	58.10	248.48	-72.75	796.89	168.81	6
常州	-1432.61	81.01	46.95	1697.52	-1924.90	-1844.09	3
西大峪	1454.20	6.76	101.04	-238.21	977.39	858.82	1

图 4.26　固定表头

(3) 名称列(第一列)：当标识单元中包含"**"时，表明表头行和第一列的内容固定；否则，系统会用输出数据进行填写(图 4.27)。

测试表*

名称**	变量1	变量2	变量3	变量4	变量5	变量6	类别
A	-3693.21	7.34	556.90	605.45	616.74	1219.20	2
B	1328.65	58.10	248.48	-72.75	796.89	168.81	6
C	-1432.61	81.01	46.95	1697.52	-1924.90	-1844.09	3
D	1454.20	6.76	101.04	-238.21	977.39	858.82	1

图 4.27　固定表格第 1 列和表头

(4) 表格体：当标识单元中包含"***"时，表明除表头行和第一列的内容固定外，表格体单元的填写格式采用现有单元的格式(图 4.28)填写。这些格式包括：

■ 添加百分号：当单元数据中包含"%"时，填写数据自动添加"%"。

■ 无需填写：当单元数据中包含"/"时，无需填写该单元。

■ 小数点位数控制：当单元数据中无上述两种特殊控制符时，按照现有单元数据的小数位数填写数据。

测试表*

名称***	变量1	变量2	变量3	变量4	变量5	变量6	类别
A	-3693.21	7.34%	556.901	605.45	616.7	1219.20	2
B	1328.65	58.10%	248.481	-72.75	796.8	168.81	6
C	-1432.61	81.01%	46.952	1697.52	-1924.9	/	/
D	1454.20	6.76%	101.040	-238.21	977.3	858.82	1

图 4.28　固定表格填写格式

4.3.3　统计图定制

1. Excel 统计图

　　G 语言中的统计表为由 Excel 所生成的统计图(后称 Excel 统计图)。Excel 统计图需预先在指定的表格放置统计图样式,统计图样式既可以利用已有的从 Excel 生成的统计图(通过拷贝粘贴),也可直接利用输出的 CSV 文件在 Excel 生成后拷贝到指定的 Word 表格中(图 4.29、图 4.30)。当拷入 Word 文档表格后,用户可在 Word 中对 Excel 统计图的显示样式进行再次修改。

2. 普通统计图的制作

　　普通统计图通过 KX_Table 关键词制作,采用 Table 关键词的"C"或"S"(数据选择)前处理模式,后处理模式采用"C"(统计图制作)模式(表 4.4)。若指定表格中有 Excel 统计图,则按该图的样式进行显示;若没有,则自动生成一个缺省样式的统计图,用户可根据需要对该统计图进行调整(图 4.31)。

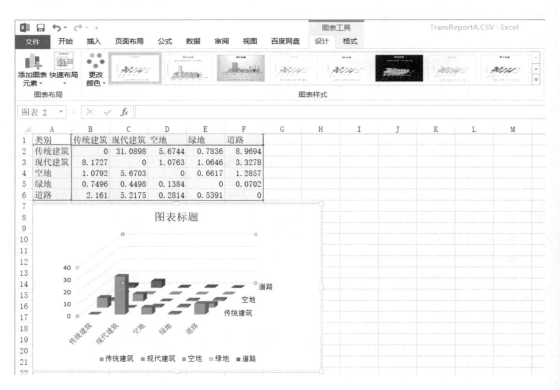

图 4.29　Excel 中制作 Excel 统计图

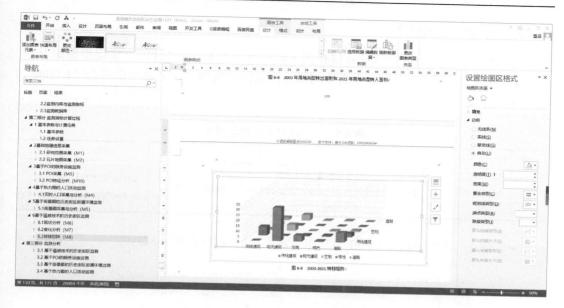

图 4.30　Excel 统计图插入 Word 表格

表 4.4　普通统计图生成示例表

步骤	操作说明	输入	操作	输出	说明
1	制作统计图	【统计表2003A】	【说明】表格处理** KX_Table（C| NAME# A1#R1# A2#R2# A3#R3# A4#R4# A5#R5|陈家弄#刘家弄#富强上弄#彭家弄#葡萄架弄#其他#合计|C，传统建筑，传统建筑 R，现代建筑，现代建筑 R，空地，空地 R，绿地，绿地 R，道路，道路 R）	3，2003 年用地统计图	

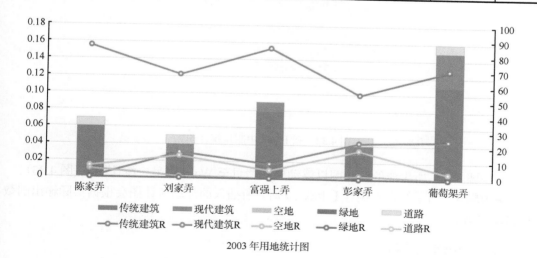

图 4.31　普通统计图输出示例

3. 浮动统计图的制作

浮动统计图是指在一个 Excel 统计图上叠加另一个 Excel 统计图,实现步骤如下。

➤步骤 1　通过 KX_Table 生成浮动统计图所需的数据表,并输出前缀为"FTable"的表格文件(表 4.5)。

表 4.5　浮动统计图生成示例表

步骤	操作说明	输入	操作	输出	说明
1	制作浮动统计图	【统计数据】	【说明】表格处理** KX_Table(C|Name#A[5:1]|合计|C,5级区,4级区,3级区,2级区,1级区)	【浮动统计图】 Ftable1.csv	

➤步骤 2　基于该表在 Excel 中制作所需类型的统计图(图 4.32)。

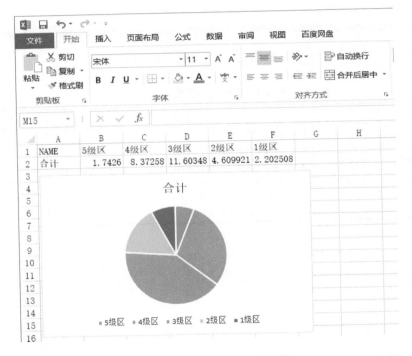

图 4.32　在 Excel 中制作统计图

➤步骤 3　将所生成的统计图以浮动模式拷贝至 Word 中另一统计图上(图 4.33)。
➤步骤 4　当系统再次执行【步骤 1】时,所插入的浮动统计图会根据实际输出的数据自动更新。

4. 系列统计图的制作

系列统计图是指插入 Word 表格的、由同一张数据表所生成的若干统计图,具体实现的步骤如下。

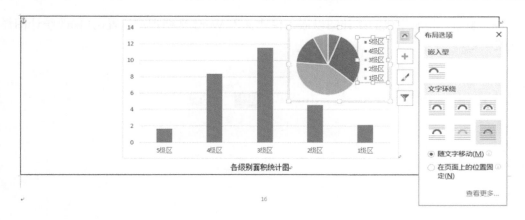

图 4.33　在 Word 中设置浮动统计图

➤步骤 1　通过 KX_Table 生成输出表，输出表文件的命名无特殊要求（表 4.6）。

表 4.6　系列统计图生成示例表

步骤	操作说明	输入	操作	输出	说明
1	制作系列统计图	【统计数据】	【说明】表格处理** KX_Table（C|Name# A[5：1]|*，C1|C，5 级区，4 级区，3 级区，2 级区，1 级区）	7 【系列统计图】 Qtable1.csv	

➤步骤 2　在 Excel 中选择数据表的数据块，生成统计图（图 4.34）。

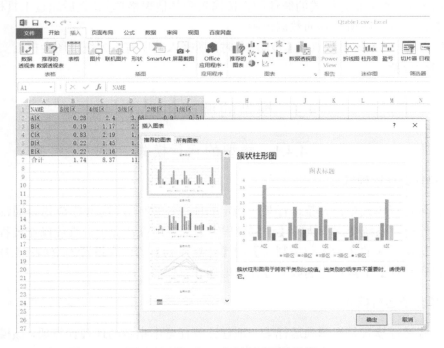

图 4.34　在 Excel 中制作系列统计图

➤步骤 3　将所生成的统计图以嵌入模式插入 Word 文档指定位置,并修改统计图样式(图 4.35)。

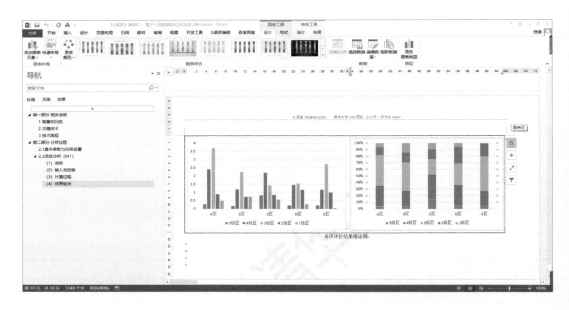

图 4.35　Word 中插入统计表

重复步骤 2 和步骤 3,将所有需绘制的统计图插入表格。为避免修改每个统计图的样式,用户也可将调整好样式的统计图直接拷贝到其他表格单元,之后通过工具栏中【选择数据】修改统计图所绘制的数据范围。

➤步骤 4　当系统再次执行【步骤 1】时,所插入的所有系列统计图会根据实际输出的数据自动更新。

4.4　模型的调试和运行

4.4.1　模型的运行模式

1. 单任务运行模式

单任务运行模式是指完整运行某一指定的地理计算任务,这也是 G 语言通常的运行模式。运行时,系统会逐项执行【计算过程表】的各地理计算项。具体操作过程为:先将计算任务所对应的【输入与控制表】中【计算控制】的内容设置为空(表 4.7),之后在【G 语言编程】工具栏中选取需运行的地理计算任务。

2. 单步骤运行模式

单步骤运行模式是指单独运行某一地理计算任务中指定的地理计算项,该模式是调试模型时常用的方法。具体操作过程为:先将【计算控制】内容设置为指定行,之后在

【G 语言编程】工具栏中选取需运行的地理计算任务。

表 4.7　输入与控制表示例

序号	对象逻辑名	对象物理名	值及说明
1	【范围图层】	BaseMap/MapRange2.shp	
2	【研究区域】	M1/ZXCQFW5.shp	
3	【统计图层】	M1/ZXCQFW5.shp	
4	【瓦片地图】	M2/WPDT3.tif	
5	【中心城区】	BaseMap/MapRange2.shp	
6	【道路】	M1/CZRoad2.shp	
【计算控制】			

3. 多步骤运行模式

多步骤运行模式是指运行某一地理计算任务中指定的多个地理计算项。具体操作过程为：先将【计算控制】内容按规则设置为需执行的地理计算项，之后在【G 语言编程】工具栏中选取需运行的地理计算任务。具体规则介绍如下。

（1）枚举列表规则：罗列需执行的地理计算项步骤号，如"1, 3, 8"，表示计算第 1、第 3 和第 8 步。若表示倒序号，则用"E"表示，如"E2"，表示倒数第 2 行。

（2）范围规则：给出需执行的地理计算项范围，如"1：4"或"1-4"，表示计算 1 到 4 步，"：4"或"-4"，表示计算 1 至 4 步；"4："或"4-"，表示计算 4 到最后一步；"1-3, 5："，表示执行除第 4 步以外的所有步骤。

4. 自动计算模式

自动计算模式是指批量运行若干所选择的地理计算任务。当一个地理计算工程由若干地理计算任务组成时，可采用这种模式一次性运行多个地理计算任务。具体操作过程为：首先在【计算任务注册表】中将所需计算任务的【是否计算】设为"Y"，之后在【G 语言编程】工具栏中选择【自动计算】（表 4.8）。

表 4.8　任务设置表示例

序号	计算任务	是否计算	工作空间	表位置（输入与控制表）	说明
1	计算任务 1	Y	M1	表 3	研究范围
2	计算任务 2	Y	M2	表 6	瓦片地图采集
3	计算任务 3	Y	M3	表 7	POI 采集
4	计算任务 4	Y	M4	表 9	实时人口采集
5	计算任务 5	Y	M5	表 10	街景图片采集
6	计算任务 8	Y	M8	表 11	街道 POI 分析
7	计算任务 9		M9	表 12	街道热力分析

序号	计算任务	是否计算	工作空间	表位置(输入与控制表)	说明
8	计算任务 10		M10	表 3	街道街景分析
9	计算任务 11		M11	表 15	街道活力综合分析
10	计算任务 12		M12	表 16	街道活力相关分析

4.4.2　模型的运行

1. 运行窗口

DAS 智能文档在执行过程时会弹出一个运行小窗口(图 4.36),实时显示当前所执行的操作步骤情况,同时光标也会自动移动到【计算过程表】中相应的执行步骤。这样,用户就能了解到地理计算任务的执行情况。在执行过程中,执行关键词有语法错误或运行错误(如文件不能删除、输出表格式不符合要求等)时,在小窗口会给出相应的错误信息,以便用户进行修改。

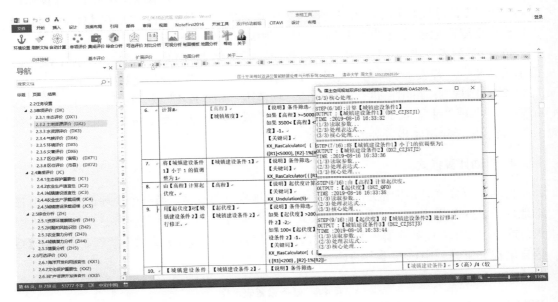

图 4.36　系统运行窗口

2. 运行日志

DAS 智能文档的每次运行均会在 DAS 安装目录下的"Log"子目录中产生日志文件,该日志文件完整地记录运行过程的各步操作内容,以及运行时的出错信息(图 4.37),为用户调试系统和查找问题提供支持。

图 4.37　系统日志文件

4.4.3　计算结果的检查

当地理计算任务执行时，系统会自动为地理计算任务的工作空间目录、输入对象和输出对象增加超链接，以方便用户对相关数据的浏览和检查。

1. 工作空间

一个地理计算任务的【工作空间】包含了本地理计算任务所有的计算结果（包括中间结果）和部分输入数据，用户可通过地理计算任务【输入与控制表】表标题"输入与控制"的超链接（图 4.38）进入工作空间目录（图 4.39）。

序号	对象逻辑名	对象物理名	值及说明
表3　城市用地功能识别输入与控制			
1.	【范围图层】	BaseMap/MapRange2.shp	
2.	【研究区域】	BaseMap/MapRange2.shp	
3.	【瓦片地图】	WPDT3.tif	栅格图层
4.	【道路】	CZRoad2.shp	线图层
【计算控制】			
2-			

图 4.38　工作空间超链接示例

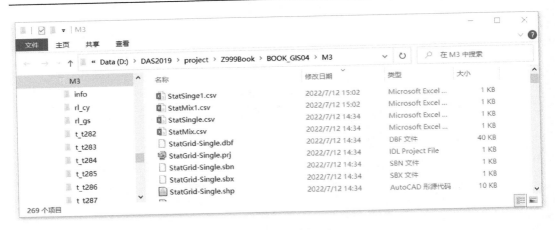

图 4.39　工作空间浏览

2. 输入、输出数据

【计算过程表】的【输入】与【输出】数据，除了 Shp 格式和 Grid 格式外，均有超链接，用户通过这些超链接（图 4.40、图 4.41），可在 Excel 或图片浏览器浏览或检查这些文件（图 4.42、图 4.43）。需要说明的是，Shp 格式和 Grid 格式的图层数据不能通过超链接方式浏览，可通过【G 语言编程】工具栏中的【可视分析】在 ArcMap 中进行浏览。

步骤	操作说明	输入	操作	输出	说明
1.	功能区划分	【统计表 11】	【说明】字段计算或属性连接[M] ⏎ 【关键词】{$-文件变量}连接字段列表{#S-求和}|F11#F12#...,F21#F22#...|计算表达式列表({*-因子归一化}FN1=expr1,..(变量 [@FSum])|{归一化(1-正|2-反)}) ⏎ KX_FieldCalculator(FID|Name1#Value1#Name2#Value2|FuncID =DFun([F2];0#50;0;1;2))	【统计表 12】 Report12.csv	

图 4.40　表格数据超链接示例

步骤	操作说明	输入	操作	输出	说明
1.	制作专题题图	【@研究区域[1:3]】 【@统计网格 1[*]】 【@道路[*]】 【@瓦片地图[*]】	【说明】专题制图[M]* ⏎ KX_Mapping(CJFW3@,{{FuncAll;FuncMix;FuncSingle}} @, *roads3@道路,*Map|区界|200|1|*#1.1)	【功能区分布图】 MapFuncAll.jpg 【混合功能区分布图】 MapFuncMix.jpg 【单一功能区分布图】 MapFuncSingle.jpg	

图 4.41　图片超链接示例

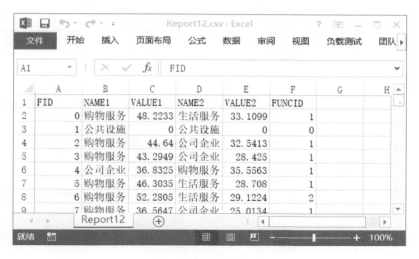

图 4.42　表格数据浏览

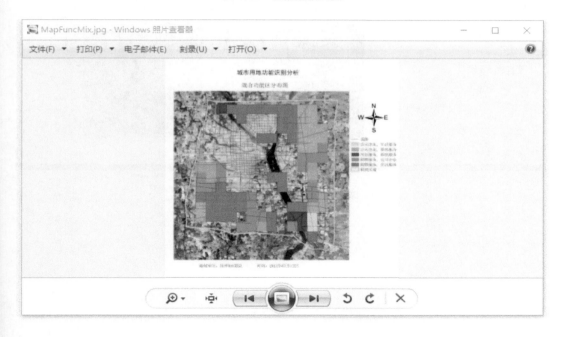

图 4.43　图片浏览

3. 文档内输出成果

当【计算过程表】的计算结果(数据表格、图片和统计图)直接在文档表格输出后，用户可通过输出表格序号的超链接(图 4.44)接跳转至指定表格进行浏览(图 4.45)。

步骤	操作说明	输入	操作	输出	说明
1.	插入专题图	【功能区分布图】 【混合功能区分布图】 【单一功能区分布图】	【说明】插入图片* KX_InsertPic (12)	1	

图 4.44　表格序号超链接示例

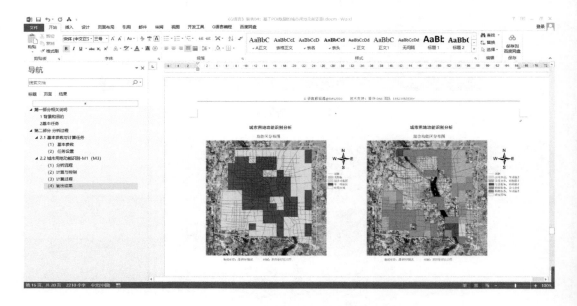

图 4.45　表格序号超链接浏览

第二篇

G 语言常用关键词

　　正如编程的学习过程，编程语言的语法虽然较为简单，但真正能用编程语言开发应用系统则不容易。G 语言的学习也是一样，虽然 G 语言的语法较传统编程语言更加简单，但用 G 语言构建地理分析模型，还需要有地理思维能力和 G 语言关键词的应用能力。地理思维能力是指对空间分析方法的理解能力以及将地理问题转换为地理分析模型的能力，这需要通过学习 GIS 空间分析的相关知识以及地理分析模型的建模方法，并加以实践方能习得。而 G 语言关键词的应用能力则指熟悉 G 语言关键词(关键词的输入、输出以及控制参数)程度以及在地理分析模型中的应用能力。

　　为此，本书在第三篇给出了 10 个应用案例，以帮助读者提升 G 语言关键词在地理分析模型中的应用能力，而本篇则帮助读者熟悉 G 语言常用的关键词。全篇分 5 章对 G 语言常用的 29 个关键词进行详细介绍，读者在用 G 语言构建地理分析模型时可随时查阅关键词的使用方法。这 5 章分别为空间数据获取类关键词、空间分析类关键词、数据处理类关键词、统计分析类关键词和成果表达类关键词。

　　对每个关键词的介绍分为 3 个部分，分别为【概述】【参数说明】和【示例】。【概述】部分为关键词的功能、用途介绍；【参数说明】部分为关键词的输入、输出以及控制参数的解释说明；【示例】部分则为使用关键词的具体应用示例。

第5章 数据采集类关键词

5.1 获取兴趣点 KX_BD_GetPOI

1. 概述

兴趣点(point of interest，POI)是代表真实地理实体的点状空间实体，如商店、酒吧、加油站、医院和车站等。由于 POI 数据具有类型覆盖面广、分类明确、位置准确、数据现势性强等特点，因此，能够客观地反映各类城市设施和人类社会经济活动的分布情况，在诸如公共服务设施布局优化、城市功能区识别、商业活动空间聚集、居民时空行为、城市结构分析、建成环境评价、建成区边界划分等方面得到应用。

目前高德地图、百度地图、腾讯地图等互联网地图均通过网络服务接口(API)提供各类 POI 数据。百度地图和高德地图所提供的 POI 类型如表 5.1、表 5.2 所示。

表 5.1　高德地图 POI 类型

一级编码	一级类型	一级编码	一级类型
01	汽车服务	11	风景名胜
02	汽车销售	12	商务住宅
03	汽车维修	13	政府机构及社会团体
04	摩托车服务	14	科教文化服务
05	餐饮服务	15	交通设施服务
06	购物服务	16	金融保险服务
07	生活服务	17	公司企业
08	体育休闲服务	18	道路附属设施
09	医疗保健服务	19	地名址信息
10	住宿服务	20	公共设施

注：详细类别见 https://lbs.amap.com/api/webservice/download)。

表 5.2　百度地图 POI 类型

一级行业分类	二级行业分类
美食	中餐厅、外国餐厅、小吃快餐店、蛋糕甜品店、咖啡厅、茶座、酒吧
酒店	星级酒店、快捷酒店、公寓式酒店
购物	购物中心、百货商场、超市、便利店、家居建材、家电数码、商铺、集市
生活服务	通信营业厅、邮局、物流公司、售票处、洗衣店、图文快印店、照相馆、房产中介机构、公用事业、维修点、家政服务、殡葬服务、彩票销售点、宠物服务、报刊亭、公共厕所
丽人	美容、美发、美甲、美体
旅游景点	公园、动物园、植物园、游乐园、博物馆、水族馆、海滨浴场、文物古迹、教堂、风景区

一级行业分类	二级行业分类
休闲娱乐	度假村、农家院、电影院、KTV、剧院、歌舞厅、网吧、游戏场所、洗浴按摩、休闲广场
运动健身	体育场馆、极限运动场所、健身中心
教育培训	高等院校、中学、小学、幼儿园、成人教育、亲子教育、特殊教育学校、留学中介机构、科研机构、培训机构、图书馆、科技馆
文化传媒	新闻出版、广播电视、艺术团体、美术馆、展览馆、文化宫
医疗	综合医院、专科医院、诊所、药店、体检机构、疗养院、急救中心、疾控中心
汽车服务	汽车销售、汽车维修、汽车美容、汽车配件、汽车租赁、汽车检测场
交通设施	飞机场、火车站、地铁站、地铁线路、长途汽车站、公交车站、公交线路、港口、停车场、加油加气站、服务区、收费站、桥、充电站、路侧停车位
金融	银行、ATM、信用社、投资理财、典当行
房地产	写字楼、住宅区、宿舍
公司企业	公司、园区、农林园艺、厂矿
政府机构	中央机构、各级政府、行政单位、公检法机构、涉外机构、党派团体、福利机构、政治教育机构
出入口	高速公路出口、高速公路入口、机场出口、机场入口、车站出口、车站入口、门(备注:建筑物和建筑物群的门)、停车场出入口
自然地物	岛屿、山峰、水系

获取兴趣点关键词 KX_BD_GetPOI 封装了百度地图和高德地图的 API,可用于获取指定区域范围内指定类型的 POI 数据。

2. 参数说明

【输入】范围矢量图层。

【输出】所获取的 POI 矢量图层(包含 Name、poitype、uid 属性)。

【控制参数】图商代码|POI 类型列表|{子区大小#{起始序号}#{终止序号}}|{搜索深度(*——全部,数值)}。

- 图商代码:GD——高德地图,BD——百度地图(申请的秘钥在 MapKey. txt 中);
- POI 类型列表:高德地图或百度地图 POI 数据类型列表;
- 子区大小:采样区域大小,以公里为单位,缺省时为整个采集区范围;
- 起始序号:子区起始序号,缺省时为 1;
- 终止序号:子区终止序号;
- 搜索深度:由于不能一次性从一个子区获取所有指定类型的 POI 数据,需要对子区采用四叉树的方法进行细分。考虑到获取数据的成本与时间,本参数指定子区细分的次数,不指定时表示不断细分直到获取所有的 POI 数据。

3. 示例

【示例】获取多类 POI(表 5.3)。

表 5.3   获取多类 POI 示例表

步骤	操作说明	输入	操作	输出	说明
1	提取景区 POI	【研究区域】	【说明】获取兴趣点数据* KX_BD_GETPOI（BD|公园，动物园，植物园|5）	【POI_JQ】 POI_JQ.shp	
2	核密度分析	【POI_JQ】	【说明】空间插值或密度分析 M* KX_InterDensity（*|H|R0.1）	【POI_JQR】 POI_JQR.tif	

示例说明：在百度地图提取【研究区域】范围内景区 POI（包括公园、动物园、植物园），子区大小为 5 km×5 km，所得到的【POI_JQ】点图层进行核密度分析，搜索半径为图层范围宽度或长度的 0.1 倍距离，得到栅格图层【POI_JQR】。【POI_JQ】和【POI_JQR】的制图结果如图 5.1 所示。

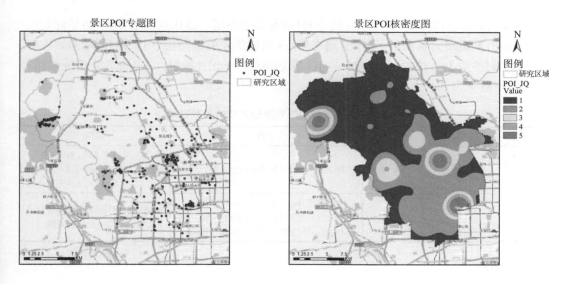

图 5.1   获取多类 POI 示例（输出）

5.2   获取兴趣线 KX_BD_GetLOI

1. 概述

兴趣线（line of interest，LOI）是指地图上的线状地理实体，主要包括道路、公交线等信息内容。目前高德地图、百度地图和腾讯地图均提供点到点的实时出行时间、距离以及最优出行路径，相对于传统静态网络分析所得到的时间、距离数据，这些实时数据更具有参考和指导作用。高德地图在 LOI 方面所提供的服务包括以下两方面。

1）交通态势

交通态势 API 可提供不同区域交通态势情况查询，可获得区域交通状况（包括畅通路段所占比例、缓行路段所占比例、拥堵路段所占比例、区域整体路况以及区域路况评价)和各路段信息(包括路段名称、方向、坐标点、车速、路况等)。

2)路径规划

路径规划 API 可提供的是一套以 HTTP 形式的步行、公交、驾车查询以及行驶距离计算的地图服务接口，包括步行路径规划、公交路径规划、驾车路径规划、骑行路径规划、货车路径规划等多种查询类型。

获取兴趣线关键词 KX_BD_GetLOI 封装了高德地图交通态势 API 和路径规划 API 的部分功能，通过该关键词的两个方法进行调用。

2. 参数说明

【输入】道路范围图层(用于交通态势)或起始点图层、终止点图层(用于路径规划)。

【输出】道路矢量图层(用于交通态势)或规划路径矢量图层(用于路径规划)。

【控制参数】方法(交通态势——j；规划路径——p)|{参数}。交通态势和规划路径的具体参数见表 5.4。

表 5.4　交通态势和规划路径方法的参数说明

序号	方法	简写	输入输出	参数	说明
1	交通态势 (Traffic)	j, t	V, V	道路类型列表|{子区大小#起始序号}	道路类型：1—高速，2—快速道，国道，3—高速辅路，4—主要道路，5——一般道路，6—无名道路
2	规划路径 (path)	p	<V, V>	{出行方式(bus，bus@，walk，drive，bicycle)}，城市名称或代码#{日期}#{时间}#{起点字段(FID)#终点字段(FID)}	bus@模式表示获取具体路径，bus 模式仅给出起终的连线

3. 示例

【示例 1】交通态势(表 5.5)。

表 5.5　交通态势示例表

步骤	操作说明	输入	操作	输出	说明
1	提取交通态势	【研究区域】	【说明】获取道路信息 【关键词】方法(交通态势-j；规划路径-p)|{参数} 【方法】交通态势-j，Traffic，t，<V，V>，<道路类型>|{子区大小#起始序号}> KX_BD_GETLOI(J|1，2，3|2)	【实时路况】 DX2_Road0510.shp	

示例说明：提取指定范围等级为 1、2、3 的道路数据，子区域大小为 2 km×2 km，结果保存为【实时路况】线图层。该图层制图输出结果如图 5.2 所示。

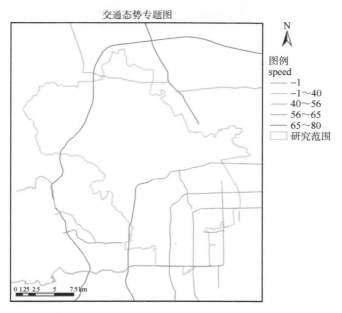

图 5.2　交通态势示例(输出)

【示例 2】路径规划(表 5.6)。

表 5.6　路径规划示例表

步骤	操作说明	输入	操作	输出	说明

1	提取规划路径	【起始点】
		【终止点】
			【说明】获取道路信息
			【关键词】方法(交通态势-j，规划路径-p)|{参数}
			【方法】规划路径 M-p, path, g, <V, V>, <{出行方式(bus, bus@, walk, drive, bicycle)}, 城市名称或代码#{日期}#{时间}#{起点字段(FID)#终点字段(FID)}>
			KX_BD_GETLOI(G|Bus@，北京#2021-09-14#08：00)
				【规划路径】
				BusPath08.shp	

示例说明：提取北京地区 2021-09-14#08：00 从【起始点】到【终止点】的规划路径，所提取的路径为详细路径，结果保存为【规划路径】线图层。该图层制图输出结果如图 5.3 所示，图中 3 条红色直线表示未提取到具体的路径信息。

5.3　获取兴趣面 KX_BD_GetAOI

1. 概述

兴趣面(area of interest，AOI)指互联网电子地图中的面状地理实体，主要包括行政区和地物类型图斑，如居住区、公园、绿地等。与 POI 相比，POI 数据代表的是地理实体的中心位置，而 AOI 数据则表示地理实体外部轮廓。此外，POI 数据的变化频率要高，而 AOI 数据所表达的地理实体变化频率则低很多。

图 5.3　路径规划示例(输出)

获取兴趣面关键词 **KX_BD_GetAOI** 封装了高德地图提取行政区划和根据百度地图 POI 数据提取地物图斑的功能。

2. 参数说明

【输入】当获取行政区界时，该图层仅表示输出图层坐标系与该图层一致，当获取地图图斑时，该图层表示百度地图 POI 点图层。

【输出】行政区划面图层或百度地图 POI 图斑面图层。

【控制参数】图商代码|行政区名称或行政区编码或起始序号。

■ 图商代码：BD——百度地图；GD——高德地图。

■ 行政区名称：对于提取行政区划数据的操作，为省、区或市名称，若名称后无 "*"，则代表仅提取整体行政区界数据；若有 "*"，对于省或直辖市，表示提取所属市或区的行政区界，对于地级市，表示提取所属区的行政区界；若有 "**"，对于省表示提取各市所属区的行政区界。

■ 行政区编码：对于提取行政区划数据的操作，既可使用行政区名称，也可直接使用行政区编码，行政区编码见 DAS 安装目录下 config\GDcitycode.txt 文件。

■ 起始序号：对于提取百度 POI 图斑的操作，表示获取指定序号后的 POI 图斑，"*" 表示获取所有 POI 图斑。

3. 示例

【示例 1】获取行政区划(表 5.7)。

表 5.7　获取行政区划示例表

步骤	操作说明	输入	操作	输出	说明
1	提取行政区界	【范围图层】	【说明】获取行政区界或 AOI 【关键词】图商代码|类型(行政区编码或名称|POI 起始序号(*)) KX_BD_GETAOI(GD|北京*)	【行政区划】XZQH.shp	
2	提取研究范围	【行政区划】	【说明】筛选+栅格化/欧式距离+重分类 M 【关键词】{筛选列表#{栅格化赋值}}|{处理方法(字段重分类|栅格重分类|字段缓冲(FName#A|{OName#1})|栅格化|欧氏距离|成本距离)}%{重分类描述} KX_SelRasDisReclass(name|海淀区)	【研究区域】YJQY.shp	

示例说明：获取北京市行政区界，坐标系统与【范围图层】一致，在此基础上筛选出海淀区行政区划，得到【研究区域】面图层。该图层制图输出结果如图 5.4 所示。

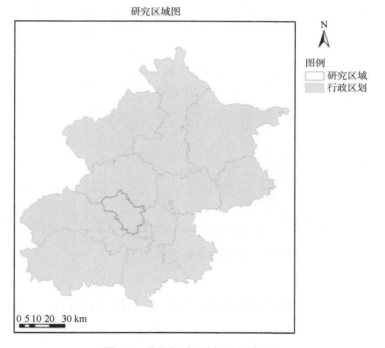

图 5.4　获取行政区划示例(输出)

【示例 2】获取 AOI(表 5.8)。

表 5.8　获取 AOI 示例表

步骤	操作说明	输入	操作	输出	说明
1	提取百度 POI	【研究区域】	【说明】获取兴趣点数据 【关键词】图商|POI 类型列表|{子区大小#{起始序号}#{终止序号}}|{搜索深度(*-全部，数值)} KX_BD_GETPOI(BD|公园|2)	【公园 POI】ParkPOI.shp	

步骤	操作说明	输入	操作	输出	说明
2	提取百度 AOI	【公园 POI】	【说明】获取行政区界或 AOI 【关键词】图商|类型(行政区编码或名称POI 起始序号(*)) KX_BD_GETAOI(BD|*)	【公园】 Park.shp	

示例说明：从百度获取【公园 POI】点图层，之后根据该图层获取公园图斑【公园】面图层。该图层制图输出结果如图 5.5 所示。

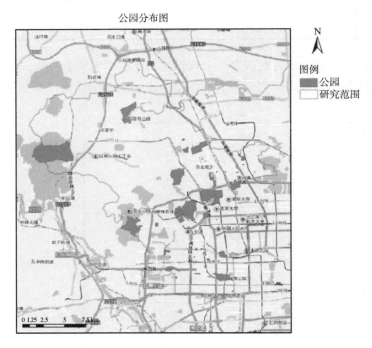

图 5.5 获取 AOI 示例(输出)

5.4 获取瓦片地图 KX_BD_GetTile

1. 概述

瓦片(tile)地图是不同等级下的切片地图，是一种多分辨率金字塔式的层次模型。一般把缩放级别最高、地图比例尺最大的地图图片作为金字塔的底层。分块时从地图图片的左上角开始，从左至右、从上到下进行切割，按每 2×2 像素合成为一个像素的方法生成上 1 层地图图片，如此下去，构成整个瓦片金字塔。每一个缩放级别包含的瓦片数量为 4 的 n 次方，其中 n 为缩放级别。如：缩放级别 0 包含 1 张瓦片，缩放级别 1 包含 4 张瓦片，缩放级别 2 包含 16 张瓦片，依此类推。

目前的互联网地图，如百度地图、高德地图、谷歌地图等，均采用的是瓦片技术发布地图服务，其特点是速度快、渲染效果好。

获取瓦片地图关键词 **KX_BD_GetTitle** 封装了高德地图、百度地图的瓦片地图获取 API，可获取指定区域不同级别、不同类型的瓦片地图，并自动进行拼接处理。

2. 参数说明

【输入】范围图层。

【输出】瓦片栅格图层。

【控制参数】图商代码|瓦片级别#{式样}|{矫正方法#重采样方法}|{续断号}。

■ 图商代码：BD——百度地图，GD——高德地图。

■ 瓦片级别：代表瓦片的分辨率或比例尺，级别越低，比例尺越小，信息量越少；级别越高，比例尺越大，信息量越多，不同网络地图提供商所提供电子瓦片地图的级别不同。表 5.9 为百度地图的级别与分辨率、比例尺之间的关系。

表 5.9　百度瓦片地图信息列表

级别	分辨率 (m/像素)	比例尺	级别	分辨率 (m/像素)	比例尺
1	131 072	1∶495 390 236	10	256	1∶967 559
2	65 536	1∶247 695 118	11	128	1∶483 779
3	32 768	1∶123 847 559	12	64	1∶214 998
4	16 384	1∶61 923 779	13	32	1∶120 944
5	8 192	1∶30 961 889	14	16	1∶60 472
6	4 096	1∶15 480 944	15	8	1∶30 236
7	2 048	1∶7 740 472	16	4	1∶15 118
8	1 024	1∶3 870 236	17	2	1∶7 559
9	512	1∶1 935 118	18	1	1∶3 779

■ 地图类型：地图所表示的地物类型以及所表示的样式，不同网络地图服务商所提供的地图类型不同，通常包括遥感影像图、全要素地图、道路图和注记图等内容。表 5.10 就是百度地图和高德地图所提供部分地图样式。

■ 矫正方法：瓦片地图进行地理配准所采用的方法，主要包括 0 次到 3 次多项式方法。

表 5.10　瓦片地图列表

序号	图商	代码	地图样式	样式代码	级数	说明
1	百度地图	BD	全要素	QYS	18	
2	百度地图	BD	清新蓝风格	light	18	
3	百度地图	BD	黑夜风格	dark	18	
4	百度地图	BD	红色警戒风格	redalert	18	

序号	图商	代码	地图样式	样式代码	级数	说明
5	百度地图	BD	精简风格	googlelite	18	
6	百度地图	BD	自然绿风格	grassgreen	18	
7	百度地图	BD	午夜蓝风格	midnight	18	
8	百度地图	BD	浪漫粉风格	pink	18	
9	百度地图	BD	青春绿风格	darkgreen	18	
10	百度地图	BD	清新蓝绿风格	bluish	18	
11	百度地图	BD	高端灰风格	grayscale	18	
12	百度地图	BD	强边界风格	hardedge	18	
13	高德地图	GD	道路+注记	DLZJ	18	
14	高德地图	GD	影像	YX	18	
15	高德地图	GD	道路	DL	18	详图
16	高德地图	GD	全要素	QYS	18	详图
17	高德地图	GD	全要素	QYS2	18	简图
18	高德地图	GD	注记	ZJ	18	

■ 重采样方法：矫正后的电子地图进行重新采用所使用的方法，主要包括 Nearest（最邻近法）、Bilinar（双线性内插）、Cubic（三次内插）和 Majority（多数），缺省为 Bilinar。

■ 续断号：由于网络地图 API 每天的配额有限制，会出现一天不能提取所有瓦片的情况，为此，当再次提取瓦片时，可通过该参数，使瓦片提取操作从指定的瓦片序号开始，而不是从新开始。

3. 示例

【示例】获取百度地图瓦片和高德影像瓦片（表 5.11）。

表 5.11 获取百度地图瓦片和高德影像瓦片示例表

步骤	操作说明	输入	操作	输出	说明
1	提取百度灰度风格瓦片地图	【研究区域】	【说明】获取瓦片数据 【关键词】图商|瓦片级别（W-出图宽度{（20 厘米）}，P-像素大小，S-比例尺，数值-瓦片级别）#{式样}|{矫正方法#重采样方法}|{续断号} KX_BD_GetTile（BD|W10# grayscale |P1#B）	【瓦片地图1】WPDT1.tif	
2	提取高德遥感影像地图	【研究区域】	【说明】获取瓦片数据* KX_BD_GetTile（GD|12#YX|P1#B）	【瓦片地图2】WPDT2.tif	

示例说明：计算项 1 为在百度地图获取【研究区域】出图宽度为 10cm 所对应级别（分辨率与瓦片地图 12 级对应）grayscale 风格的瓦片地图，采用 1 次多项式进行配准，双线性内插法进行重采样，结果保存为【瓦片地图 1】栅格图层；计算项 2 为在高德地图获取【研究区域】12 级别遥感影像图，采用 1 次多项式进行配准，双线性

内插法进行重采样，结果保存为【瓦片地图 2】栅格图层。图 5.6 为两个栅格输出图层的制图输出结果。

图 5.6　获取百度地图瓦片+高德影像瓦片示例（输出）

5.5　获取街景图片 KX_BD_GetStreetPic

1. 概述

街景图片是指谷歌地图、百度地图、腾讯地图等地图服务商利用街景车沿城市路网拍摄获取的图片，同时也包含 Mapillary 等众包平台提供的用户拍摄上传的图片。此类图片一般以全景图的形式存储，包含了拍摄位置的 360°全景视觉信息。

获取街景图片关键词 KX_BD_GetStreetPic 封装了百度地图街景获取 API，通过该关键词可批量提取指定位置、方向、视场角、俯仰角、图片大小等参数的街景图片。使用该关键词时，通常需要先利用关键词 KX_BD_GetStreetPT 为指定道路按照指定的距离布设采样点，输出的采样点图层中每个采样点具有沿道路的方位角信息，有了这个参数，就可以在指定街景图片方向时采用"前后左右"的方式，而不是简单的方位角。此外，所获取的街景图片可通过图像识别关键词 KX_PicRecognition 进行目标识别，以便进行诸如绿视率、围合度、开阔度等指标的定量研究。

2. 参数说明

【输入】采样点矢量图层。

【输出】表格序号和街景图片目录。

【控制参数】图商代码|拍摄方位角列表#{采样点范围(1～150)}|镜头视场角#{镜头俯仰角}|图片尺寸|{最多显示图片}。

■ 图商代码：BD——百度地图。

■ 拍摄方位角列表：可为数值方位角或前(q)、后(h)、左(z)、右(y)。

■ 采样点范围：由于百度地图 API 的配额限制，不能一次获取所有的街景图片，此时，可通过该参数设置每次获取街景图片的观察点序号范围，如"150～300"。

■ 镜头视场角：就是取景范围左右两侧和观察点连线的夹角，该参数的大小决定了街景图片的视野范围，通常取 90°。

■ 镜头俯仰角：拍摄方向与水平面的夹角，缺省值为 0°。

■ 图片尺寸：指所获取的街景图片的宽度和高度(单位为像素)以及插入表格时的图片高度(单位为 cm)，如"1024#512#6"。

■ 最多显示图片：在表格中可插入的图片最大数量，缺省时，插入所有图片。

3. 示例

【示例】获取道路街景图片(表 5.12)。

表 5.12　获取道路街景图片示例表

步骤	操作说明	输入	操作	输出	说明
1	获取采样点	【道路】	【说明】布设采样点 【关键词】筛选条件，采样距离，名称字段，{方向} KX_BD_GetStreetPT(Name|*，200，Name，1)	【采样点】 StreetPT1.shp	
2	获取街景图片	【采样点】	【说明】获取街景图片 【关键词】地图类型|拍摄方位角列#{采样点范围(1～150)}|镜头角度|图片尺寸|{最多显示图片} KX_BD_GetStreetPic(BD|前#450-600|90#10|1024#512#6|10)	2 【图片目录】 KX01	

示例说明：计算项 1 为利用 KX_BD_GetStreetPT 对【道路】图层中的每条道路按 200m 间隔取采样点，生成【采样点】点图层，【采样点】的"Name"字段为采样点的名称，采样点名称命名规则为：道路名_序号(如解放路_1)。计算项 2 为在百度地图获取指定观察位置【采样点】沿道路前进方向的街景图片，镜头视场角为 90°，仰角 10°，图片尺寸为 1024×512 像素，插入表格时的尺寸为 6cm，在表格中最多插入 10 张图片，所获取的照片存入【图片目录】目录中。由于百度地图每天获取街景图片数量有限制，本次获得的为采样点序号 450～600 的街景图片。图 5.7 为【采样点】制图输出的结果，图 5.8 为所获取的部分街景图片。

街景图采样点分布图

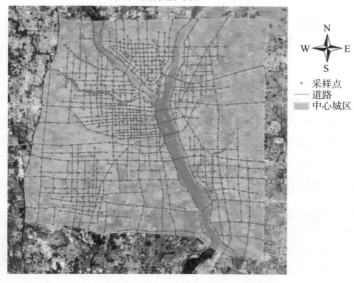

图 5.7　获取道路街景图片(输出 1)

凤凰大街_9_前

凤凰大街_10_前

温泉路_0_前

温泉路_1_前

图 5.8　获取道路的街景图片示例(输出 2)

5.6　获取人口迁徙 KX_BD_GetQX

1. 概述

百度迁徙是百度于 2014 年推出的一个反映人口迁徙状况的产品，该产品利用百度地图 LBS 开放平台和百度天眼，对其拥有的 LBS（基于地理位置的服务）大数据进行计算分析，实现了全程、动态、即时、直观地展现中国春节前后人口大迁徙的轨迹与特征（图 5.9）。2015 年百度迁徙又提供了人口迁徙、实时航班、机场热度和车站热度功能，2020 年 1 月，百度迁徙 3.0 提供迁徙趋势图功能，可查看城市春运迁出、迁入人口的迁徙趋势[1]。

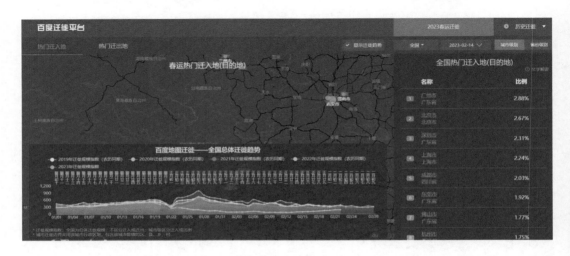

图 5.9　百度迁徙平台

获取人口迁徙关键词 KX_BD_GetQX 封装了百度迁徙的 API，通过该关键词可提取指定时间指定省或市人口迁入量和迁出量。该关键词所提取的数据可通过关键词 KX_DrawOD 进行可视化。

2. 参数说明

【输入】省（市）点图层。

【输出】人口迁入量或迁出量统计表。

【控制参数】迁入或迁出省（市）名称|日期列表|迁徙方向（IN——迁入，OUT——迁出）|目标省或市标识（P——省或直辖市，C——市）。

■ 迁入或迁出省、市名称：省（包括直辖市）和市名称。

■ 日期列表：分析日期列表，日期采用"年月日"表示，如"20200301"。

1）https://baike.baidu.com/item/百度迁徙/12988679?fr=aladdin。

- 迁徙方向：迁入——IN 或 I；迁出——OUT 或 O。
- 目标省或市标识：省（包括直辖市）——Province 或 P；市——City 或 C。

3. 示例

【示例】获取人口迁入量（表 5.13）。

表 5.13　获取人口迁入量示例表

步骤	操作说明	输入	操作	输出	说明
1	获取迁入数据	【@[1：7]长三角城市】	【说明】获取百度迁徙数据[M] 【关键词】目标省或市名称列表|日期列表|迁入或迁出[in or out]列表|目标省或市标识[p or c] KX_BD_GetQX（上海市|202201{[24：30]}|in|city）	【迁入 202201[24：30]】QR202201[*].csv	

示例说明：获取长三角各市 2022 年 1 月 24～30 日 7 天迁入上海市的人口量，所获取的数据分别保存为【迁入 20220124】…【迁入 20220130】统计表。本示例中输入、控制参数与输出均采用结构化表达式。图 5.10 为 7 日迁入量取汇总后通过关键词 KX_DrawOD 绘制弧线图并进行制图输出的结果。

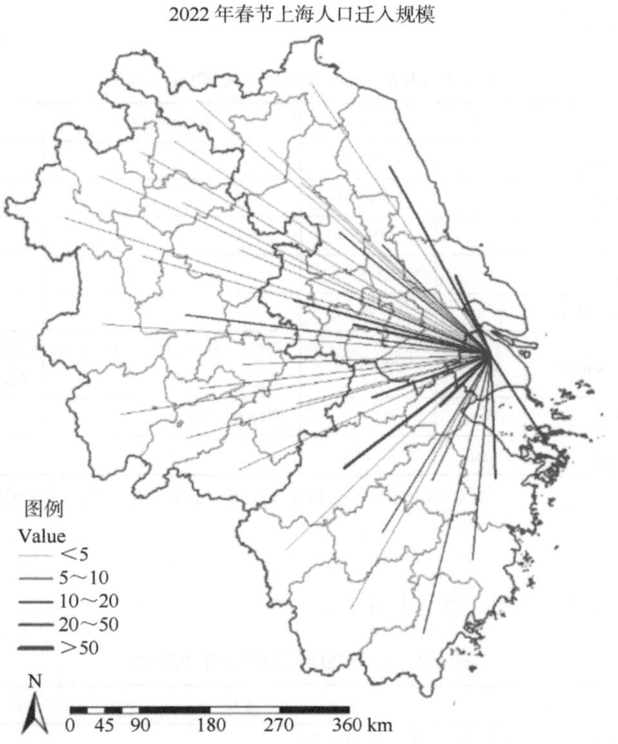

图 5.10　获取人口迁入量示例（输出）

第6章 空间分析类关键词

6.1 矢量空间叠置分析 KX_VecOverlay

1. 概述

矢量空间叠置方法是 GIS 空间分析中最为常用的分析方法，主要包括图层并集、交集、图层擦除、图层剪裁等操作。矢量空间叠置分析关键词 KX_VecOverlay 实现了这些常规的操作，除此之外，该关键词也包含了与空间叠置操作相近的操作方法，如点图层采样、空间连接以及图层合并等。

2. 参数说明

【控制参数】方法(并集——u，交集——i，擦除——e，剪裁——c，采样——s，空间连接——s2，拼接——m，合并——m2|{参数}。

【方法】如表 6.1 所示。

表 6.1 KX_VecOverlay 关键词方法表

序号	方法	简写	输入输出	控制参数	说明
1	面图层并集(union)	u	V#V，V		
2	面图层交集(intersect)	i	V#V，V		
3	面图层擦除(erase)	e	V#V，V		
4	图层剪裁(clip)	c	V#RV*，RV		
5	点图层采样(sampling)	s	V#V，V		
6	空间连接(spatialjoin)	s2，j	V*#V，V*	新增字段=提取字段|{空间关系}	常用空间关系包括：Intersect，Contain，Within
7	图层拼接(mosaic)	m	V*，R	栅格化字段	
8	图层合并(merge)	m2	V*，V		

注：由于剪裁操作是常用的操作，在 G 语言中也可直接采用关键词 KX_Clip 替代这里的 Clip 方法。

3. 示例

【示例 1】矢量图层并集运算(表 6.2)。

表 6.2 矢量图层并集运算示例表

步骤	操作说明	输入	操作	输出	说明
1	叠置分析	【道路缓冲区】【商场缓冲区】【学校缓冲区】【公园缓冲区】	【说明】矢量叠置分析 【关键词】方法(并集-u，交集-i，擦除-e，剪裁-c，采样-s，空间连接-s2，拼接-m，合并-m2)|{参数} 【方法】图层并集-u，Union，b，<V#V，V> KX_VecOverlay(U)	【综合评价 1】ZHPJ1.shp	

示例说明：面图层【道路缓冲区】【商场缓冲区】【学校缓冲区】和【公园缓冲区】进行并集运算。

【示例 2】矢量图层擦除（表 6.3）。

表 6.3　矢量图层擦除示例表

步骤	操作说明	输入	操作	输出	说明
1	叠置分析（Erase）	【商场缓冲区】 【道路缓冲区】	【说明】矢量叠置分析* 【方法】擦除-E，<V#V，V> KX_VecOverlay（Erase）	【缓冲区擦除】 Erase.shp	

示例说明：将面图层【道路缓冲区】从面图层【商场缓冲区】中擦除。

【示例 3】矢量图层融合（表 6.4）。

表 6.4　矢量图层融合示例表

步骤	操作说明	输入	操作	输出	说明
1	图层融合	【POI_[公共设施；公司企业；商务住宅；生活服务；购物服务；体育休闲服务；公交车站]】	【说明】矢量叠置分析 【关键词】方法（并集-u，交集-i，擦除-e，剪裁-c，采样-s，空间连接-s2，拼接-m，增量-s3，合并-m2，属性交集-i2)|{参数} 【方法】合并-M2，<V*，V> KX_VecOverlay（Merge）	【POI_综合】 POI_8.shp	

示例说明：将【POI_公共设施】【POI_公司企业】…【POI_公交车站】等 8 个点图层合并为一个点图层【POI_综合】。

6.2　栅格空间叠置分析 KX_RasOverlay

1. 概述

栅格空间叠置分析关键词 KX_RasOverlay 是根据栅格数据的特点而构建的一个专门处理多个栅格图层叠置处理的关键词，主要包括取最大值、取最小值、设置 Nodata 数据、值替换、图层剪裁、图层擦除、图层拼接、栅格统计、主成分分析以及栅格数据提取等操作。

2. 参数说明

【控制参数】方法（取最大值——m，取最小值——m2，补空值——f，替换值——r，取交集——i，拼接——m3，剪裁——c，擦除——e，抽取值——g，栅格统计——s)|{参数}。

【方法】如表 6.5 所示。

表 6.5　KX_RasOverlay 关键词方法表

序号	方法	简写	输入输出	控制参数	说明
1	取最大值(max)	m	R*, R	无	
2	取最小值(min)	m2	R*, R	无	
3	补空值(fillnodata)	f	R, R	参数值	设置 Nodata
4	值替换(replace)	r	V#R, R	数值或字段	用数值或字段值替代现有值
5	取交集(intersect)	i	R*, R	无	取非 NoData 的交集
6	拼接(mosaic)	m3	R*, R	无	
7	剪裁(clip)	c	R*#V, R*	无	
8	擦除(erase)	e	R#R, R	无	
9	抽取值(getvalue)	g	V#A*, V	字段名列表	
10	统计(stat)	s	VR*#R, F	{@-0, *-Clip}名称字段或统计值列表, 被统计类型列表(MAX, MIN, MEAN)或类别列表, {面积单位(KM2, M2, HA)或统计类型(MAX, MIN, MEAN)}	栅格统计
11	主成分分析(principalcomponents)	p	R*, R#A	主成分数	

3. 示例

【示例 1】提取栅格数据(表 6.6)。

表 6.6　提取栅格数据示例表

步骤	操作说明	输入	操作	输出	说明
1	提取数据	【剖面线采样点1】【植被覆盖度】【地表温度】	【说明】栅格叠置分析　【关键词】方法(取最大值-m, 取最小值-m2, 补空值-f, 替换值-r, 取交集-i, 拼接-m3, 剪裁-c, 擦除-e, 抽取值-g, 栅格统计-s, 主成分分析-p)|{参数}　【方法】提取数据-g, Getvalue, <V#R*, V>, <字段名列表>　KX_RasOverlay(g|Value1, Value2)	【剖面线采样点2】SectionPT2.shp	

示例说明：利用【剖面线采样点 1】点图层的点提取【植被覆盖度】和【地表温度】2 个栅格图层中的数据，并保存在【剖面线采样点 2】点图层的"Value1"和"Value2"字段中。

【示例 2】主成分分析(表 6.7)。

表 6.7 主成分分析示例表

步骤	操作说明	输入	操作	输出	说明
1	计算生态环境质量	【WET1】 【NDVI1】 【NDSI1】 【LT1】	【说明】栅格叠置分析* 【方法】主成分分析-p， PrincipalComponents，<R*，R#A>，<主成分数目> KX_RasOverlay（P|1）	【RSEI1】 RSEI1.tif 【参数】 P1.txt	

示例说明：对 4 个栅格图层【WET1】【NDVI1】【NDSI1】和【LT1】进行主成分分析，取第一主成分，输出第一主成分栅格图层【RSEI1】和相关参数【参数】。图 6.1 为相关参数文件的部分内容。

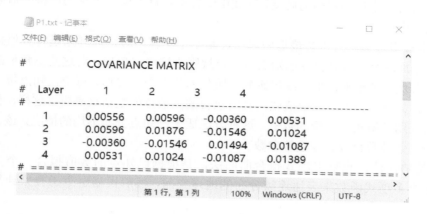

图 6.1 相关参数文件

6.3 空间插值与密度分析 KX_InterDentity

1. 概述

空间插值是地学研究中的基本内容，也是 GIS 空间分析中的主要方法之一，空间插值的主要任务是基于已知点的测量值模拟未知点或区域的预测值（张海平等，2017），已经广泛应用于环境、土壤和数字地形分析等多个领域。

密度分析是通过离散点数据或者线数据进行内插的过程。与空间插值不同，空间插值是用已知点的数值（如高程）来估算其他点的数值，而密度分析则是根据已知点的数值（如人口数量）按一定规则计算该点周围一定范围内栅格像元的密度值。

尽管空间插值与密度分析是两种不同的空间分析方法，但从应用的角度来看，两者均为插值分析方法，具有一定的相似性，故在 G 语言中将这两种分析方法整合为一个关键词 KX_InterDentity，方便用户使用。

KX_InterDentity 关键词中包含六种常用的空间插值方法（反距离权重法、自然邻域法、样条函数法、趋势面法、泰森多边形法以及克里金法）以及三种密度分析方法（核密度分析、点密度分析和线密度分析）。

(1) 反距离权重法：是 GIS 中最为常用的数据插值方法之一，也是一种空间确定性插值方法，其原理为预测点的预测值与其周围一定范围内的已知点的数值有关，且越近的已知点权重越大。

(2) 自然邻域法：也称"区域占用"(area-stealing)插值，其原理是：首先找到距预测点周围的已知点点集，并基于区域大小按比例对这些已知点应用权重来进行插值。

(3) 样条函数法：是使用可最小化整体表面曲率的数学函数来估计值，以生成恰好经过输入点的平滑表面。有规则样条函数方法和张力样条函数方法，规则样条函数方法使用可能位于样本数据范围之外的值来创建渐变的平滑表面；张力样条函数方法则根据建模现象的特性来控制表面的硬度，它使用受样本数据范围约束更为严格的值来创建不太平滑的表面。

(4) 泰森多边形法：也称最近距离法，是基于泰森多边形原理来进行数值插值运算的。其基本原理是：首先将各已知点按一定规则连接成三角形，对这些三角形的每条边作垂直平分线，多条垂直平分线将研究区域分为若干个多边形，每个已知点位于各自的多边形中，某个多边形内的数值就由其所包含的离散点的数值来确定。这样，预测点的预测值就采用其所在多边形的数值。这种方法适于已知点分布不均的情况，该方法无需定义半径、邻域数目或者权重等参数。

(5) 趋势面法：也称多项式拟合曲面法，是根据已知点的数值拟合一个多项式函数，用这个多项式函数来表达连续分布的地理空间，然后根据这个函数来计算预测点的数值。

(6) 克里金插值法：是一种空间局部插值法，是在空间相关范围分析的基础上，用相关范围内的已知点来估计预测点的数值。用该方法进行插值不仅可以获得预测结果，而且还能够获得预测误差，有利于评估插值结果的不确定性。使用克里金插值法时，有 5 种模型可供选择，即 Spherical、Circular、Exponential、Gaussian 以及 Linear。

(7) 密度分析：分为核密度分析、点密度分析和线密度分析。核密度分析中，落入搜索区的点具有不同的权重，靠近搜索中心的点或线会被赋予较大的权重，反之，权重较小。普通的点密度分析和线密度分析中，落在搜索区域内的点或线有相同的权重，先对其求和，再除以搜索区域的大小，从而得到每个点的密度值。

2. 参数说明

【输入】点图层或线图层(密度分析)。

【输出】栅格图层。

【控制参数】操作字段或*|插值(反距离权重——F|自然邻域——Z|样条函数——Y|趋势面——Q|泰森多边形——T|克里金法——K#模型(Spherical——S|Circular——C|Exponential——E|Gaussian——G|Linear——L)|密度分析(核密度——H|点密度或线密度——M)|{搜索点数量}或搜索半径(100|R0.1)%{重分类信息}。

　■ 操作字段：参与插值或密度分析的数值字段。当为密度分析时，"*"表示数值为 1 的内部数值字段。

■ 插值方法：插值方法如表 6.8 所示。

表 6.8　KX_InterDentity 关键词插值方法表

序号	差值或密度方法	简写	其他参数
1	反距离权重内插法(IDW)	F	无
2	自然邻域内插法(Natural Neighor)	Z	无
3	样条函数内插法(Spline)	Y	无
4	趋势面法(Trend)	Q	无
5	克里金法内插法(KRI)	K	S-Spherical，C-Circular，E-Exponential，G-Gaussian，L-Linear
6	核密度	H	无
7	点密度或线密度	M	无
8	泰森多边形内插	T	无

■ 搜索点数量：插值时搜索点数量，缺省为 12。

■ 搜索半径：密度分析时所需的搜索半径，可采用绝对值和相对值(相对图层范围)，如 1000 或 R0.1。

■ 重分类信息：进行栅格重分类的信息。

3. 示例

【示例 1】反距离权重+自然邻域+样条函数+趋势面(表 6.9)。

表 6.9　反距离权重+自然邻域+样条函数+趋势面示例表

步骤	操作说明	输入	操作	输出	说明
1	反距离权重	【高程点】	【说明】空间插值或密度分析[M] 【关键词】操作字段或*|插值(反距离权重-F|自然邻域-Z|样条函数-Y|趋势面-Q|泰森多边形-T|克里金法-K#模型(Spherical-S|Circular-C|-Exponential-E|Gaussian-G|Linear-L)|密度分析(核密度-H|点密度或线密度-M)|{搜索点数量}或搜索半径(100|R0.1)%{重分类信息} KX_InterDensity(elevation|F|10%1|2|3|4|5)	【反距离权重内插】FJLQZNC.tif	
2	自然邻域内插	【高程点】	【说明】空间插值或密度分析[M]* KX_InterDensity(elevation|Z|10%1|2|3|4|5)	【自然邻域内插】ZRLJNC.tif	
3	样条函数内插	【高程点】	【说明】空间插值或密度分析[M]* KX_InterDensity(elevation|Y|10%1|2|3|4|5)	【样条函数内插】YTHSNC.tif	
4	趋势面内插	【高程点】	【说明】空间插值或密度分析[M]* KX_InterDensity(elevation|Q|10%1|2|3|4|5)	【趋势面内插】QSMNC.tif	

示例说明：对【高程点】图层的"elevation"字段分别用反距离权重法、自然邻域法、样条函数法以及趋势面法进行插值，分析结果按等间隔法重分类为 5 级。图 6.2 为制图输出的结果。

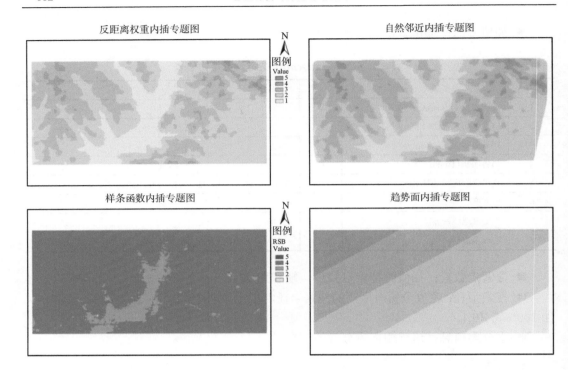

图 6.2　反距离权重+自然邻域+样条函数+趋势面示例（输出）

【示例 2】克里金内插 4 种模型（表 6.10）

表 6.10　克里金内插 4 种模型示例表

步骤	操作说明	输入	操作	输出	说明
1	克里金 Circular	【高程点】	【说明】空间插值或密度分析[M]* KX_InterDensity (elevation| K#C|10%1|2|3|4|5)	【克里金 Circular】 KLJCircular.tif	
2	克里金 Exponential	【高程点】	【说明】空间插值或密度分析[M]* KX_InterDensity (elevation| K#E|10%1|2|3|4|5)	【克里金 Exponential】 KLJExponential.tif	
3	克里金 Gaussian	【高程点】	【说明】空间插值或密度分析[M]* KX_InterDensity (elevation| K#G|10%1|2|3|4|5)	【克里金 Gaussian】 KLJGaussian.tif	
4	克里金 Linear	【高程点】	【说明】空间插值或密度分析[M]* KX_InterDensity (elevation| K#L|10%1|2|3|4|5)	【克里金 Linear】 KLJLinear.tif	

示例说明：对【高程点】图层字段"elevation"分别采用克里金的 Circular 模型、Exponential 模型、Gaussian 模型和 Linear 模型进行内插，内插结果按等间隔重分类为 5 级。图 6.3 为制图输出的结果。

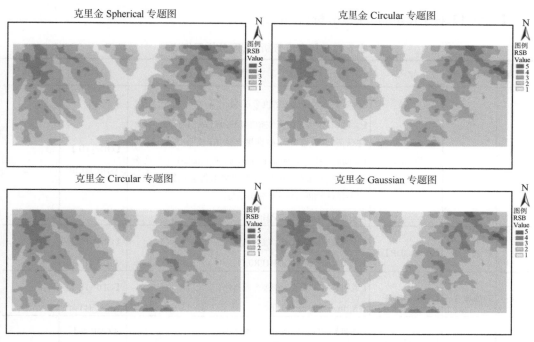

图 6.3　克里金内插 4 种模型示例（输出）

【示例 3】泰森多边形插值（表 6.11）。

表 6.11　泰森多边形插值示例表

步骤	操作说明	输入	操作	输出	说明
1	泰森多边形插值	【GDP 点】	【说明】空间插值或密度分析[M]* KX_InterDensity（GDP2|T）	【GDP_TS】 GDP_TS.tif	

示例说明：对【GDP 点】图层的 "GDP2" 字段采用泰森多边形插值。图 6.4 为分析结果的制图输出。

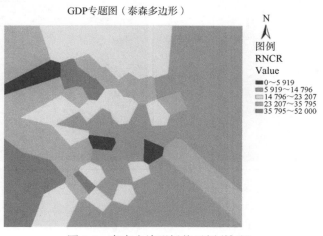

图 6.4　泰森多边形插值示例（输出）

【示例 4】核密度分析+密度分析(表 6.12)。

表 6.12 核密度分析+密度分析示例表

步骤	操作说明	输入	操作	输出	说明
1	核密度 1	【全市 GDP】	【说明】空间插值或密度分析 M 【关键词】操作字段或*|插值(反距离权重-F|自然邻域-Z|样条函数-Y|趋势面-Q|克里金法-K#模型(Spherical-S|Circular-C|-Exponential-E|Gaussian-G|Linear-L)|密度分析(核密度-H|点密度或线密度-M){搜索点数量}或搜索半径(100|R0.1)%{重分类信息} KX_InterDensity(GDP|H|0.5)	【GDP_H1】 GDP_H1.tif	
2	核密度 2	【全市 GDP】	【说明】空间插值或密度分析 M* KX_InterDensity(GDP|H|R0.1)	【GDP_H2】 GDP_H2.tif	
3	核密度 3	【全市 GDP】	【说明】空间插值或密度分析 M* KX_InterDensity(*|H|R0.1)	【GDP_H3】 GDP_H3.tif	
4	点密度	【全市 GDP】	【说明】空间插值或密度分析 M* KX_InterDensity(GDP|M|0.5)	【GDP_D】 GDP_D.tif	

示例说明:计算项 1 和计算项 2 根据【全市 GDP】图层的"GDP"字段分别采用搜索半径 0.5 km 和 R0.1 相对距离进行核密度分析;计算项 3 根据【全市 GDP】图层中点的位置(*)用搜索半径 R0.1 相对距离进行核密度分析;计算项 4 根据【全市 GDP】图层的"GDP"字段用搜索半径 0.5 km 进行点密度分析。图 6.5 为分析结果的制图输出。

GDP专题图(核密度1)

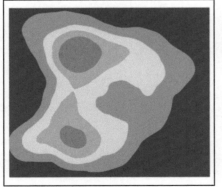

GDP专题图(核密度2)

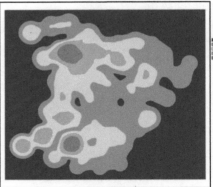

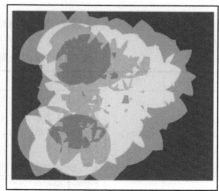

图 6.5　核密度分析+密度分析示例(输出)

6.4　地形分析 KX_TerrainAnalysis

1. 概述

地形分析的主要任务是提取反映地形的特征要素，找出反映地形的空间分布特征。地形分析的操作主要以 DEM 为基础，提取反映地形的各个因子，如坡度、坡向、起伏度等。地形分析关键词 KX_TerrainAnalysis 整合了多个提取地形因子的方法，如常用的坡度分析、坡向、地表粗糙度、起伏度、表面曲率等。此外，还提供了诸如地形反向、山体阴影分析、填挖方分析、视场分析等功能。

2. 参数说明

【控制参数】方法(坡度——s，坡向——a，粗糙度——c，起伏度——q，表面曲率——q2，填挖方——c2，反向——f，山影——h，视场——v)|{参数}%{重分类信息}。

【方法】如表 6.13 所示。

表 6.13　KX_TerrainAnalysis 关键词方法表

序号	方法	简写	输入输出	控制参数	说明
1	坡度(slope)	s, pd	R，R	无	
2	坡向(aspect)	a, px	R，R	无	
3	地表粗糙度(CZ)	c	R，R	无	
4	起伏度(QF)	q	R，R	邻域大小(缺省为 5)	
5	表明曲率(QL)	q2	R，R	无	
6	填挖方(CutFill)	c2	R#R#V，R	无	
7	地形反向(FX)	f	R，R	无	
8	山体阴影分析(hillshade)	h, hs, sy	R*#V，R*	水平角#高度角，缺省为 135#45	
9	视场分析(viewShade)	v	R#V，R	无	

3. 示例

【示例 1】反向地形+坡度分析（表 6.14）。

表 6.14　反向地形+坡度分析示例表

步骤	操作说明	输入	操作	输出	说明
1	反向地形	【DEM】	【说明】地形分析 【关键词】方法(坡度-s，坡向-a，粗糙度-c，起伏度-q，表面曲率-q2，填挖方-c2，反向-f，山影-h，视场-v)|{参数} 【方法】反向地形-f，FX，<R，R> KX_TerrainAnalysis(FX%1|2|3|4|5)	【反向】 FX.tif	
2	坡度	【DEM】	【说明】地形分析** KX_TerrainAnalysis(PD%1|2|3|4|5)	【坡度】 PD.tif	

示例说明：对【DEM】栅格图层进行反向地形分析和坡度分析，分析结果按等间隔重分类为 5 级。图 6.6 为分析结果的制图输出。

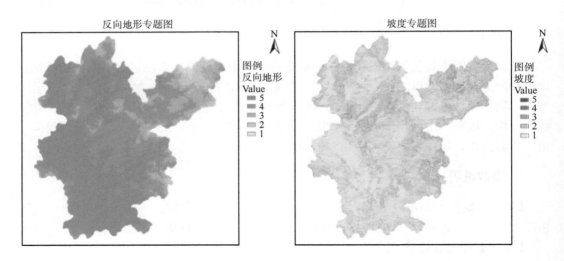

图 6.6　反向地形+坡度分析示例（输出）

【示例 2】起伏度+粗糙度分析（表 6.15）。

表 6.15　起伏度+粗糙度分析示例表

步骤	操作说明	输入	操作	输出	说明
1	起伏度	【DEM】	【说明】地形分析* 【方法】起伏度分析-q，QF，<R，R>，<邻域大小(5)> KX_TerrainAnalysis(QF|5%Z1|2|3|4|5)	【起伏度】 QF.tif	
2	地表粗糙度	【DEM】	【说明】地形分析* 【方法】粗糙度-c，CZ，<R，R> KX_TerrainAnalysis(CZ%Z1|2|3|4|5)	【地表粗糙度】 CZ.tif	

示例说明：对【DEM】栅格图层进行起伏度分析和粗糙度分析，分析结果按自然断裂法重分类为 5 级。图 6.7 为分析结果的制图输出。

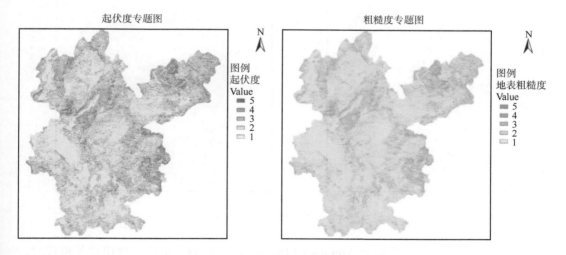

图 6.7　起伏度+粗糙度分析示例（输出）

【示例 3】山体阴影分析（表 6.16）。

表 6.16　山体阴影分析示例表

步骤	操作说明	输入	操作	输出	说明
1	山影分析	【DEM】	【说明】地形分析* 【方法】山影分析-h，HillShade，<R，R>，<水平角#高度角(135#45)> KX_TerrainAnalysis(h|90#45%Z1.0|2|3|4|5)	【山影 90】 TSY90.tif	
2	山影分析	【DEM】	【说明】地形分析** KX_TerrainAnalysis(h|315#45%Z1.0|2|3|4|5)	【山影 315】 TSY315.tif	

示例说明：对【DEM】栅格数据进行山体阴影分析，太阳方位角分别设为 90°和 315°，太阳高度角为 45°，分析结果用自然断裂法分为 5 级。图 6.8 为分析结果的制图输出。

6.5　网络分析 KX_NetWork

1. 概述

网络分析是 GIS 空间分析的重要内容，网络分析通常分为基于道路（交通）网络的网络分析和基于实体网络（如河流、排水管道、电力网络）的网络分析。网络分析关键词 KX_NetWork 主要集成了基于道路网络的网络分析功能，如服务区域分析、邻近距离分析和 OD 矩阵分析。

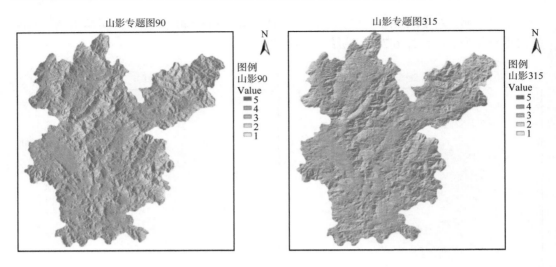

图 6.8　山体阴影分析示例(输出)

　　由于网络分析功能是基于 ArcGIS 的 Python 库开发的，用户在使用该关键词时，首先需要在 ArcMap 中构建网络数据集。构建网络数据集时，需注意将参与构建网络数据集的道路图层增加"Length"和"time"字段(图 6.9)，分别表示道路的长度和通过这条道路所用的时间，之后在网络数据集的属性中添加"Length"和"time"的相关内容(图 6.10)。

TNODE_	LPOLY_	RPOLY_	Length	ROAD_	ROAD_ID	Shape_Leng	time	Sk
20	1	1	171.3093	1	1	171.30937	2.85515	
21	1	1	145.3354	2	2	145.335435	2.42226	
21	1	2	405.1828	3	3	405.182775	6.75305	
23	1	1	164.8407	4	4	164.840678	2.74734	
23	1	4	225.1306	5	5	225.130597	3.75218	
24	1	5	162.2133	6	6	162.213233	2.70356	
20	1	3	481.1626	7	7	481.162672	8.01938	
25	1	1	230.2076	8	8	230.207683	3.83679	
26	1	1	223.4785	9	9	223.478483	3.72464	
27	1	1	225.2924	10	10	225.292506	3.75487	
27	1	6	152.2675	11	11	152.267551	2.53779	
28	1	1	216.5627	12	584	216.562805	3.60938	
28	1	9	175.5003	13	585	175.500321	2.925	
29	1	1	339.5072	14	12	339.507153	5.65845	
30	8	1	331.1066	15	13	331.106585	5.51844	
30	1	1	299.278	16	14	299.278029	4.98797	
31	10	1	235.7461	17	15	235.746094	3.9291	
8	1	1	278.2566	18	16	278.256528	4.63761	
25	1	7	300.1481	19	17	300.148135	5.00247	
32	1	1	301.4331	20	18	301.433271	5.02388	
33	1	1	268.8526	21	19	268.85256	4.48088	

(0 out of 585 Selected)

ROAD3

图 6.9　道路图层中添加"Length"和"time"字段

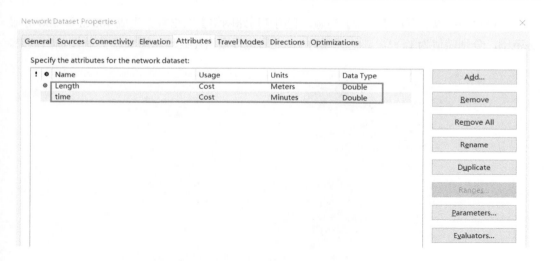

图 6.10　网络数据集中设置 Length 和 time 属性

2. 参数说明

【输入】点图层和网络数据集（VN）。

【输出】服务范围矢量或栅格图层（VR）。

【控制参数】方法（服务范围——s，邻近距离——n，OD 矩阵——o，点距分析——p）|{参数}。

【方法】如表 6.17 所示。

表 6.17　KX_NetWork 关键词方法表

序号	方法	简写	输入输出	控制参数	说明
1	服务范围分析（ServiceArea）	s，f	VN，VR	{筛选条件}%距离单位(Meter-m|Minute-m2)#{单次点数|时间或距离列表#{Detail}%{重分类列表}	筛选条件：对点图层按照筛选条件进行筛选；单次点数：一次加载的点数（当点数较多时，需考虑该项）细节：Detail-细节处理
2	邻近距离分析（NearDistance）	n，l	VA*，A	目标字段，{@搜索半径@最大距离(@1000@5000)}	
3	OD 矩阵（ODCostMatrix）	o	VVN，V	距离或时间字段(Length|Time)，{搜索信息(@1000@5000)}	

3. 示例

【示例 1】多值网络服务范围分析（表 6.18）。

表 6.18　多值网络服务范围分析示例表

步骤	操作说明	输入	操作	输出	说明
1	计算多个服务范围+赋值	【公园】【道路网络】	【说明】网络分析*KX_ServiceArea(S| M|400，800%1，2，3)	【服务范围(多值)2】ServiceArea3.tif	

示例说明：以点图层【公园】为源，利用【道路网络】网络数据生成 400 m 和 800 m 服务范围，分别赋值为 1、2，其他区域为 3，之后进行栅格化处理。图 6.11 为制图输出结果。

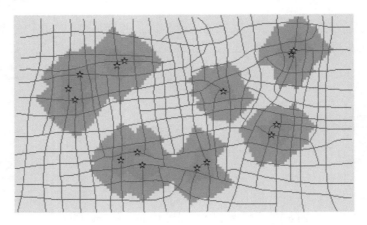

图 6.11　多值网络服务范围分析示例(输出)

【示例 2】邻近距离分析(表 6.19)。

表 6.19　邻近距离分析示例表

步骤	操作说明	输入	操作	输出	说明
1	邻近距离	【区政府】 【市政府】 【网络 2020】	【说明】网络分析* KX_ServiceArea(N| NDist，@1000@5000)	【最近距离】 ZJJL.csv	

示例说明：分析【区政府】点图层的点要素到【市政府】点图层中点要素的最短网络距离(搜索半径为 1 000 m，最大距离为 5 000 m)，分析结果保存在【最近距离】表格文件中的"NDist"字段中。

【示例 3】OD 矩阵(表 6.20)。

表 6.20　OD 矩阵示例表

步骤	操作说明	输入	操作	输出	说明
1	OD 矩阵	【网络节点】 【公园】 【道路网络】	【说明】网络分析 【关键词】方法(服务范围-s，邻近距离-n，OD 矩阵-o)|{参数} 【方法】生成 OD 矩阵-o，ODCostMatrix，<V#V#N，V>，<距离或时间字段(Length|Time)，{搜索信息(@1000@5000)}> KX_NetWork(o|Time，@1000@2000)	【OD1】 OD1.shp	

示例说明：以【网络节点】点图层为起点，【公园】点图层为终点进行 OD 矩阵分析(时间字段"time"为测算依据，搜索半径为 1 000 m，最大距离为 2 000 m)，得到以时间为单位的分析结果(图 6.12)。

	FID	Shape *	Name	OriginID	Destinatio	Destinat_1	Total_time
▶	0	Polyline	0 - 5	0	5	1	45.812858
	1	Polyline	0 - 2	0	2	2	47.671194
	2	Polyline	0 - 1	0	1	3	49.661986
	3	Polyline	0 - 7	0	7	4	50.566206
	4	Polyline	0 - 6	0	6	5	50.771896
	5	Polyline	0 - 0	0	0	6	57.922027
	6	Polyline	0 - 8	0	8	7	67.870656
	7	Polyline	0 - 3	0	3	8	71.437418
	8	Polyline	0 - 9	0	9	9	71.552116
	9	Polyline	0 - 4	0	4	10	75.076481
	10	Polyline	0 - 14	0	14	11	95.445788
	11	Polyline	0 - 10	0	10	12	101.185133

图 6.12　OD 矩阵示例（输出）

6.6　空间统计分析 KX_SpatialStat

1. 概述

随着 GIS 应用的不断深入，人们对 GIS 的需要不再局限于对空间数据的管理、可视化和简单的空间分析，而是希望进一步深入分析地理现象的发生、发展和变化规律，甚至是预测未来的发展，这就离不开空间统计的支持。空间统计是分析空间数据的统计方法，其目标是揭示与空间位置相关的数据间的依赖关系、空间关联等关系，通过空间位置建立数据间的统计关系。

空间统计分析关键词 KX_SpatialStat 包含了全局空间自相关、局域空间自相关（聚类和异常值分析）、热点分析以及地理加权回归和最小二乘法回归 5 种常用分析方法。

（1）空间自相关：是空间统计分析理论与方法构建的基础，用于解释事物在空间上的聚集或分散特征，回答诸如"房屋价格是否有与其周边房屋的价格相关？"，"空间邻近的居民直接收入是否接近？"等问题。常用的空间自相关分析方法包括全局空间自相关和局部自相关。其中，全局空间自相关是度量要素全局空间分布模式的分析模型。全局空间自相关使用 Global Moran's I 指数（莫兰指数），该指数可在全局层面度量地理要素所呈现的是聚类模式、随机模式还是离散模式。此外，通过 z 得分和 p 值来对该指数的显著性进行评估。局域空间自相关所使用的模型与全局自相关类似，但局域空间自相关指数用于局部区域的自相关评估，揭示数据的空间异质性。

（2）热点分析：是空间聚集探测方法，通过热点分析可以分析出高值和低值聚类的边界在哪里，可以度量局部区域高值和低值聚类的程度。热点分析可定量化地回答诸如"城市交通最拥堵的地区在哪？""城市公共交通使用频率远低于预期值的地区在哪？"等问题。需要说明的是，热点分析和局域空间自相关分析的分析结果，都是对高低值聚类状态的描述，都能找到空间上高低值聚类的分布位置，但由于统计方法不同，结果会有一定的差别。

(3) 普通最小二乘法：是回归分析的基本方法，其原理是所拟合的直线方程应该使各点到直线的距离和最小，或者说真实值和拟合值之间残差的平方和最小。其中，拟合优度可用 R^2 来表示，该值在 $[0, 1]$ 之间，值越大，表示回归方程拟合程度越好。

(4) 地理加权回归：是一种局部回归方法，其核心思想是分别为每个要素设置回归的参数，即对每个要素与其空间邻近要素之间的关系进行统计分析，得到每个要素的回归模型参数。相对于普通回归模型，地理加权回归法更适用于存在空间依赖关系的自然和社会经济现象的统计分析，如房价受哪些自然和社会因素的影响。

2. 参数说明

【控制参数】方法(空间自相关——a，聚类和异常值分析——c，热点分析——h，地理加权回归——g，最小二乘法回归——o)|{参数}。

【方法】如表 6.21 所示。

表 6.21　KX_SpatialStat 关键词方法表

序号	方法	简写	输入输出	参数	
1	全局空间自相关分析(Moran's I)	z, a	A, F	字段名	
2	局域空间自相关分析(Local Moran's I)	c, l	V, V	字段名	
3	热点分析(HotSpot)	h, r	V, V	字段名	
4	最小二乘法回归(OLS)	o, OLS	A, A*	因变量字段，自变量字段列表	
5	地理加权回归(GWR)	g, GWR	<V*, V*	因变量字段，自变量字段列表	

3. 示例

【示例 1】OLS 回归分析(表 6.22)。

表 6.22　OLS 回归分析示例表

步骤	操作说明	输入	操作	输出	说明
1	OLS 回归	【楼盘邻近距离】	【说明】空间统计 【关键词】方法(全局空间自相关-a，局域空间自相关分析-c，热点分析-h，地理加权回归-g，最小二乘法回归-o)|{参数} 【方法】普通最小二乘法回归-o，OLS，z2，<A, A*>，<因变量字段，自变量字段列表> KX_SpatialStat(o|房价，D 地铁#小学#河湖#商圈)	【楼盘价格回归】 OLS.shp 【楼盘价格回归系数】 OLS_Coe.csv 【楼盘价格回归诊断】 OLS_Dia.csv	

【说明】对【楼盘邻近距离】的因变量"房价"字段用自变量(楼盘分别到地铁、小学、河湖以及商圈的距离)进行最小二乘回归分析。图 6.13～图 6.15 为分析结果。

FID	房价	地铁	小学	河湖	商圈	ESTIMATED	RESIDUAL	STDRESID
0	18275	0	1	1	0	18664.60	-389.60	-0.18
1	15384	0	0	0	0	14414.03	969.97	0.46
2	15783	0	0	0	1	17401.61	-1618.61	-0.77
3	15000	0	0	0	1	17401.61	-2401.61	-1.14
4	15256	1	0	0	0	14899.37	356.63	0.17
5	17026	0	0	0	0	14414.03	2611.97	1.24
6	19549	1	0	1	0	16741.69	2807.31	1.33
7	15660	0	0	0	0	14414.03	1245.97	0.59
8	13865	1	0	0	0	14899.37	-1034.37	-0.49
910	17188	0	0	1	0	16256.35	931.65	0.44

图 6.13　楼盘价格回归

VARIABLE···	COEF	STDERROR	T_STAT	PROB	ROBUST_SE	ROBUST_T	ROBUST_PR	STDCOEF
Intercept	14414.03	98.32	146.60	0.0000000	90.31	159.60	0.00000000	0
地铁	485.34	163.63	2.97	0.0031043	161.82	2	0.00279021	0.08
小学	2408.25	203.18	11.85	0.0000000	225.68	10.67	0.00000000	0.30
河湖	1842.31	154.89	11.89	0.0000000	167.45	11	0.00000000	0.30
商圈	2987.58	185.71	16.09	0.0000000	216.01	13.83	0.00000000	0.41

图 6.14　楼盘价格回归系数

	Diag_Name	Diag_Value
1		
2	AIC	16536.91613
3	AICc	16537.00905
4	R2	0.426705037
5	AdjR2	0.424173934
6	F-Stat	168.5845808
7	F-Prob	2.22E-16
8	Wald	491.9428295
9	Wald-Prob	3.69E-105
10	K(BP)	60.23649772
11	K(BP)-Prob	2.50E-12
12	JB	17.19593626
13	JB-Prob	0.00018448
14	Sigma2	4443450.22

图 6.15　楼盘价格回归诊断

【示例 2】全局空间自相关分析（表 6.23）。

表 6.23　全局空间自相关分析示例表

步骤	操作说明	输入	操作	输出	说明
1	空间自相关分析	【楼盘价格回归】	【说明】空间统计* 【方法】空间自相关（Moran's I）-a，AutoRelation，z，<V，F>，<字段名> KX_SpatialStat（Z|StdResid）	【全局自相关分析】 GM.png	

示例说明：对【楼盘价格回归】的"StdResid"字段进行全局空间自相关分析。图 6.16 为输出结果。

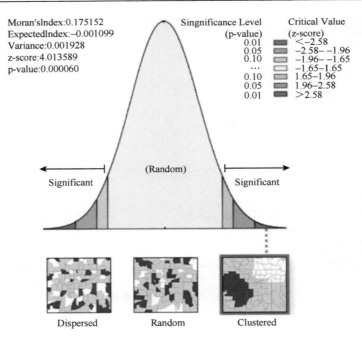

图 6.16　全局空间自相关分析示例（输出）

【示例 3】局域空间自相关分析（表 6.24）。

表 6.24　局域空间自相关分析示例表

步骤	操作说明	输入	操作	输出	说明
1	空间统计分析	【楼盘价格回归】	【说明】空间统计* 【方法】局域空间自相关分析（Local Moran's I）-c，ClustersOutliers, 1, <V, V>, <字段名> KX_SpatialStat (c|StdResid)	【局域空间自相关分析】 LMoran.shp	

示例说明：对【楼盘价格回归】的残差"StdResid"进行聚类和异常值分析。图 6.17 为各楼盘分析结果。

FID1	STDRESID1	LMIINDEX1	LMIZSCORE1	LMIPVALUE1	COTYPE1	FID2	STDRESID2	LMIINDEX2	LMIZSCORE2	LMIPVALUE2	COTYPE2
0	-0.18	0	0.26	0.80		1	0.46	0.01	0.58	0.56	
2	-0.77	0	-0.15	0.88		3	-1.14	0.02	1.12	0.26	
4	0.17	0	0.24	0.81		5	1.24	-0.03	-2	0.05	HL
6	1.33	-0.01	-1.17	0.24		7	0.59	0	-0.01	0.99	
8	-0.49	-0.01	-0.45	0.65		9	0.17	0	-0.19	0.85	
10	-0.60	0.03	0.83	0.41		11	2.27	0.04	6.69	0	HH
12	2.54	0.09	5.09	0	HH	13	2.11	0.11	5.48	0	HH
14	1.12	0.08	2.52	0.01	HH	15	0.51	-0.01	-0.42	0.68	
16	-1.33	-0.02	-0.89	0.37		17	-1.32	-0.03	-1.96	0.05	
910	0.44	-0.01	-0.40	0.69		/	/	/	/	/	/

图 6.17　局域空间自相关分析示例（输出）

【示例 4】地理加权回归（表 6.25）。

表 6.25　地理加权回归示例表

步骤	操作说明	输入	操作	输出	说明
1	GWR 回归	【楼盘邻近距离】	【说明】空间统计* 【方法】地理加权回归-g，GWR，d，<V*，V*>，<因变量字段，自变量字段列表> KX_SpatialStat(g 房价，地铁#小学#河湖#商圈)	【地理加权回归】 GWR.shp 【房价预测】 FJYC.shp 【回归参数】 HGCS.csv	

示例说明：对【楼盘邻近距离】的因变量"房价"字段用自变量（楼盘分别到地铁、小学、河湖以及商圈的距离）进行地理加权回归分析，分析结果为【地理加权回归】点图层、【房价预测】点图层和【回归参数】表格文件。图 6.18、图 6.19 为部分输出结果。

预测与残差表

FID	OBSERVED	COND	LOCALR2	INTERCEPT	C1_地铁	C2_小学	C3_河湖	C4_商圈	RESIDUAL	STDRESID
0	18275	3.73	0.34	14418.17	1509.94	2712.08	1201.08	2627.90	-56.33	-0.03
1	15384	2.87	0.55	15164.16	-360	2639.16	2373.41	2554.12	219.84	0.12
2	15783	2.78	0.15	14646.58	2587.24	1005.06	536.45	1926.37	-789.95	-0.43
3	15000	2.86	0.21	15028.31	1158.27	413.79	2306.59	1437.83	-1466.13	-0.79
4	15256	3.59	0.23	15921.58	40.67	1405.75	2023.63	1120.24	-706.25	-0.39
5	17026	2.07	0.34	13995.39	869.22	2381.88	796.69	2097.51	3030.61	1.61
6	19549	2.59	0.34	14916.88	241.03	2415.79	1174.89	2610.49	3216.20	1.73
7	15660	1.70	0.12	14492.38	322.34	1921.66	-183.35	1848	1167.62	0.63
8	13865	2.48	0.33	14413.60	531.41	2613.29	1182.77	2116.11	-1080.01	-0.58
9	15261	2.35	0.26	14167.19	748.35	2447.94	918.25	2134.57	345.45	0.19
10	13140	2.49	0.45	14202.13	523.36	2753.92	4488.12	2275.54	-1062.13	-0.57
11	19694	2.49	0.19	14974.82	1943.30	83.18	1945.42	1335.88	2775.89	1.60
12	20259	2.63	0.17	15133.54	1537.84	1.72	2057.88	1249.15	3587.62	2.03
13	20712	4.12	0.34	15762.17	-63.75	1379.11	2651.53	1657.70	2298.29	1.28
14	19188	2.76	0.50	15014.84	-114.33	2651.43	2290.20	2368.47	1521.73	0.82
15	15487	2.40	0.42	14137.94	606.37	2746.90	3788.45	2250.81	1349.06	0.72
16	14588	3.12	0.21	14582.87	2379.35	2146.52	999.71	2229.06	-2223.93	-1.22
17	11628	1.72	0.12	14480.71	370.43	1872.26	-177.19	1792.82	-2852.71	-1.53
18	16252	2.34	0.10	14137.92	5129.46	1085.84	414.56	1944.22	1699.52	0.97
19	18000	3.86	0.60	15481.51	-812.53	2618.95	2599.27	2638.44	-1906.70	-1.04

图 6.18　地理加权回归表

	Bandwidth	ResidualSquares	EffectiveNumber	Sigma	AICc	R2	R2Adjusted
1							
2	1460.907555	3113827590	44.48142805	1895.65082	16364.16	0.556571	0.534319891

图 6.19　回归参数表

第7章 数据处理类关键词

7.1 字段计算器 KX_FieldCalculator

1. 概述

地理分析模型中离不开对表格数据的处理，其中最为常见的是对表格字段的操作。为此，在 G 语言增加了字段计算器关键词 KX_FieldCalculator，用于表格数据中字段的创建、计算，与 ArcGIS 的字段计算器相比，该关键词的使用更加简洁、方便，主要表现如下。

(1)参与计算的对象可以是多个数据表，且这些数据表既可以是矢量图层，也可以是 XLS 格式和 CSV 格式的表格数据文件；

(2)一个计算表达式中允许创建并计算多个字段；

(3)通过结构化表达技术，一个计算表达式可循环创建并计算多个字段；

(4)计算表达式中可允许其他字段使用新建的字段，使原来的两步操作，一步即可完成；

(5)字段的计算可采用分段函数，使字段的处理效率更高；

(6)计算表达式可使用特殊函数(如求和函数、香农指数计算函数等)；

(7)支持字段的归一化处理。

2. 参数说明

【输入】矢量图层或属性表列表(F*)。

【输出】矢量图层或属性表(A*)。

【控制参数】连接字段列表|参与计算字段列表|计算表达式列表(支持变量 [@FSum])|{归一化}。

■ 连接字段列表：连接字段为各矢量图层或属性表中用于关联的唯一值字段，字段列表中来自各图层的字段用","分割表示。

■ 参与计算字段列表：如 F11#F12#...，F21#F22#...分别表示第一图层、第二图层参与计算的字段列表。对于矢量图层，可直接使用几何字段：G_Area(面要素面积)，G_Length(线要素边长)、G_X(点要素 X 坐标)和 G_Y(点要素 Y 坐标)。为了表达简洁起见，字段列表可采用结构化表达，如 F[1：3]表示 F1#F2#F3，A[2010；2012；2015]#B[*]表示 A2010#B2010#A2012#B2012#A2015#B2015。注意，当第一图层只有一个连接字段时，无需在这里列出该图层参与计算的字段列表。

■ 计算表达式列表：新增字段 1=计算表达式 1，新增字段 2=计算表达式 2，...。如 DF_D=[F1]+[F2]，其中 "_D" 表示新增字段类型，具体含义为：D——Double，F——Double，S——Short，L——Long，N——Long，T——Text，缺省为 "F"。此外，计算表达式中所有参与计算的字段统一标识为 "[F*]"，"*" 表示字段在参与计算字段列表中的序号。

- 归一化：1——正归一化，2——反归一化。

3. 示例

【示例 1】多字段计算（表 7.1）。

表 7.1　多字段计算示例表

步骤	操作说明	输入	操作	输出	说明
1	字段计算	【城市经济】	【说明】字段计算或属性连接[M] 【关键词】连接字段列表|F11#F12#...，F21#F22#...， |计算表达式列表（支持变量[@FSum]）|{归一化} KX_FieldCalculator（Name|V031#V032#V121# V122|G1=[F3]-[F1]，G2=[F4]-[F2]）	【城市经济 2】 CSJJ.shp	计算增加量

示例说明：在【城市经济】矢量图层中新增字段"G1""G2"，字段类型均为 float，字段值计算公式分别为：G1=V121−V031，G2=V122−V032。

【示例 2】单值分段函数（表 7.2）。

表 7.2　单值分段函数示例表

步骤	操作说明	输入	操作	输出	说明
1	字段计算	【楼盘】 【至地铁距离】 【至重点小学距离】 【至河湖距离】 【至商圈距离】	【说明】字段计算或属性连接[M]* KX_FieldCalculator（FID|Dist1，Dist1，Dist1，Dist1| 地铁=dfun（[F1]；0.5；1；0），小学=dfun（[F2]；0.5；1；0）， 河湖=dfun（[F3]；0.8；1；0），商圈=dfun（[F4]；0.5；1；0））	【楼盘邻近距离】 NearDist1.shp	

示例说明：为【楼盘】点图层增加"地铁""小学""河湖"和"商圈"字段，4 个字段的值分别根据【至地铁距离】【至重点小学距离】【至河湖距离】和【至商圈距离】图层的"Dist1"字段通过分段函数 dfun 计算。如【至地铁距离】图层中的"Dist1"的值小于 0.5km 时，"地铁"字段的值为 1，否则为 0。

【示例 3】多值分段函数（表 7.3）。

表 7.3　多值分段函数示例表

步骤	操作说明	输入	操作	输出	说明
1	字段计算	【社区到设施 OD 距离】	【说明】【说明】字段计算或属性连接[M]* KX_FieldCalculator（FID|Total_Leng| Dist2 =DFun（[F1]； 400#1600#2400； 1； 153.6558*（[F1]*0.001）**3+419.4604*（[F1]*0.001）**2； 92.8*（[F1]*0.001）**3+566.6*（[F1]*0.001）**2； 0））	【社区到设施 OD 距离 A】 ODDistA.csv	

示例说明：为【社区到设施 OD 距离】图层增加"Dist2"字段，"Dist2"字段的值根据"Total_Leng"字段采用分段函数计算，具体的分段函数为：

$$Y = \begin{cases} 1, & X \leqslant 400 \\ 153.6558 \times X^3 + 419.4604 \times X^2, & 400 < X \leqslant 1\,600 \\ 92.8 \times X^3 + 566.6 \times X^2, & 1\,600 < X \leqslant 2\,400 \\ 0, & X > 2\,400 \end{cases} \tag{7.1}$$

【示例 4】使用变量（表 7.4）。

表 7.4　使用变量示例表

步骤	操作说明	输入	操作	输出	说明
1	字段计算	【综合评价 1】	【说明】字段计算或属性连接[M]* KX_FieldCalculator（FID|V1#V2#V3#V4|FS=[F1]+[F2]+[F3]+[F4]，R1=[F1]/[@FS]*100，R2=[F2]/[@FS]*100，R3=[F3]/[@FS]*100，R4=[F4]/[@FS]*100）	【综合评价 2】ZHPJ2.shp	
2	字段计算	【综合评价 1】	【说明】字段计算或属性连接[M]* KX_FieldCalculator（FID|V1#V2#V3#V4|FS=[F1]+[F2]+[F3]+[F4]，R[1：4]=[F1]/[@FS]*100）	【综合评价 3】ZHPJ3.shp	

示例说明：计算项 1 根据【综合评价 1】中的 4 个字段"V1"…"V4"计算字段"FS"，之后利用变量"@FS"创建并计算 4 个字段"R1"…"R4"；计算项 2 将步骤 1 的操作采用结构化技术对计算 4 个字段"R1"…"R4"的计算表达式进行简化。

【示例 5】结构化表达+固定项（表 7.5）。

表 7.5　结构化表达+固定项示例表

步骤	操作说明	输入	操作	输出	说明
1	字段计算	【综合评价 1】	【说明】字段计算或属性连接[M]* KX_FieldCalculator（FID|V[1：4]|KV[1：2]=[F1]+[F2]）	【综合评价 2】ZHPJ2.shp	
2	字段计算	【综合评价 1】	【说明】字段计算或属性连接[M]* FID|V[1：4]|FR[1：4]=[F1]/[E1]	【综合评价 3】ZHPJ3.shp	

示例说明：计算项 1 采用结构化表达式表示参与计算的 4 个字段"V1"…"V4"，之后采用结构化表达式计算字段"KV1"和"KV2"，展开后的计算表达式为：KV1=[F1]+[F2]，KV2=[F3]+[F4]；计算项 2 中采用结构化表达式计算字段"FR1"…"FR4"，计算表达式中包含有固定项"E1"，展开后的计算表达式为：FR1=[F1]/[F1]，…，FR4=[F4]/[F1]。

【示例 6】求和函数+香农指数（表 7.6）。

表 7.6　求和函数+香农指数示例表

步骤	操作说明	输入	操作	输出	说明
1	字段计算	【综合评价 1】	【说明】字段计算或属性连接[M]* KX_FieldCalculator（FID|V[1：4]|FS=1.0*sum（F[1：4]））	【综合评价 4】ZHPJ4.shp	

步骤	操作说明	输入	操作	输出	说明
2	字段计算	【综合评价1】	【说明】字段计算或属性连接[M]* KX_FieldCalculator（FID|V[1：4]|FS=1.0*diversity（F[1：4]））	【综合评价5】 ZHPJ5.shp	

示例说明：计算项 1 采用内部函数 Sum 计算 4 个字段"V1"…"V4"的和；计算项 2 中使用内部函数 Diversity，计算计算 4 个字段"V1"…"V4"的香农指数。

7.2　栅格计算器 KX_RasCalculator

1. 概述

对于矢量图层来说，G 语言提供了字段计算器关键词 KX_FieldCalculator 进行字段的处理，而对于栅格图层来说，则提供了栅格计算器关键词 KX_RasCalculator 进行栅格数据的处理。该关键词与 ArcGIS 所提供栅格计算器不同，ArcGIS 的栅格计算器只提供栅格图层计算功能，而 KX_RasCalculator 关键词不但包含了栅格图层的计算功能，而且还包含统计分析功能。其中，栅格图层的计算功能包括算数运算和逻辑运算，而统计分析功能则包括单元统计分析和焦点统计分析。

单元统计和焦点统计是两种不同的操作，共同点在于两者使用相同的统计量，如最大值、最小值、平均值等，区别在于单元统计是统计每个栅格像元位置在多个栅格图层的统计量，焦点统计分析则是对单个栅格图层，统计每个输入像元周围指定邻域内值的统计量。

2. 参数说明

【输入】栅格图层列表（R*）。

【输出】栅格图层（R）。

【控制参数】{$——文件变量}{@——标准化}算数表达式、逻辑表达式、单元统计、焦点统计。

■ $标识符：表示后面的计算表达式利用了文件变量（以"{变量名}"表示），文件变量的具体值在所指定的文件变量中提取。

■ @标识符：表示最后的输出结果需要进行归一化处理。

■ 算数表达式：如[R1]*0.5+[R2]*0.25+[R3]*0.125+[R4]*0.125，式中[R1]、[R2]、[R3]和[R4]分别表示 4 个输入栅格图层。

■ 逻辑表达式：如（[R1]=1）and（[R2]=1），2，[R2]，该式表示，如果[R1]=1 并且[R2]=1，则输出栅格值为 2，否则为[R2]。

■ 单元统计：统计类型包括 MEAN、MEDIAN、MAX、MIN、MAXIMUM、MINIMUM、SUM、COUNT、RANGE、MAJORITY、MINORITY、VARIETY 和 STANDARD DEVIATION。

■ 焦点统计：统计类型包括 MEAN，MAJORITY，MAXIMUM，MEDIAN，MINIMUM，MINORITY，RANGE，STD，SUM 和 VARIETY，邻域类型包括 Rectangle，Circle，Annulus 和 Wedge。

3. 示例

【示例 1】算数表达式（表 7.7）。

表 7.7　算术表达式示例表

步骤	操作说明	输入	操作	输出	说明
1	计算舒适度	【温度】 【湿度】	【说明】栅格计算[M] 【关键词】{$-文件变量}{@-标准化}算术表达式、逻辑表达式、单元统计、焦点统计 KX_RasCalculator([R1]-0.55*(1-[R2]/100)*([R1]-58))	【舒适度】 SSD.tif	

示例说明：利用【温度】和【湿度】两个栅格图层计算舒适度，舒适度计算公式为：

$$SSD = T - 0.55 \times (1 - f) \times (T - 58)$$

式中，SSD——舒适度；T——温度；f——湿度。

【示例 2】逻辑表达式（表 7.8）。

表 7.8　逻辑表达式示例表

步骤	操作说明	输入	操作	输出	说明
1	生态廊道修正	【生态廊道】 【生态保护重要性】	【说明】栅格计算[M]* KX_RasCalculator(([R1]=1) and ([R2]=2)，3%([R1]=1) and ([R2]=1)，2% [R2])	【生态保护等级】 STZYX.tif	

示例说明：利用【生态廊道】栅格图层修正【生态保护重要性】栅格图层，得到【生态保护等级】栅格图层。修正规则为：

如果【生态廊道】=1，且【生态保护重要性】=2，则【生态保护等级】=3；如果【生态廊道 1】=1，且【生态保护重要性 1】=1，则【生态保护等级】=2；其他情况，【生态保护等级】=【生态保护重要性】。

【示例 3】单元统计（表 7.9）。

表 7.9　单元统计示例表

步骤	操作说明	输入	操作	输出	说明
1	栅格计算	【坡度】 【起伏度】 【河流因子】	【说明】栅格计算[M]* KX_RasCalculator(Max)	【综合成本 1】 ZHCB1.tif	
2	栅格计算	【道路】 【综合成本 1】	【说明】栅格计算[M]* KX_RasCalculator(Min)	【综合成本 2】 ZHCB2.tif	

示例说明：计算项 1 为按照最大取值原则将【坡度】【起伏度】和【河流因子】3 个栅格图层进行集成，得到【综合成本 1】栅格图层；计算项 2 为按照最小取值原则将【道路】和【综合成本 1】栅格图层进行集成，得到【综合成本】栅格图层。

【示例 4】焦点统计（表 7.10）。

表 7.10　焦点统计示例表

步骤	操作说明	输入	操作	输出	说明
1	焦点统计	【DEM】	【说明】栅格计算[M]* KX_RasCalculator（Max，3，Rectangle）	【DEM 最大值】 DEMMAX.tif	
2	焦点统计	【DEM】	【说明】栅格计算[M]* KX_RasCalculator（Min，3，Rectangle）	【DEM 最小值】 DEMMIN.tif	
3	栅格计算	【DEM 最大值】 【DEM 最小值】	【说明】栅格计算[M]* KX_RasCalculator（[R1]-[R2]）	【起伏度】 QFD.tif	

示例说明：计算项 1 为提取【DEM】栅格图层 3×3 矩形范围内的最大值，得到【DEM 最大值】栅格图层；计算项 2 为提取【DEM】栅格图层 3×3 矩形范围内的最小值，得到【DEM 最小值】栅格图层；计算项 3 计算【DEM 最大值】–【DEM 最小值】，得到【起伏度】栅格图层。

【示例 5】文件变量（表 7.11）。

表 7.11　文件变量示例表

步骤	操作说明	输入	操作	输出	说明
1	辐射定标	【B[1：6]】 【变量】	【说明】栅格计算[M]* KX_RasCalculator（${B[1：6]A}+ {B[1：6]M} *[R1]）	【B[1：6]R】 B[*]R.tif	

示例说明：分别对 6 个波段栅格图层【B1】…【B6】按照【变量】所指定的变量文件提取加常数 B1A、…、B6A 和乘常数 B1M、…、B6M，进行辐射校正计算，校正后的结果为【B1R】…【B6R】等栅格图层。

7.3　重分类 KX_Reclass

1. 概述

重分类是 ArcGIS 中的一个数据处理工具，用于对栅格像元值重新分类，从而得到一组新值并输出。但在地理分析模型中，对矢量图层字段也常会有类似的操作。为此，G 语言中设置了重分类关键词 KX_Reclass，不但可以对栅格图层进行重分类，而且可以对矢量图层的指定字段进行重分类。为了使用方便，该关键词提供了多种的分类方法，包括枚举法、范围法、等间隔法、自然断裂法以及 SQL 法。

（1）枚举法：通过枚举的方法，将现有类别重新组织为新的类别，如土地利用类别重分类中将原有的 1、2、8 类别重分类为 1 类别。

（2）范围法：通过指定每个类别的数值区间范围所进行的重分类。

（3）等间隔法：统计分类字段的值范围，并将该范围等间隔划分若干区间进行重分类。

（4）自然断裂法：对统计分类字段所有值进行统计分析，并按自然断裂法划分为若干区间进行重分类。

（5）SQL 法：对于矢量图层的分类来说，当需要将分类后的矢量图层进行栅格化处理时，可通过 SQL 语句筛选出各类别的特征进行栅格化处理，之后整合各类别的栅格图层。这种处理方法对于数据量比较大的处理来说，由于省去了对矢量图层字段更新的操作，使重分类的效率更高。

2. 参数说明

【输入】栅格或矢量图层（VR）。

【输出】栅格或矢量图层（VR）。

【控制参数】{{分类字段}, {目标字段}, {缺省值}}#重分类表达式。

■ 分类字段：矢量图层中用于分类的字段。

■ 目标字段：字段名_{字段类型（D——Double，F——Double，S——Short，L——Long，N——Long，T——Text，缺省为"T"）}。

■ 重分类表达式：对于不同的分类方法，有不同的表达式，具体包括枚举法、范围法、等间隔法、自然断裂法和 SQL 法。

3. 示例

【示例 1】栅格重分类（范围法+等间隔法+自然断裂法）（表 7.12）。

表 7.12　**栅格重分类**（范围法+等间隔法+自然断裂法）**示例表**

步骤	操作说明	输入	操作	输出	说明
1	范围法	【DEM】	【说明】重分类 【关键词】{{分类字段}, {目标字段}, {缺省值}}#重分类表达式 KX_Reclass（5:<30|4:30-100　3:100-200|2:200-400|1:>=400）	【高程分级 1】 GCFJ1.tif	
2	等间隔法	【DEM】	【说明】重分类* KX_Reclass（5|4|3|2|1）	【高程分级 2】 GCFJ2.tif	
3	自然断裂法	【DEM】	【说明】重分类* KX_Reclass（Z5|4|3|2|1）	【高程分级 3】 GCFJ3.tif	

示例说明：将【DEM】栅格图层分别按照范围法、等间隔法和自然断裂法进行重分类为 5 级，值越小，等级越高。

【示例 2】栅格重分类（枚举法）（表 7.13）。

表 7.13 栅格重分类（枚举）示例表

步骤	操作说明	输入	操作	输出	说明
1	枚举法	【透水面】	【说明】重分类* KX_Reclass（2：1，2，8|1：4，5，6，7）	【透水面 2】 TSM2.tif	1—种植土地；2—林草覆盖；3—房屋建筑；4—道路；5—构筑物；6—人工堆掘地；7—荒漠与裸露地表；8—水域水渠

示例说明：将【透水面】栅格图层中的 1、2、8 类别重分类为 2，将 4、5、6、7 类别重分类为 1。

【示例 3】矢量重分类（枚举法）（表 7.14）。

表 7.14 矢量重分类（枚举）示例表

步骤	操作说明	输入	操作	输出	说明
1	枚举法	【地表覆盖 2015】 【地表覆盖 2017】	【说明】重分类 【关键词】{{分类字段}，{目标字段}，{缺省值}}#重分类表达式 KX_Reclass（FLMC，FLID_S，0# 1：种植土地|2：林草覆盖|3：房屋建筑区|4：道路|5：构筑物|6：人工堆掘地|7：荒漠与裸露地表|8：水域）	【地表覆盖 2015A】 TDFG2015A.shp 【地表覆盖 2017A】 TDFG2017A.shp	

示例说明：分别将【地表覆盖 2015】和【地表覆盖 2017】矢量图层根据"FLMC"字段重新分类，其中"种植土地"重分类为 1，…，"水域"为 8，其他为 0。重分类结果保存在"FLID"字段中，"S"表示字段类型是短整型，得到矢量图层【地表覆盖 2015A】和【地表覆盖 2017A】。

【示例 4】矢量重分类+结构化表达式+栅格化（表 7.15）。

表 7.15 矢量重分类+结构化表达式+栅格化示例表

步骤	操作说明	输入	操作	输出	说明
1	重分类	【地表覆盖[2015：2020]】	【说明】重分类* KX_Reclass（FLMC，*，1：种植土地|2：林草覆盖|3：房屋建筑区|4：道路|5：构筑物|6：人工堆掘地|7：荒漠与裸露地表|8：水域）	【地表覆盖 20[15：20]R】 TDFG20[15：20].tif	

示例说明：将系列矢量图层【地表覆盖[2015：2020]】根据"FLMC"属性字段重新分类。其中，"种植土地"重分类为 1，…，"水域"为 8，分类结果进行栅格化，得到系列栅格图层【地表覆盖 20[15：20]R】。注意，当矢量图层重分类后，要进行栅格化处理时，目标字段可用"*"代替。

【示例 5】SQL 重分类+栅格化（表 7.16）。

表 7.16　SQL 重分类+栅格化示例表

步骤	操作说明	输入	操作	输出	说明
1	重分类	【土地利用】	【说明】筛选+栅格化/欧式距离+重分类[M]* KX_SelRasDisReclass(CC，*， 1：@!CC! LIKE [01__] OR !CC! LIKE [02__]| 5：@!CC! LIKE [07__])	【透水面】 TSM.tif	

示例说明：对面图层【土地利用】的地类编码字段"CC"分别用两条 SQL 语句进行特征筛选，做为 1 类和 5 类，之后进行栅格化，栅格化值分别设为 1 和 5，最后将两个栅格化图层合并为【透水面】栅格图层。

7.4　增强式栅格化 KX_SelRasDisReclass

1. 概述

增强式栅格化关键词 KX_SelRasDisReclass 是一个复合关键词，整合了特征筛选、栅格化、欧式距离分析、成本距离分析、缓冲区分析以及重分类的功能，便于在一个关键词一次性完成相关联的多个操作。具体包括以下功能：

(1)特征筛选：对于矢量图层来说，可对特征采用简单筛选法或 SQL 筛选法筛进行筛选，筛选结果既可直接输出结果，也可用于下步操作。

(2)栅格化：将矢量图层按给定值栅格化或按给定的字段转换为栅格图层。

(3)欧式距离分析：计算栅格图层每个像元与最近源之间的实际距离。

(4)成本距离分析：成本距离与欧氏距离类似，不同点在于欧氏距离是位置间的实际距离，而成本距离是各像元距最近源位置的最短加权距离(或者说是累积行程成本)，是以成本单位表示的距离，而不是以地理单位表示的距离。

(5)缓冲区分析：指定特定字段构建缓冲区。

(6)重分类：进行重分类处理。

2. 参数说明

【输入】矢量图层列表(V)。

【输出】栅格或矢量图层(VR)。

【控制参数】{筛选表达式}|处理表达式(*——欧式距离或成本距离，字段或数值——栅格化，缓冲字段名#A|栅格化字段#赋值——构建缓冲区)%{重分类描述}。

■ 筛选表达式：用于筛选指定图层的特征，分简单表达式和 SQL 表达式，简单表达式是或条件的简写，如"NAME|北京，武汉"表示 Name="北京"或 Name="武汉"。此外，值列表可采用结构化表达式，如"DLMC|021[1-3]"表示 DLMC|0211，0212，0213。SQL 表达式用 SQL 语言表示筛选条件，且用"@"标识符作为表达式前缀，如@!DLMC!=[有林地]。矢量图层单独筛选特征时也可以采用 KX_SelectFeature 关键词。

■ 处理表达式：表示栅格化时所用的方法及其具体参数，具体包括：

✓ *：表示进行欧氏距离或成本距离，成本距离分析与欧氏距离分析的差异在于输入对象多成本面栅格图层。

✓ 字段或数值：矢量图层栅格化所需的参数。

✓ 缓冲字段名#A|栅格化字段#赋值：按指定字段生成缓冲区图层，之后增加字段并赋值。

■ 重分类描述：重分类信息的描述见 KX_Reclass 关键词。

3. 示例

【示例 1】简单筛选+ SQL 筛选（表 7.17）。

表 7.17　简单筛选+SQL 筛选示例表

步骤	操作说明	输入	操作	输出	说明
1	特征选取	【行政区划】	【说明】筛选+栅格化|缓冲区|欧式距离|成本距离+重分类[M] 【关键词】{筛选表达式}|处理表达式(*-欧式距离或成本距离，字段或数值-栅格化，缓冲字段名#A|栅格化字段#赋值-构建缓冲区)%{重分类描述} KX_SelRasDisReclass（NAME|北京，河北）	【研究区域】 YJQY.shp	
2	特征选取	【备选地块】	【说明】筛选+栅格化/欧式距离+重分类[M]* KX_SelRasDisReclass（@!Area!>10000）	【备选地块 1】 BXDK1.shp	

示例说明：计算项 1 为从【行政区划】面图层中根据 "Name" 字段筛选出 "北京" 和 "河北" 的行政区划；计算项 2 在【备选地块】面图层选取 "Area" 字段大于 10 000m^2 的地块，结果保存在【备选地块 1】面图层。

【示例 2】欧式距离+重分类（表 7.18）。

表 7.18　欧式距离+重分类示例表

步骤	操作说明	输入	操作	输出	说明
1	欧式距离	【铁路】	【说明】筛选+栅格化/欧式距离+重分类[M]* KX_SelRasDisReclass（*%1|2|3|4|5）	【铁路 R】 TLR.tif	
2	成本距离	【铁路】 【DEM】	【说明】筛选+栅格化/欧式距离+重分类[M]* KX_SelRasDisReclass（*）	【铁路费用 R】 TLFYR.tif	

示例说明：计算项 1 以【铁路】线图层为源进行欧式距离分析，分析结果间隔分为 5 级；计算项 2 以【铁路】线图层为源，以【DEM】栅格图层为成本阻力面，进行成本距离分析。

【示例 3】数值栅格化+字段栅格化（表 7.19）。

表 7.19　数值栅格化+字段栅格化示例表

步骤	操作说明	输入	操作	输出	说明
1	数值栅格化	【水系】	【说明】筛选+栅格化/欧式距离+重分类[M]* KX_SelRasDisReclass（10）	【水系成本】 SHCB.tif	

步骤	操作说明	输入	操作	输出	说明
2	字段栅格化	【土地利用】	【说明】筛选+栅格化/欧式距离+重分类[M]* KX_SelRasDisReclass（TDLX）	【土地利用 R】 TDLYR.tif	

示例说明：计算项 1 将【水系】面图层采用固定值"10"进行栅格化；计算项 2 将【土地利用】面图层按字段"TDLX"进行栅格化。

【示例 4】字段缓冲+字段赋值（表 7.20）。

表 7.20　字段缓冲+字段赋值示例表

步骤	操作说明	输入	操作	输出	说明
1	栅格化	【商场】	【说明】筛选+栅格化/欧式距离+重分类[M]* KX_SelRasDisReclass（SCOPE#A|F2#1）	【商场服务范围】 SHFWFW.shp	

示例说明：将【商场】点图层按字段"SCOPE"构建缓冲区，缓冲区图层增加字段"F2"，并赋值为 1。

7.5　判断矩阵 KX_JudgeMatrix

1. 概述

在评价类地理分析模型中，除了用栅格计算器实现多个栅格图层的集成外，还需要通过判断矩阵将多个栅格图层进行集成。为此，G 语言中内置了判断矩阵关键词 KX_JudgeMatrix，该关键词提供了枚举判断、枚举文件和判断矩阵三种方法。

（1）枚举条件：通过枚举的方式，逐一列出判定条件，各条件间用"|"分割。本方法适用于 2 个以上栅格图层的集成。

（2）枚举文件：当枚举条件过多，在控制参数中不便罗列时，可将这些条件单独写入文本文件，应用时直接在控制参数中列出枚举文件名即可。

（3）判断矩阵：通过矩阵的形式表示两个栅格图层的集成规则。

2. 参数说明

【输入】栅格图层列表（R*）。

【输出】栅格图层（R）。

【控制参数】枚举条件|枚举文件|判断矩阵。

■ 枚举条件：缺省值|[枚举条件 1]|…|[枚举条件 N]，如：1|[5，5，5，3]|[3，3，3，2]，表示缺省值为 1，[5，5，5，3]表示，当[R1]=5 且 [R2]=5 且[R3]=5 时，[R]=3；[3，3，3，2]表示，当[R1]=3 且[R2]=3 且[R3]=3 时，[R]=2。

■ 枚举文件：枚举文件格式如下：

行 1：缺省值

行 2：V_{11}，…，V_{1M}，R_1

……

行 N： V_{N1}， …， V_{NM}， R_N

式中，1～N 表示规则序号；1～M 表示参与集成的栅格图层序号；V 表示输入栅格值；R 表示输出值。

■ 判断矩阵：图层 1 级别列表（矩阵列）|图层 2 级别列表（矩阵行）|判断矩阵第 1 行列表|…|判断矩阵第 N 行列表。

3. 示例

【示例】判断矩阵（表 7.21）。

表 7.21　判断矩阵示例表

步骤	操作说明	输入	操作	输出	说明
1	判断矩阵	【生态敏感性】【生态系统服务功能重要性】	【说明】判断矩阵 【关键词枚举判断/枚举文件/判断矩阵 KX_JudgeMatrix([3, 2, 1]|[3, 2, 1]|[3, 3, 3]|[3, 2, 2]|[3, 2, 1])	【生态保护重要性】STBHZYX.tif	

示例说明：将【生态敏感性】与【生态系统服务功能重要性】2 个栅格图层进行集成，集成判断矩阵如表 7.22 所示。其中，3——极重要；2——重要；1——一般；3——极敏感；2——敏感；1——一般敏感。

表 7.22　生态保护重要性等级判别矩阵

生态敏感性 生态重要性	极敏感	敏感	一般敏感
极重要	极重要	极重要	极重要
重要	极重要	重要	重要
一般重要	极重要	重要	一般

7.6　转移矩阵 KX_TransMatrix

1. 概述

转移矩阵在这里是指土地利用/土地覆盖转移矩阵，是根据同一地区不同时相的土地利用/土地覆盖现状的变化关系，求得一个二维矩阵。通过对转移矩阵分析，能够得到 2 个时相、不同地类之间相互转化的情况，它描述了不同的土地利用/土地覆盖的类型在不同年份发生变化的土地类别以及发生变化的位置和变化面积。转移矩阵不仅能够反映上述静态的固定区域、固定时间的各个地类面积数据，还能够反映更加丰富的初期各个地类的面积转出，以及末期各个地类面积的转入情况。

转移矩阵关键词 KX_TransMatrix 就是用于土地利用/土地覆盖变化的分析，且实现了丰富的输出内容，如基本表、转入转出表、双转移表、单类转入转出表以及排序表等。

(1)基本表：两个栅格图层根据类别代码组成新的栅格图层，之后用统计图层进行单元统计，得到基本统计表，其表结构为：统计单元#组合类别#面积，如：A 区，12，230，表示 A 区类型 1 转化为类型 2 的面积数量为 230 m^2。

(2)转入转出表：是在基本表基础上，经过数据整理获得的土地利用类型转入转出表。

(3)双转移表：在转入转出表基础上拼接其转置矩阵，用于后续制作统计图。

(4)单类转入转出表：对于某类用地输出转入转出总面积以及转入转出量排名前 3 的类别及面积，具体结构为：

时间跨度，转出类别 1，…，转出类别 N，类别 1 转出面积，…，类别 N 转出面积，转入类别 1，…，转入类别 N，类别 1 转入面积，…，类别 N 转入面积，总转出面积，总转入面积，转出类别 1 别名，…，转出类别 N 别名，转入类别 1 别名，…，转入类别 N 别名。

(5)变化强度分析表：变化强度=两期间用地变化面积/两期时间跨度，表结构为：

统计单元，变化强度(年 1～年 2)，…，变化强度(年 N—1～年 N)，变化强度(年 1～年 N)

2. 参数说明

【输入】统计单元图层，栅格图层 1，栅格图层 2(VRR)。

【输出】统计表(F)。

【控制参数】统计单元字段|列(前)类型列表[类型#别名]；{横(后)类型列表}|{分母(1000000)}|{对角线(0)}|输出表类型(R1——基本表|R2——转入转出表|R22——双转移表|R3——单类转入转出表|R5——变化强度分析表)-单元名称(*——所有)-{类别}。

■ 统计单元字段：统计图层中统计单元名称字段。

■ 列(前)类型列表：栅格图层 1 中处理类别列表(类别 1#别名 1，…)，如 1#种植土地，2#林草覆盖，…。

■ 横(后)类型列表：栅格图层 1 中处理类别列表(类别 1#别名 1，…)，如 1#种植土地，2#林草覆盖，…。

■ 分母：面积的基本单位为 m^2，该值用于换算面积单位，如 1 000 000，则表示面积单位为 km^2。

■ 对角线：设置对角线元素，若为 0，则对角线元素取值为 0，否则取类型没有变化的土地面积。

■ 输出表类型：共有 5 类，即：R1——基本表；R2——转入转出表；R22——双转移表；R3——单类转入转出表；R5——变化强度分析表。

■ 单元名称：需处理或输出的统计单元。

■ 类别：需处理的土地类型编号。

3. 示例

【示例 1】转入转出表(表 7.23)。

表 7.23　转入转出表示例表

步骤	操作说明	输入	操作	输出	说明
1	转移矩阵	【统计图层】 【土地覆盖2015】 【土地覆盖2020】	【说明】转移矩阵 【关键词】<V#R#R，F>统计单元字段|列(前)类型列表[类型#别名]；{横(后)类型列表}|{分母(1000000)}|{对角线(0)}|输出表类型(R1-基本表|R2-转入转出表|R22-双转移表|R3-单类转入转出表|R5-变化强度分析表)-单元名称(*-所有)-{类别} KX_TransMatrix(Name#5：8|1#种植土地，2#林草覆盖，3#房屋建筑区，4#道路，5#构筑物，6#人工堆掘地，7#荒漠与裸露地表，8#水域，9#水域|1000000|0|R2-合计)	【转移统计表A1】 TransReportA1.csv	

示例说明：分析【土地覆盖 2015】和【土地覆盖 2020】两期栅格图层的土地覆盖变化，分析范围为整个区域(合计)。图 7.1 为输出结果。

	A	B	C	D	E	F	G	H	I	J
	类别	种植土地	林草覆盖	房屋建筑	道路	构筑物	人工堆掘	荒漠与裸	水域	转出总和
	种植土地	0	3.8424	0.536	0	0.686	0.872	0.0348	0.0108	5.982
	林草覆盖	2.2988	0	1.2744	0.2724	3.184	4.7856	1.3612	0.9152	14.0916
	房屋建筑	0.0848	4.8572	0	0.1136	6.2156	1.8492	0.0032	0.0264	13.15
	道路	0.008	0.2688	0.0492	0	0.162	0.0852	0.0008	0.0088	0.5828
	构筑物	0.7416	2.0468	1.1136	0.2248	0	1.6568	0.2548	0.1104	6.1488
	人工堆掘	0.1516	5.3304	1.1716	0.3824	2.3896	0	0.0484	0.1588	9.6328
	荒漠与裸	0	0	0	0	0	0	0	0	0
	水域	0.0236	2.3496	0.2336	0.0144	0.9644	2.208	4.6808	0	10.4744
	转入总和	3.3084	18.6952	4.3784	1.0076	13.6016	11.4568	6.384	1.2304	60.0624

图 7.1　转入转出表示例(输出)

【示例 2】单类转入转出表(表 7.24)。

表 7.24　单类转入转出表示例表

步骤	操作说明	输入	操作	输出	说明
1	转移矩阵	【统计图层】 【土地覆盖 [2015：2020]R】	【说明】转移矩阵 【关键词】<V#R#R，F>统计单元字段|列(前)类型列表[类型#别名]；{横(后)类型列表}|{分母(1000000)}|{对角线(0)}|输出表类型(R1-基本表|R2-加工表|R22-加工表 2|R3-转入转出表|R5-排序表) KX_TransMatrix(Name#5：8|1#种植土地，2#林草覆盖，3#房屋建筑区，4#道路，5#构筑物，6#人工堆掘地，7#荒漠与裸露地表，8#水域，9#陆地水资源|1000000|0|R3-合计-1)	【转移统计表A1】 TransReportA1.csv	

示例说明：输出整个区域(合计)5 期 8 类土地覆盖数据中种植土地(1)的单类转入转出表。图 7.2 为输出结果。

	A	B	C	D	E	F	G
	YEAR	OUTNAME1	OUTNAME2	OUTNAME3	OUTVALUE1	OUTVALUE2	OUTVALUE3
	2015_2017	1	5	3	1.9892	1.6956	0.988
	2017_2018	1	8	6	1.3716	1.3428	1.0512
	2018_2019	6	5	1	0.8264	0.6368	0.6268
	2019_2020	6	5	1	0.8936	0.5204	0.3092
	2015_2020	1	5	3	2.7272	2.1024	1.6656
	合计				7.808	6.298	4.6408

	A	H	I	J	K	L	M	
	YEAR	INNAME1	INNAME2	INNAME3	INVALUE1	INVALUE2	INVALUE3	
	2015_2017	1	4	5	1.9892	0.9456	0.1072	
	2017_2018	1	4	5	1.3716	0.5468	0.0412	
	2018_2019	1	4	5	0.6268	0.3368	0.042	
	2019_2020	1	4	2	0.3092	0.1392	0.012	
	2015_2020	1	4	5	2.7272	1.1412	0.1368	
	合计				7.024	3.1096	0.3392	

	A	N	O	P	Q	R	S	T	U
	YEAR	OUT	IN	OUT4NAME1	OUT4NAME2	OUT4NAME3	IN4NAME1	IN4NAME2	IN4NAME3
	2015_2017	6.548	3.1652	*0100	*0500	*0300	*0100	*0400	*0500
	2017_2018	5.08	2.0216	*0100	*0800	*0600	*0100	*0400	*0500
	2018_2019	2.3528	1.036	*0600	*0500	*0100	*0100	*0400	*0500
	2019_2020	2.0784	0.4808	*0600	*0500	*0100	*0100	*0400	*0200
	2015_2020	9.1708	4.1932	*0100	*0500	*0300	*0100	*0400	*0500
	合计	25.23	10.8968						

图 7.2　单类转入转出表示例（输出）

【示例 3】变化强度分析表（表 7.25）。

表 7.25　变化强度分析表示例表

步骤	操作说明	输入	操作	输出	说明
1	转移矩阵	【统计图层】 【地表覆盖 2015R】 【地表覆盖 2017R】 【地表覆盖 2018R】 【地表覆盖 2019R】 【地表覆盖 2020R】	【说明】转移矩阵 【关键词】<V#R#R，F>统计单元字段|列（前）类型列表[类型#别名]；{横（后）类型列表}|{分母(1000000)}|{对角线(0)}|输出表类型(R1-基本表|R2-加工表)|R22-加工表 2|R3-转入转出表|R5-排序表 KX_TransMatrix(Name#5：8#FLMC |1#种植土地，2#林草覆盖，3#房屋建筑区|1000000|0|R4-*)	【转移统计表 B】 TransReportB.CSV	

示例说明：输出整个区域（整个区域）5 期 3 类土地覆盖类型变化强度表。图 7.3 为输出结果。

NAME	S(2015_2017)	S(2017_2018)	S(2018_2019)	S(2019_2020)	S(2015_2020)
A	1.322	0.6044	0.432	0.9228	2.754
B	0.6928	0.384	0.1552	0.1176	1.1204
C	0.0524	0.0208	0.0076	0.0092	0.1232
D	3.3956	2.3964	1.1212	1.5032	6.432
E	0.466	0.0632	0.0344	0.0524	0.732
F	0	0	0	0	0
G	0.3912	0.158	0.026	0.1052	0.5392
H	0	0	0	0	0
I	0	0	0	0	0
J	0	0	0	0	0
合计	6.32	3.6268	1.7764	2.7104	11.7008

图 7.3　变化强度分析表示例（输出）

7.7　图像识别 KX_PicRecognition

1. 概述

图像识别是指利用计算机对图像进行处理、分析和理解，以识别各种不同模式的目标和对象的技术，是深度学习算法的一种实践应用。图像识别关键词 KX_PicRecognition 就是利用图像识别技术提取照片中物体信息，输出结果为识别物体类别栅格图，以及反映识别物体像素与总体像素占比的指标。该关键词与街景图片获取关键词 KX_BD_GetStreetPic 配合，可进行街道绿视率、围合度、开敞度等方面的研究。

2. 参数说明

【输入】图片目录。

【输出】插入表和物体占比统计表。

【控制参数】{@——跳过识别}识别类列表(识别类#颜色(*——透明)#{矢量化类别 ID})|插入图片大小#显示图片数|名称数量(1)|筛选长度(*——不筛选，max——取最大，其他值)。

■　跳过识别：当控制参数首字母为"@"时，表示跳过图像识别过程，直接进行图像的着色和矢量化。

■　识别类列表：各类识别目标，包括识别类、颜色和类别 ID，如建筑#brown#1。若包含类别 ID，则系统将采用类别 ID 作为最后的目标类别，且进行目标轮廓线的提取，以便进行进一步的分析，如天际线分形维数的计算等。

注意：当颜色为*表示无颜色(透明显示)，当需设置颜色时，可采用 4 种表示颜色的方法。

✓　十六进制法：h_RRGGBB。其中，RR、GG、BB 分别是用十六进制表示的红色、绿色和蓝色的值，如 h_00FF00 表示绿色。

✓ Python 内置法：python 语言所采用的颜色表示法，如 blueviolet、green、yellow 等。

✓ RGB 法：rRRgGGbBB，RR、GG、BB 分别是用十进制表示的红色、绿色和蓝色的值，如 r00g255b00 表示绿色。

✓ DAS 命名法：DAS 内置的颜色表示法，g_颜色_级别。其中 r——红色，g——绿色，b——蓝色，y——黄色，c——青色，w——灰色，p——紫色，rg——红色到绿色渐变色，rb——红色到蓝色渐变色，gb—绿色到蓝色渐变色，级别为 1—5，如 g_r_5 代表 5 级红色。

■ 插入图片大小：图片插入表时所设置的图片大小。

■ 显示图片数：插入表中图片的组数，一组图片包括原始图片和处理后图片。

■ 名称可分解数：便于后续处理，将图片名称进行分解，如"路 1_1_前.png"，则可分解为：道路名称——路 1，点号——1。

■ 筛选长度：当"识别类列表"中包含类别信息时，系统会对识别后的对象进行矢量化处理（如获得天际线），此时，需对矢量化的线特征按长度进行筛选，具体筛选时有三种选择：*——不筛选，max——取最大，其他值。

3. 示例

【示例】街景图片像识别（表 7.26）。

表 7.26　街景图片像识别示例表

步骤	操作说明	输入	操作	输出	说明
1	获取街景图片	【采样点】	【说明】获取街景图片 2 【关键词】地图类型|拍摄方位角列表|镜头角度|图片尺寸|{最多显示图片} KX_BD_GetStreetPic(BD|前，左，右#450-600|90#10|1024#512#6|10)	2 【图片目录】 KX02	
2	图像识别	【图片目录】	【说明】街景图片识别 【关键词】识别类列表(识别类#颜色#{类别 ID})|插入图片大小#显示图片数|图片名称个数 KX_PicRecognition(墙#g_y4，建筑#g_y4，高楼#g_y4，房子#g_y4， 树#g_g4，草#g_g4，植物#g_g4， 天空#g_b4， 行人#g_r3，汽车#g_r3，公交车#g_r3，自行车#g_r3 |6#4|3)	3 【识别指标】 Cindex.csv	

示例说明：首先利用 KX_BD_GetStreetPic 获得【采样点】图层中各点处的街景图片（具体参数见 KX_BD_GetStreetPic 的说明），所获得的图片存放在【图片目录】中，之后利用 KX_PicRecognition 识别【图片目录】所有图片中的墙、建筑、高楼、房子、树、草、植物、天空、行人、汽车、公交车和自行车等对象，并用相应的颜色表示，最后在指定表格中插入大小为 6、数量为 4 组的图片，每张图片的命名规则为：道路名_点序号_方位（图 7.4）。图 7.5 为各张图片提取的指标。

三和东街_6_前

三和东街_7_前

图 7.4　街景图片识别示例(输出 1)

名称*	围合度	绿视率	开阔度	机动化度	综合指数
涑河南街 2-3	0.80	0.76	0.08	0	0.41
沭河路-0	0.76	0.85	0.02	-0.01	0.40
双龙路-4	0.72	0.80	0.04	-0.02	0.39
化武路-0	0.81	0.73	0	-0.03	0.38
涑河北街-9	0.62	0.70	0.18	0	0.38
解放路-9	0.73	0.67	0.04	0.06	0.37
红旗路-3	0.80	0.64	0.04	0	0.37
香港路-7	0.64	0.65	0.17	0	0.36
琅琊王路-0	0.70	0.54	0.19	-0.02	0.35
凤凰大街-9	0.62	0.70	0.14	-0.05	0.35
南京路 3-0	0.50	0.51	0.39	0	0.35
临西九路-6	0.53	0.56	0.28	0	0.34
府右路-1	0.79	0.54	0.01	0.01	0.34
涑河北街-7	0.56	0.48	0.26	0.03	0.33
龙潭路-7	0	0	0	0	0

图 7.5　街景图片识别输出表示例(输出 2)

7.8　数据转换 KX_Conversion

1. 概述

　　数据转换是 GIS 应用中常会遇到的操作,如坐标系统的转换、面图层到点图层的转换、矢量图层到栅格图层的转换等。为此,在 G 语言中设置数据转换关键词 KX_Conversion,用于矢量图层之间的转换、栅格图层格式的转换、栅格图层到面图层的转换、多波段栅格图层的转换、矢量图层与 DWG 格式文件的转换以及图层文件的拷贝等操作。

2. 参数说明

【控制参数】方法(面转点——f，面转线——p，线转面——l，XY 转 Shp——x，面要素融合——d，栅格类型转换——r，栅格转面——r2，多波段处理——m2，获取范围——l2，DWG 转 Shp——d2，Shp 转 DWG——s，文件拷贝——sc)|{参数})。

【方法】如表 7.27 所示。

表 7.27　KX_Conversion 关键词方法表

序号	方法	简写	输入输出	参数	说明
1	面转点(Feature2Point)	f, f2p	V*, V*	无	面图层转点图层
2	面转线(P2Line)	p, p2l	V*, V*	无	面图层转线图层
3	线转面(Line2Polygon)	l, l2p	V*, V*	无	线图层转面图层
4	XY 转 Shp(XY2Shp)	x, x2s-	F, V	Name#X#Y|其他字段	坐标转点、线、面图层
5	面要素融合(Dissolve)	d, m	V, V	操作字段(无-*)	面要素融合
6	栅格类型转换(RasterType)	r	R*, R*	{@-剪裁}栅格类型([1，2，4，8，16，32，64]_BIT_[SIGNED，UNSIGNED，FLOAT]，{文件类型(TIFF，GRID，ENVI，...)})>	栅格类型转换
7	栅格转面(Raster2Polygon)	r2, r2p	R*, V*	无	栅格转面图层
8	多波段处理(MultiBands)	m2, c	R*, R*	波段列表	多波段栅格数据处理
9	获取范围(Layer2Range)	l2, l2r	VR*, V	放大系数(0.1)	图层转换为要素范围层
10	DWG 转 Shp(DWG2Shp)	d2	F, V	类型(点-D|线-X|面-M|注记-Z)|图层列表(*)|{标注字段，标注图层列表(*)}	DWG 转 Shp 图层
11	Shp 转 DWG(Shp2DWG)	s	V, F	类型字段，{CAD 版本(2013|DWG_R2000|DXF_R2000)}	图层转 DWG
12	文件拷贝(SCopyFile)	sc	A*, A*	无	进行矢量、栅格图层以及其他图层的拷贝

3. 示例

【示例 1】图层文件拷贝(表 7.28)。

表 7.28　图层文件拷贝示例表

步骤	操作说明	输入	操作	输出	说明
1	图层拷贝	【B[2：3]A】	【说明】转换工具 【关键词】方法(面转点-f，面转线-p，线转面-l，XY 转 Shp-x，面要素融合-d，栅格类型转换-r，栅格转面-r2，多波段处理-m2，获取范围-l2，DWG 转 Shp-d2，Shp 转 DWG-s，文件拷贝-sc)|{参数} 【方法】全能拷贝[M]-sc，SCopyFile，<A*，A*> KX_Conversion(SC)	【T[2：3]】T[*].tif	

示例说明：将栅格图层【B2A】和【B3A】分别拷贝至【T2A】和【T3A】，并将分辨率调整为当前计算任务所设置的栅格分辨率。

【示例 2】DWG 转换为 Shp（表 7.29）。

表 7.29　DWG 转换为 Shp 示例表

步骤	操作说明	输入	操作	输出	说明
1	DWG 转换	【DWG】	【说明】转换工具* 【方法】DWG 转 Shp 图层-d2，DWG2Shp，<F，V>，<类型（点-D|线-X|面-M|注记-Z）|图层列表(*)|{标注字段，标注图层列表(*)}> KX_Conversion（DWG2Shp|M|Patch| NAME，Patch）	【地块】 DK.shp	

示例说明：将 DWG 文件【DWG】中的"Patch"层转换为【地块】面图层，同时将 DWG 文件中"Patch"图层中的文本注记转换为面图层中的"Name"属性字段。图 7.6 为将【地块】图层制图输出的结果。

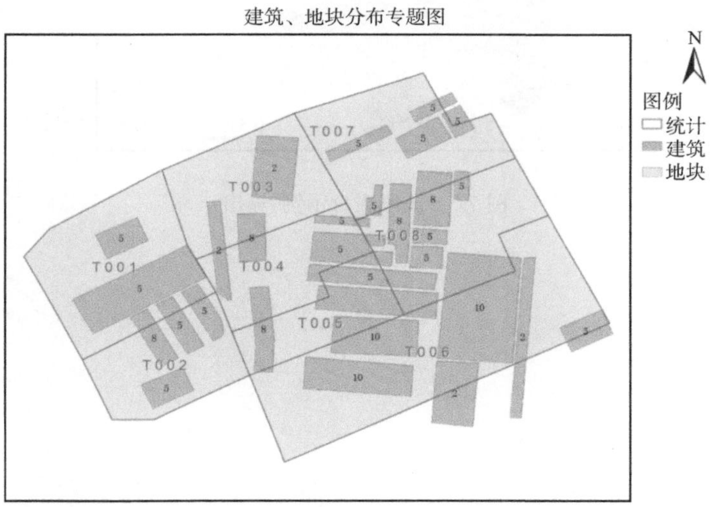

图 7.6　DWG 转换为 Shp 示例（输出）

【示例 3】波段组合（表 7.30）

表 7.30　波段组合示例表

步骤	操作说明	输入	操作	输出	说明
1	波段组合	【B6R】 【B5R】 【B2R】	【说明】转换工具* 【方法】多波段栅格数据处理-m2，MultiBands，c，<R*，R*>，<波段列表> KX_Conversion（C|1，1，1）	【组合 652】 B652.tif	

　　示例说明：将 Landsat8 TIRS 遥感影像的 6、5、2 三个单波段图层【B6R】【B5R】【B2R】进行组合，形成真彩色图像【组合 652】。其中，控制参数"1，1，1"分别表示【B6R】【B5R】【B2R】栅格图层中的第 1 波段（对于多波段影像有多个值）。图 7.7 为将【组合 652】图层制图输出的结果。

组合652专题图

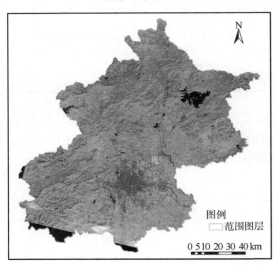

图 7.7　波段组合示例（输出）

第8章 统计分析类关键词

8.1 规则网格绘制 KX_DrawGrid

1. 概述

当对一个研究区域进行单元统计分析时，若没有合适的统计单元，通常需要对研究区域进行子区域划分。ArcGIS 的渔网工具就可以创建由矩形单元所组成渔网状图层，利用渔网状图层可绘制马赛克地图或进行基于网格的设施密度统计等操作。

规则网格绘制关键词 KX_DrawGrid 也是用于规则格网的绘制，与 ArcGIS 的渔网工具不同的是，KX_DrawGrid 不但能绘制正方形网格，还可以绘制正六边形蜂窝网格，绘制网格的参数也可灵活设置，如按单元面积或纵、横网格数量，此外，所绘制的网格也可通过空间关系进行筛选。

2. 参数说明

【输入】网格绘制范围面图层(V)。

【输出】网格面图层或网格中心点图层(V)。

【控制参数】单元大小(宽度|A 面积|C 列数|R 行数)，关系(WithIn——w|Clip——c|Intersect——i，inter|All——*)，网格形状(Square——s|Hexagon——h|Point——p)。

■ 单元大小：生成网格单元的尺寸。可通过 4 种方式指定：宽度——网格宽度(单位：km)，A 面积——网格面积(单位：km²)；C 列数——网格列数；R 行数——网格行数。

■ 关系：需筛选的网格单元与范围面图层的空间关系，可指定 4 种方式：WithIn——在内，Clip——剪裁，Intersect——相交，All——不进行筛选。

■ 形状：网格形状，可指定 3 种形状：Square——正方形，Hexagon——六边形，Point——点。

3. 示例

【示例 1】绘制指定宽度的方格网(表 8.1)。

表 8.1　绘制指定宽度的方格网示例表

步骤	操作说明	输入	操作	输出	说明
1	绘制网格	【研究区域】	【说明】绘制网格 【关键词】单元大小(宽度|A 面积|C 列数|R 行数)，关系(WithIn-w|Clip-c|Intersect-i，inter|all-*)，形状(Square-s|Hexagon-h|Point-p) KX_DrawGrid(2，*，S)	【统计网格 A1】StatGridA1.shp	

续表

步骤	操作说明	输入	操作	输出	说明
2	绘制网格	【研究区域】	【说明】绘制网格* KX_DrawGrid(2，Within，S)	【统计网格 A2】 StatGridA2.shp	

示例说明：计算项 1 根据【研究区域】的范围生成 2km 宽度的正方形网格，保留所有网格；计算项 2 根据【研究区域】的范围生成 2km 宽度的正方形网格，但保留【研究区域】内的网格，图 8.1 为【统计网格 A1】【统计网格 A1】两个图层制图输出的结果。

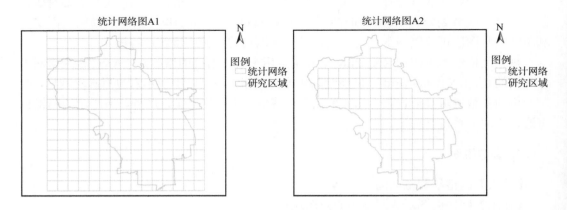

图 8.1　绘制指定宽度的方格网示例(输出)

【示例 2】绘制指定行列数的六边形格网(表 8.2)。

表 8.2　绘制指定行列数的六边形网格示例表

步骤	操作说明	输入	操作	输出	说明
1	绘制网格	【研究区域】	【说明】绘制网格 【关键词】单元大小(宽度|A 面积|C 列数|R 行数)，关系(WithIn-w|Clip-c|Intersect-i，inter| all-*)，形状(Square-s|Hexagon-h|Point-p) KX_DrawGrid(C10，within，H)	【统计网格 B1】 StatGridB1.shp	
2	绘制网格	【研究区域】	【说明】绘制网格* KX_DrawGrid(R15，Inter，H)	【统计网格 B2】 StatGridB2.shp	

示例说明：计算项 1 根据【研究区域】的范围生成 10 列六边形网格，保留【研究区域】图层范围内的网格；计算项 2 根据【研究区域】的范围生成 15 行六边形网格，保留与【研究区域】图层相交的的网格。图 8.2 为【统计网格 B1】【统计网格 B1】两个图层制图输出的结果。

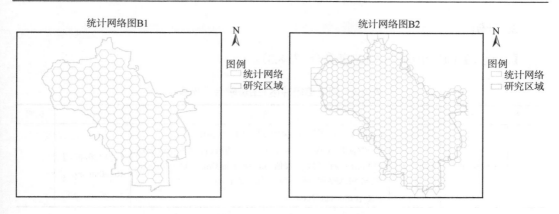

图 8.2　绘制指定行列数的六边形格网示例(输出)

8.2　增强式单元统计 KX_BufferStat

1. 概述

　　基于统计单元对被统计图层进行统计分析是 GIS 的常用操作,增强式单元统计关键词 KX_BufferStat 是一组与统计分析相关功能的复合关键词。首先,在统计单元方面,该关键词具有创建统计单元的功能,既可通过点图层构造泰森多边形作为统计单元,也可通过缓冲分析构造固定缓冲距或字段缓冲距的缓冲区作为统计单元;其次,在统计量方面,若统计图层为矢量图层,可统计几何量(点图层为点的数量,线图层为周长,面图层为面积),同时可考虑乘字段(如在计算地块内建筑面积时,需考虑各建筑的楼层数),若统计图层为栅格图层,则统计量为最小值、最大值、平均值和总和;最后,对统计量还可进行归一化处理。

2. 参数说明

　　【输入】统计矢量图层,被统计栅格图层或矢量图层(V#A)。
　　【输出】统计表(F)。
　　【控制参数】{泰森多边形(T)|缓冲距|缓冲字段#{A}}|{目标字段=数值|统计量(MIN|MAX|MEAN|SUM|几何量乘字段)}%{归一化(1|2)}。
　　■ 泰森多边形:采用泰森多边形剖分空间。
　　■ 目标字段:输出图层中的统计字段。
　　■ 缓冲距离:单缓冲距离或双缓冲距,用于生成缓冲区或缓冲环。
　　■ 统计量:栅格图层统计量:MIN/MAX/MEAN/SUM/乘字段(SUM×乘字段)。
　　■ 矢量图层统计量:NEAR/{乘字段=1}((点数量/长度/面积)×乘字段)。
　　■ 归一化:0——不处理;1——归一化;2——反向归一化。

3. 示例

【示例 1】固定值缓冲区+图斑融合（表 8.3）。

表 8.3　固定值缓冲区+图斑融合示例表

步骤	操作说明	输入	操作	输出	说明

1	生成缓冲区	【道路】	【说明】构造缓冲区+统计分析+归一化[M]
			【关键词】<V#VR*, A>, {泰森多边形(T)/缓冲距或字段#{A}}|{目标字段}#数值 or 统计量(MIN/MAX/MEAN/SUM/NEAR/乘字段)%{归一化(1/2)}
			KX_BufferStat(200#A)
				【道路缓冲区】
				Roadbuf.shp	

示例说明：将【道路】线图层生成 200 m 缓冲区，并对图斑进行融合处理，得到【道路缓冲区】面图层。

【示例 2】字段缓冲区+图斑融合+增加字段（表 8.4）。

表 8.4　字段缓冲区+图斑融合+增加字段示例表

步骤	操作说明	输入	操作	输出	说明
1	生成缓冲区+赋值	【商场】	【说明】构造缓冲区+统计分析+归一化[M]* KX_BufferStat(SCOPE#A|F2#2)	【商场缓冲区】 Marketbuf2.shp	

示例说明：将【商场】点图层按字段"SCOPE"生成缓冲区，并对图斑进行融合处理，在输出图层【商场缓冲区】中增加"F2"字段，并赋值 2，得到【商场缓冲区】面图层。

【示例 3】统计矢量图层（表 8.5）。

表 8.5　统计矢量图层示例表

步骤	操作说明	输入	操作	输出	说明
1	单元统计	【统计图层】 【道路缓冲区】	【说明】构造缓冲区+统计分析+归一化[M]* KX_BufferStat(0|RoadBuf)	【统计分析】 Stat1.shp	

示例说明：用面图层【统计图层】中的统计单元统计面图层【道路缓冲区】的面积，统计结果保存在【统计分析】中的"RoadBuf"字段。

【示例 4】统计矢量图层+乘字段（表 8.6）。

表 8.6　统计矢量图层+乘字段示例表

步骤	操作说明	输入	操作	输出	说明
1	单元统计	【地块单元】 【建筑】	【说明】构造缓冲区+统计分析+归一化[M]* KX_BufferStat(0|JZMJ=Floors)	【建筑面积统计】 AreaStat.shp	

示例说明：用面图层【地块单元】中的地块统计面图层【建筑】（包含楼层字段"Floors"），统计量=面积×[Floors]，统计结果保存在【统计分析】中的"JZMJ"字段。

【示例 5】统计多个点图层（表 8.7）。

表 8.7　统计多个点图层示例表

步骤	操作说明	输入	操作	输出	说明
1	单元统计	【行政区划】 【POI1】 【POI2】 【POI3】 【POI4】	【说明】构造缓冲区+统计分析+归一化[M]* KX_BufferStat(0|CNT1，CNT2，CNT3，CNT4)	【POI 统计】 POIStat.shp	

示例说明：用面图层【行政区划】中的统计单元分别统计【POI1】【POI2】【POI3】和【POI4】等点图层中的 POI 点的数量，统计结果保存在【POI 统计】中的"CNT1""CNT2""CNT3"以及"CNT4"字段。

【示例 6】统计栅格图层（表 8.8）。

表 8.8　统计栅格图层示例表

步骤	操作说明	输入	操作	输出	说明
1	单元统计	【道路】 【地表温度】	【说明】构造缓冲区+统计分析+归一化[M]* KX_BufferStat(50-100|FMin=Min，FMax=Max)	【道路缓冲区温度50-100】 Tstat50_100.shp	

示例说明：首先，用线图层【道路】中的道路生成 50～100m 的缓冲区环，之后，统计每个缓冲环内栅格图层【地表温度】的最大值和最小值，并将统计结果保存在【道路缓冲区温度 50～100】中的"FMin"和"FMax"字段中。

8.3　字段统计 KX_FieldStat

1. 概述

字段统计是对表格数据指定字段进行统计分析，将一组数据减少为几个能起到描述作用的数字，用这些有代表性的数字可以代表这组数据的特征，描述这组数据的整体情况。

字段统计关键词 KX_FieldStat 集成了常见的三种统计功能：一是对指定字段按照指定的统计区间数量进行频数统计；二是对指定字段进行统计量计算（如统计对象数量、最大值、最小值、平均值、均方差）；三是将若干字段作为分组字段，对被统计字段（允许多个被统计字段）进行统计。

2. 参数说明

【输入】矢量图层或统计表(A)。

【输出】统计表(F)。

【控制参数】统计类型(数值(频数统计)|*(总体统计)|组字段列表(分组统计)),统计字段列表,{单个输出量(count|sum|mean|min|max|svar)}。

■ 统计类型:共有三种,即频数统计、总体统计以及分组统计。

✓ 频数统计:用数值标识,表示进行频率统计时需分段的数量。

✓ 总体统计:用"*"标识,表示直接对指定的被统计字段进行统计。

✓ 分组统计:用字段列表标识,如"名称#土地类型",表示用指定的字段组对被统计字段进行统计。

■ 统计字段列表:需进行统计的单个或多个字段,对线图层可直接使用几何字段"G_Length",对面图层可直接使用几何字段"G_Area"。

■ 输出量:对每个统计量有 count——数量、sum——合计、mean——平均值、min——最小值、max——最大值和 svar——均方差;如果统计字段列表为:Value1#Value2,则默认输出量为:count#sum1#mean1#max1#min1#svar1#sum2#mean2#max2#min2#svar2;当指定输出量时,只输出该量。

3. 示例

【示例1】单个分组字段多个被统计字段(表8.9)。

表 8.9　单个分组字段多个被统计字段示例表

步骤	操作说明	输入	操作	输出	说明
1	分组统计	【识别指标】	【说明】分组统计[M] 【关键词】统计类型(*(总体统计)|数值(频率统计)|组字段列表),统计字段列表,{单个输出量(count|sum|mean|min|max|svar)}} KX_FieldStat(RoadName,建筑#树#天空#汽车#道路)	【道路识别指标】 CindexRoad.csv	

示例说明:在【识别指标】数据表中以"RoadName"作为分组字段,对"建筑""树""天空""汽车""道路"等统计字段进行统计,统计量包括 count、sum、mean、max、min 和 svar,统计结果保存在【道路识别指标】数据表中。图 8.3 为部分输出结果。

	A	B	C	D	E	F	G	H	I	J	K	L
1	ROADNAME	count	sum1	mean1	min1	max1	svar1	sum2	mean2	min2	max2	svar2
2	麻石弄上弄1	5	2.57773	0.515546	0.343108	0.597072	0.089148	0.185616	0.037123	2.00E-06	0.141742	0.053008
3	浙江路1	5	1.568612	0.313722	0.14842	0.603508	0.175744	0.11784	0.023568	0	0.083298	0.030858
4	浙江路2	2	0.625696	0.312848	0.30489	0.320806	0.007958	0.19878	0.09939	0.092758	0.106022	0.006632
5	中华南路4	4	1.88465	0.471163	0.353442	0.560346	0.089899	0.374748	0.093687	0.001376	0.230674	0.090297
6	胜利弄	6	3.019278	0.503213	0.307384	0.629192	0.108046	0.460926	0.076821	0.009254	0.265896	0.090477
7	太平巷	3	1.191324	0.397108	0.27191	0.502886	0.09529	0.35173	0.117243	0.063076	0.164158	0.041584
8	中华南路1	6	2.599802	0.4333	0.275718	0.586564	0.092954	0.60414	0.10069	0.009792	0.333104	0.108059
9	中华南路2	4	2.125966	0.531492	0.442974	0.67432	0.090029	0.068496	0.017124	0.001006	0.032158	0.014883
10	中华南路3	3	1.042344	0.347448	0.27707	0.429174	0.062613	0.745758	0.248586	0.158518	0.398634	0.106809
11	中山北路4	5	1.125652	0.22513	0.175114	0.275466	0.042093	0.83772	0.167544	0.01545	0.439248	0.143433
12	中山北路1	3	1.134948	0.378316	0.263472	0.504754	0.098844	0.382142	0.127381	0.074644	0.154424	0.037295
13	中山北路3	2	0.440078	0.220039	0.167802	0.272276	0.052237	0.585504	0.292752	0.250048	0.335456	0.042704
14	中山北路2	3	1.069972	0.356657	0.309454	0.388212	0.034004	0.729286	0.243095	0.04081	0.4064	0.151775
15	斗富弄1	2	1.024368	0.512184	0.488714	0.535654	0.02347	0.185068	0.092534	0.064786	0.120282	0.027748
16	斗富弄3	4	1.054916	0.263729	0.17387	0.430668	0.100046	1.84451	0.461128	0.319564	0.60509	0.101212
17	斗富弄2	3	1.07337	0.35779	0.33804	0.383352	0.01895	0.502208	0.167403	0.064174	0.241948	0.075357
18	昌欣路	4	2.30554	0.576385	0.375912	0.708156	0.124906	0.339854	0.084964	0	0.323772	0.137924
19	解放街	3	1.43286	0.47762	0.387052	0.617326	0.100225	0.051662	0.017221	0.000704	0.038328	0.015699
20	群英街1	4	2.316044	0.579011	0.472516	0.657906	0.067646	0.166364	0.041591	0	0.111784	0.045682
21	群英街3	3	1.158964	0.386321	0.35061	0.432946	0.034488	0.366436	0.122145	0.01109	0.254906	0.100714

图 8.3　单个分组字段多个被统计字段示例(输出)

【示例 2】几何字段的整体统计(表 8.10)。

表 8.10　几何字段的整体统计示例表

步骤	操作说明	输入	操作	输出	说明
1	分组统计	【道路】	【说明】字段分组统计[M]* KX_FieldStat(*, G_Length)	【道路统计】 Stat.csv	

示例说明：对线图层【道路】的几何字段"G_Length"进行总体统计(用"*"表示)，统计结果保存在【道路统计 1】数据表中。图 8.4 为输出结果。

	A	B	C	D	E	F	G
1	Name	count	sum	mean	min	max	svar
2	*	162	937972.7	5789.955	700.7094	24359.26	4439.118

图 8.4　几何字段的整体统计示例(输出)

【示例 3】几何字段频数统计(表 8.11)。

表 8.11　几何字段频数统计示例表

步骤	操作说明	输入	操作	输出	说明
1	分组统计	【道路】	【说明】字段分组统计[M]* KX_FieldStat(20, G_Length)	【道路统计】 Stat.csv	

示例说明：对线图层【道路】的几何字段"G_Length"进行直方图统计，统计结果保存在【道路统计】数据表中。图 8.5 为根据统计结果绘制的直方图。

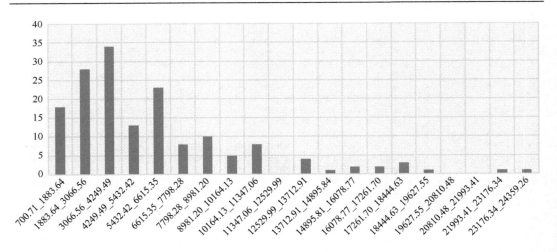

图 8.5　几何字段直方图统计示例(输出)

8.4　指标计算器 KX_IndexCalculator

1. 概述

增强式单元统计关键词 KX_BufferStat 可以进行一般性的基于统计单元的统计量计算，而指标计算器关键词 KX_IndexCalculator 则可以进行特殊指标的计算，如线图层中线要素的分形维数、面图层图斑的几何中心、形状分维数以及空间紧凑度等。

2. 参数说明

【控制参数】方法(分形维数——f；几何中心——c；形状分维数——x；空间紧凑度——p|{参数})。

【方法】如表 8.12 所示。

表 8.12　KX_IndexCalculator 关键词方法表

序号	方法	简写	含义	输入输出	控制参数
1	FractalDim	f	分形维数	A*, F*	名称标识，尺度列表
2	GetCenter	c	几何中心	V*, F*	名称字段#X坐标字段#Y坐标字段
3	ShapeIndex	x	形状分维数	V*, F*	名称字段#输出字段
4	CompactIndex	p	空间紧凑度	R, R	名称字段#输出字段

3. 示例

【示例 1】分形维数计算(表 8.13)。

表 8.13 分形维数计算示例表

步骤	操作说明	输入	操作	输出	说明
1	指标计算	【海岸线[2015：2020]】	【说明】指标计算器 【关键词】方法(分形维数-f，几何中心-c，形状分维数-x，空间紧凑度-p|{参数}) 【方法】分形维数-F，<A*，F*>，<名称标识，尺度列表> KX_IndexCalculator(F|4：7，10#20#30#40#50#60#70#80#90#100)	【分形维数结果】 FWReport.csv	
2	表格处理	【分形维数结果】	【说明】表格处理* 【方法】数据抽取-S，C，<A，A>，<输出字段列表|对象列表或SQL表达式|{折叠M/转置T/归一化S/统计图C}，图例#{常量M1或6-8}> KX_Table(C|Name#FX-分形维数$4|2015#2016#2017#2018#2019#2020|C)	1	

示例说明：计算项 1 对【海岸线 2015】…【海岸线 2020】等 6 个线图层进行分形维数计算，输出表中的"Name"字段内容取输入对象逻辑名的 4-7 字符，分形维数计算时栅格化尺度分别取 10m、20m、30m、40m、50m、60m、70m、80m、90m 和 100m；计算项 2 根据【分形维数结果】统计表进行数据筛选并绘制统计图(图 8.6)。

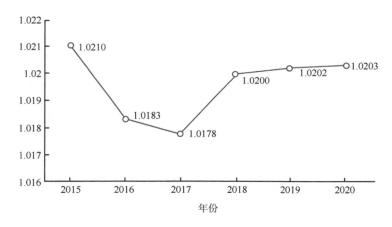

图 8.6 分形维数计算示例(输出)

【示例 2】几何中心计算(表 8.14)。

表 8.14 几何中心计算示例表

步骤	操作说明	输入	操作	输出	说明
1	指标计算	【@统计图层[2014：2020]】 【建成区[*]】	【说明】指标计算器 【关键词】方法(分形维数-f，几何中心-c，形状分维数-x，空间紧凑度-p|{参数}) 【方法】几何中心-C，<V*，F*>，<NAME#GX#GY> KX_IndexCalculator(C|Name#GX#GY)	【统计表 A[2014：2020]】 ReportA[*].csv	

步骤	操作说明	输入	操作	输出	说明
2	表格处理	【统计表 A[2014:2020]】	【说明】表格处理* 【方法】横向拼接+增量计算-H，J，<F*，F>，<连接字段，输出字段列表，年位置> KX_Table（J| Name，GX#GY，4：7）	【统计表 1】Report1.csv	

示例说明：计算项 1 采用【统计图层】的统计单元分别统计面图层【建成区 2014】…【建成区 2020】的几何中心；计算项 2 将【统计表 A2014】…【统计表 A2020】等数据表进行横向拼接处理得到汇总后的统计表【统计表 1】。

第 9 章　成果表达类关键词

9.1　统计表制作 KX_Statistic

1. 概述

统计表是分析成果表达的重要形式之一，统计表制作关键词 KX_Statistic 用于对栅格或矢量图层进行单元统计并输出。虽然该关键词与增强式单元统计关键词 KX_BufferStat 功能都是单元统计，但该关键词主要进行分类统计，如各统计单元不同土地利用类型面积的统计，统计结果既可以以数据表的形式保存，也可直接在定制好的表格中输出。此外，该关键词可一次性对多个矢量或栅格图层进行统计。

2. 参数说明

【输入】{统计矢量图层}，被统计图层(V#A*)。

【输出】表序号或文件名称(F)。

【控制参数】标识字段#{统计字段}#{单位转换值}#{比例类型({空——自比例}，G_Area——面积比例，其他字段——其他比例)}，{纵向排序}，{最大行数}|Value 列表|{横向排序}。

■ 标识字段：统计图层中用于表示统计单元的字段，该字段的数据不能重复。

■ 统计字段：被统计图层的统计字段，栅格图层无需填写，矢量图层需填写。

■ 单位转换值：面积的基本单位为 m^2，若需转换为其他单位，则需设置该值，缺省为 1 000 000，表示将面积单位转换为 km^2。

■ 比例类型：自比例——统计面积与总统计面积之比；面积比例——统计面积与统计单元面积之比；其他比例——统计面积与所指定的字段之比，如指定字段为"人口"，则统计结果的"R"代表人均人口数量。

■ 纵向排序：[-](N|C)序号，"-"——反向排序，N——数值排序，C——字符排序，序号——排序字段序号，缺省时为 C0。

■ 最大行数：表格输出时的最大行数。

■ 横向排序：初始输出列表为：0——Name，1——A_1，2——R_1，…，2n-1——A_n，2n——R_n，其中，"A"表示面积，"R"表示比例。用户可根据需要调整输出列，如 0，1，3，5，则输出：Name，$A1$，$A2$，$A3$。

3. 示例

【示例 1】矢量图层分类统计(表 9.1)。

表 9.1　矢量图层分类统计示例表

步骤	操作说明	输入	操作	输出	说明
1	分级统计	【统计图层】 【综合评价】	【说明】统计报表 【关键词】显示字段#{统计字段}#{单位转换值}#{比例类型({空-自比例)，G_Area-面积比例，其他字段-其他比例)}，{纵向排序}，{输出数}|Value 列表|{横向排序} KX_Statistic(Name#PJ|5，4，3，2，1)	1	

示例说明：用【统计图层】的统计单元对【综合评价】面图层的"PJ"字段进行分类统计，统计类型值为5、4、3、2、1，统计结果直接输入表1。输出结果如图9.1所示。需说明的是，若进行统计时采用的是系统所指定的统计图层，统计图层可省略。

名称*	5级地区		4级地区		3级地区		2级地区		1级地区	
	面积	占比	面积	占比	面积	占比	面积	占比	面积	占比
A 区	0.28	3.59	2.40	30.85	3.68	47.40	0.90	11.56	0.51	6.60
B 区	0.19	3.70	1.17	22.97	2.24	44.13	0.73	14.39	0.75	14.80
C 区	0.83	14.20	2.19	37.41	1.42	24.19	0.84	14.30	0.58	9.91
D 区	0.22	4.74	1.45	31	1.55	33.14	1.16	24.68	0.30	6.44
E 区	0.22	4.33	1.16	22.66	2.71	52.74	0.99	19.20	0.05	1.06
合计	1.74	6.11	8.37	29.35	11.60	40.67	4.61	16.16	2.20	7.72

图 9.1　矢量图层分级统计示例(输出)

【示例2】栅格图层分类统计(表9.2)。

表 9.2　栅格图层分类统计示例表

步骤	操作说明	输入	操作	输出	说明
1	栅格统计表	【综合评价R】	【说明】统计报表 【关键词】显示字段#{统计字段}#{单位转换值}#{比例类型({空-自比例)，G_Area-面积比例，其他字段-其他比例)}，{纵向排序}，{输出数}|Value 列表|{横向排序} KX_Statistic(Name|5，4，3，2，1|0，1，3，5，7)	【统计表】 Stat.csv	

示例说明：用【统计图层】的统计单元对被统计栅格图层【总和评价R】进行统计，统计类型值为5、4、3、2、1，统计结果仅输出面积，并保存在【统计表】表格文件中。

9.2　属性表制作 KX_Info

1. 概述

属性表制作关键词 KX_Info 用于对一个或多个相关联的表格文件按指定的方式(如输出字段、排列次序、输出行数)输出。所处理的表格既可以是图层，也可以是一般的数据表。

2. 参数说明

【输入】图层或表格列表(A*)。

【输出】表序号或文件名称(F)。

【控制参数】连接字段列表|各图层字段列表（F11-N1#F12-N2#…，F21-N3#F22-N3#…，)|{纵向排序}，{最大行数}|{数据列表}。

- 连接字段列表：各图层或表使用的唯一值字段。其中，第一图层连接字段的显示名称用"-"连接，是否求和用"#S"连接，如"Name-名称#S"表示连接字段为"Name"，输出时为"名称"，并对各数值字段进行求和。
- 各图层字段列表：来自各图层的字段，用"，"分割，来自同一图层的字段用"#"分割，显示名称用"-"连接，如"F1-N11#F2-N12，F1-N21#F2-N22"表示取第 1 输入表格的 F1 和 F2 字段，输出名为 N11 和 N12，取第 2 输入表格的 F1 和 F2 字段，输出名为 N21 和 N22。当输入表为矢量图层时，可直接使用几何字段 G_Area，G_Length，G_X，G_Y，分别表示面积、长度和 X、Y 坐标。
- 纵向排序：-N1 或 C2，"-"反向排序，1，2 为排序列；N 为数值排序；C 为字符排序，缺省时为 C0。
- 最大行数：在输出表中所填写的最多行数。
- 数据列表：缺省时为字段列表次序。

3. 示例

【示例】排序+输出行数控制(表 9.3)。

表 9.3　排序+输出行数控制示例表

步骤	操作说明	输入	操作	输出	说明
1	属性输出	【行政村】	【说明】属性表 【关键词】连接字段列表|各图层字段列表（F11-N1#F12-N2#…，F21-N3#F22-N3#…，)|{纵向排序}，{最大行数}|{数据列表} KX_Info（NAME|D1#D2#D3#D4#D5#D6#D7#D8#D9#D10#CLASS|C0，5)	1，测试表	

示例说明：对【行政村】点图层的"Name""D1"…"D10"以及"CLASS"字段进行输出。输出时，按第 1 列进行排序，输出 5 行(图 9.2)。

NAME*	D1	D2	D3	D4	D5	D6	D7	D8	D9	D10	CLASS
丁庄	1036.02	-884.95	-630.32	-413.44	-941.46	359.12	439.28	-64.92	42.10	-11.02	6
丁庄子	2110.11	-871.91	-370.58	-455.47	-78.96	-160.47	12.05	-28.41	57.55	-11.06	6
丁辛庄	1202.05	-857.20	1961.85	-101.97	276.84	-494.41	774.63	359.28	91.82	-14.02	6
七百户	2359.43	389.57	71.11	133.80	584.92	-6.85	-368.95	-14.33	30.77	-2.41	6
龙王店	2068.77	-870.51	-337.68	-329.08	55.82	-273.32	-119.72	-16.41	38.81	-10.95	6

图 9.2　排序+输出行数控制示例(输出)

9.3　统计图制作 KX_Table

1. 概述

统计图是表格数据图形化的表达形式,可以使复杂的统计数字简单化、通俗化、形象化。统计图制作关键词 KX_Table 主要用于制作 Excel 统计图,除此之外,还可以进行表格数据的处理,主要包括数据抽取、同类表拼接、多对一表连接以及值类别纵转横。

(1)数据抽取:按照条件筛选数据,之后对所筛选的数据进行进一步的加工处理,主要包括行折叠、表转置、归一化、正负列、求和、定值补列、名称排名以及统计图制作等。

- 行折叠:将数据表的一行按照某种规则折叠为多行输出。
- 表转置:将数据表进行转置处理。
- 归一化:将数据表的数据按行进行归一化处理。
- 正负列:将数据表的各数据列拆分为正数列和负数列。
- 求和:为数据表增加"合计"行,该行各项为数值列的合计。
- 定值补列:根据所给定的数值对指定的数据列进行补运算,得到该列的补列。
- 名称排名:分别将数据表各数值列进行排序,获得各列的名称排序。
- 统计图制作:用输出的表格数据更新指定表格内 Excel 统计表的数据源。

(2)同类表拼接:将同类表进行横向或纵向拼接,横向拼接时可输出原始数据列、增量数据列和增量变化率数据列,该功能主要用于诸如土地利用变化分析。

(3)多对一表连接:主数据表根据指定的字段按照多对一的连接方法连接副数据表中指定的字段。

(4)值类别纵转横:根据数据表指定的类别字段对指定的数值字段进行统计,将统计结果转置输出。

2. 参数说明

【控制参数】数据抽取——C,横向拼接+增量计算——J,表格连接——L,值类别纵转横——R|{参数}。

【方法】如表 9.4 所示。

表 9.4　KX_Table 关键词方法表

序号	方法	简写	输入输出	控制参数	说明
1	数据抽取 (SelectData)	S, C	A, A	输出字段列表|对象列表或筛选式,{排序 N1},{输出行数(*-全部)},{输出列数}| {后处理(行折叠 M|表转置 T|归一化 S|正负列 Z|求和 S|定值补列 D|名称排名 N|统计图制作 C)}, {别名列表#{固定量(平均值(M1)|数值(3)|区间(6-8)}}	

续表

序号	方法	简写	输入输出	控制参数	说明
2	同类表拼接（JoinTable）	H，J	A*，F	{@-纵向拼接}连接字段，输出字段列表，{文件标识位置(4：7)}	
3	多对一表连接（LinkTable）	L	F#A，F	主关联字段#被关联字段，关联内容字段	
4	值类别纵转横（Reshape）	R	A，A	Key 字段，Value 类别字段，Value 字段|类型 1#{别名 1}，...)	

3. 示例

【示例 1】筛选+统计图+固定值（表 9.5）

表 9.5　筛选+统计图+固定值示例表

步骤	操作说明	输入	操作	输出	说明
1	表格处理	【统计表】	【说明】表格处理 【关键词】方法（数据抽取-S，C，横向拼接+增量计算-J，表格连接-L|{参数}） 【方法】数据抽取-S，C，<A，A>，<输出字段列表|对象列表或筛选式{，排序 N1}{，输出行数}|{后处理（行折叠 M|表转置 T|归一化 S|正负列 Z|求和 S|定制补列 D|名称排名 N|统计图制作 C}，图例#{常量 M1 或 6-8}> KX_Table(C|Name#CNT#RP|A 区#B 区#C 区#D 区#E 区#F 区#G 区#H 区#I 区#J 区|C，数量(个)，人均(个/万人)，市平均人均(个/万人)#M2)	1，图 1**统计图	

示例说明：选取【统计表】中的 A-J 区的 3 列（"Name""CNT""RP"）数据绘制统计图，并增加第 2 列的平均值列（M2），图例分别设为：数量（个），人均（个/万人），市平均人均（个/万人）。图 9.3 为输出结果。

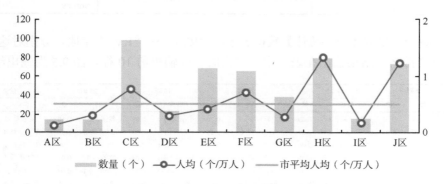

图 9.3　筛选+统计图+固定值示例（输出）

【示例 2】筛选+折叠（表 9.6）

表 9.6　筛选+折叠示例表

步骤	操作说明	输入	操作	输出	说明
1	表格处理	【统计表】	【说明】表格处理* KX_Table(S|Name#D1([2019;2020;2019_2020]) #D2([*])#D3([*])#D4([*])#D5([*])#D6([*])# D7([*])#D8([*])-D8$3#D9([*])#D10([*])- D10$3)|A 区#B 区|M)	1，表 1**统计表	

示例说明：选取【统计表】中的"A 区"和"B 区"2 行、31 列数据，之后每行数据折叠为 3 行。控制参数中的输出列表采用结构化表达，其中"D8$3"表示"D8"列取 3 位小数，"D10$3"表示"D10"取 3 位小数。图 9.4 为最终输出结果的部分内容。

区市	年份**	幼儿园		小学		初中		高中		高校	
		数量	人均	数量	人均	数量	人均	数量	人均	数量	人均
A 区	2019	75	1.27	30	0.51	14	0.24	6	0.102	3	0.051
	2020	77	1.31	31	0.53	13	0.22	6	0.102	3	0.051
	2019-2020	2	0.03	1	0.02	-1	-0.02	0	0	0	0
B 区	2019	233	2.10	3	0.03	3	0.03	1	0.009	0	0
	2020	232	2.09	72	0.65	29	0.26	7	0.063	0	0
	2019-2020	-1	-0.01	69	0.62	26	0.23	6	0.054	0	0

图 9.4　筛选+折叠示例(输出)

【示例 3】筛选+排名(表 9.7)。

表 9.7　筛选+排名示例表

步骤	操作说明	输入	操作	输出	说明
1	表格处理	【道路统计】	【说明】表格处理* KX_Table(S|NAME# RV[1：7]|*，*，10|-N)	1，评价指标排行 【评价指标排行】 Sort.csv	

示例说明：提取【道路统计】数据表中的"RV1"…"RV7"字段，分别对这 7 个字段进行倒序排名，结果输出在表 1 中。输出时，仅输出前 10 行。图 9.5 为输出结果。

排序*	7 时		9 时		12 时		16 时		21 时		综合	
	名称	值	名称	值	名称	值	名称	值	名称	值	名称	值
1	戴家弄 1	0.04	中山南路 3	0.09	解放街	0.10	中华南路 4	0.08	戴家弄 2	0.10	戴家弄 2	0.13
2	珠山大道	0.04	中华北路 1	0.07	中华北路 1	0.09	解放街	0.08	中华南路 4	0.09	中华南路 4	0.11
3	中山南路 3	0.04	浙江路 2	0.06	中华南路 4	0.08	中华北路 1	0.08	解放街	0.08	中山南路 3	0.07
4	麻石弄上弄 2	0.03	戴家弄 2	0.05	中山南路 3	0.07	麻石弄上弄 2	0.08	群英街 3	0.07	中华南路 1	0.06
5	昌欣路	0.03	珠山大道	0.05	麻石弄上弄 2	0.07	戴家弄 2	0.08	群英街 1	0.07	群英街 1	0.06
6	浙江路 2	0.03	麻石弄上弄 1	0.05	群英街 1	0.07	群英街 3	0.07	群英街 1	0.06	中山南路 2	0.06
7	戴家弄 2	0.03	中山南路 2	0.04	戴家弄 2	0.06	中华南路 1	0.06	中华南路 1	0.06	中华南路 2	0.06
8	中华南路 4	0.03	解放街	0.04	浙江路 2	0.06	中山南路 3	0.05	昌欣路	0.05	中华北路 1	0.05
9	中山南路 2	0.03	麻石弄上弄 2	0.04	麻石弄上弄 1	0.04	群英街 1	0.05	中山南路 2	0.05	麻石弄上弄 1	0.04
10	中山南路 1	0.03	浙江路 1	0.03	中华北路 1	0.04	昌欣路	0.04	中华北路 1	0.04	群英街 1	0.04

图 9.5　筛选+排名示例(输出)

【示例 4】筛选+定值补列+统计图（表 9.8）。

表 9.8　筛选+定值补列+统计图示例表

步骤	操作说明	输入	操作	输出	说明
1	数据选择+统计图	【统计表】	【说明】表格处理* KX_Table（S|Name#B18-301#B19-302#B20-303#B21-304# B22-305#B23-306#B24-307# B25-308# B26-309| *|CD#0.4）	13, 各区市综合交通三级因子得分	

示例说明：提取【统计表】数据表中"B18"…"B26"字段，并更名为"301"…
"309"。"C"表示输出统计表，"D#0.4"表示增加定值补列（补列字段=0.4–输入字段）。
图 9.6 为输出结果。

图 9.6　筛选+定值补列+统计图示例（输出）

【示例 5】横向拼接+增量计算（表 9.9）。

表 9.9　横向拼接+增量计算示例表

步骤	操作说明	输入	操作	输出	说明
1	表格处理	【统计表 2019】 【统计表 2020】	【说明】表格处理* 【方法】数据抽取-S，C，<A，A>，<输出字段列表|对象列表或筛选式，{排序 N1}，{输出行数（*-全部）}，{输出列数}|{后处理（行折叠 M|表转置 T|归一化 S|正负值 Z|求和 S|定值补列 D|名称排名 N|统计图制作 C）}，{别名列表#{固定量（平均值（M1）|数值（3）|区间（6-8）}>| KX_Table（J|Name，A[1：5]#RP[*]，4：7）	【统计表 C】 ReportC.csv	

示例说明：输入表【统计表 2019】与【统计表 2020】横向拼接（图 9.7、图 9.8），
其中：

字段时间标识：【统计表 2019】[4：7]=2019，【统计表 2020】[4：7]=2020

输入字段：A[1：5]#RP[*]=A1#RP1#A2#RP2#A3#RP3#A4#RP4#A5#RP5

输出字段：

D1#D2#D3#D4#D5#D6#D7#D8#D9#D10= A1#RP1#A2#RP2#A3#RP3#A4#RP4#A5#RP5

D1(2019_2020)=D1(2020)-D1(2019)

E1(2019_2020)=(D1(2020)-D1(2019))/D1(2019)/(2020-2019)

输出结果如图 9.9 所示。

	A	B	C	D	E	F	G	H	I	J	K	L	M
NAME	P2019	A1	A2	A3	A4	CNT1	A5	RP1	RP2	RP3	RP4	RP5
A	110.11	15	3	3	1	4	4	0.1362	0.0272	0.0272	0.0091	0.0363
B	44.59	15	6	3	1	6	6	0.3364	0.1346	0.0673	0.0224	0.1346
C	123.83	113	20	7	3	4	4	0.9125	0.1615	0.0565	0.0242	0.0323
D	76.29	26	9	6	2	0	0	0.3408	0.118	0.0786	0.0262	
E	157.73	70	9	3	2	10	10	0.4438	0.0571	0.019	0.0127	0.0634
F	90.05	77	18	6	3	1	1	0.8551	0.1999	0.0666	0.0333	0.0111
G	137.89	52	11	8	3	0	0	0.3771	0.0798	0.058	0.0218	0
H	57.74	107	45	16	4	4	4	1.8531	0.7794	0.2771	0.0693	0.0693
I	82.42	20	5	4	1	4	4	0.2427	0.0607	0.0485	0.0121	0.0485
J	58.83	75	30	14	6	4	4	1.2749	0.5099	0.238	0.102	0.068
合计	939.48	570	156	70	26	37	37	0.6067	0.166	0.0745	0.0277	0.0394

图 9.7　统计表 2019

	A	B	C	D	E	F	G	H	I	J	K	L	M
NAME	P2020	A1	A2	A3	A4	CNT1	A5	RP1	RP2	RP3	RP4	RP5
A	111.1	233	78	32	7	4	4	2.0972	0.7021	0.288	0.063	0.036
B	45.59	119	36	16	9	6	6	2.6102	0.7896	0.351	0.1974	0.1316
C	124.89	484	192	42	12	4	4	3.8754	1.5374	0.3363	0.0961	0.032
D	76.24	174	82	37	5	0	0	2.2823	1.0756	0.4853	0.0656	0
E	160.82	579	113	48	17	10	10	3.6003	0.7026	0.2985	0.1057	0.0622
F	90.75	411	86	28	8	1	1	4.5289	0.9477	0.3085	0.0882	0.011
G	137.79	470	142	55	11	1	1	3.411	1.0306	0.3992	0.0798	0.0073
H	58.92	108	46	16	3	4	4	1.833	0.7807	0.2716	0.0509	0.0679
I	85	238	70	31	12	5	5	2.8	0.8235	0.3647	0.1412	0.0588
J	58.88	77	34	15	6	4	4	1.3077	0.5774	0.2548	0.1019	0.0679
合计	949.98	2893	879	320	90	39	39	3.0453	0.9253	0.3368	0.0947	0.0411

图 9.8　统计表 2020

	A	V	W	X	Y	Z	AA	AB	AC	AD	AE
NAME	D1(2018)	D2(2018)	D3(2018)	D4(2018)	D5(2018)	D6(2018)	D7(2018)	D8(2018)	D9(2018)	D10(2018)
A	233	2.1161	79	0.7175	32	0.2906	7	0.0636	4	0.0363
B	118	2.6463	35	0.7849	16	0.3588	9	0.2018	6	0.1346
C	482	3.8924	194	1.5667	42	0.3392	12	0.0969	4	0.0323
D	175	2.2939	82	1.0748	36	0.4719	5	0.0655	0	0
E	561	3.5567	111	0.7037	47	0.298	17	0.1078	10	0.0634
F	407	4.5197	87	0.9661	27	0.2998	8	0.0888	1	0.0111
G	469	3.4013	142	1.0298	55	0.3989	10	0.0725	0	0
H	107	1.8531	44	0.762	15	0.2598	3	0.052	4	0.0693
I	237	2.8755	67	0.8129	28	0.3397	10	0.1213	4	0.0485
J	75	1.2749	30	0.5099	14	0.238	6	0.102	4	0.068
合计	2864	3.0485	871	0.9271	312	0.3321	87	0.0926	37	0.0394

图 9.9　横向拼接+增量计算示例(输出)

【示例 6】横向拼接（表 9.10）。

表 9.10　横向拼接示例表

步骤	操作说明	输入	操作	输出	说明
1	表格处理	【QR202201[24：30]】	【说明】表格处理* KX_Table（J|from，Value）	【迁入序列】 QRXL.csv	

示例说明：将 7 张数据表【QR202201[24：30]】根据"from"字段对"Value"字段进行拼接。由于没有文件标识位置信息，"Value"字段拼接后按序号重新命名。图 9.10 为部分输出结果。

	A	B	C	D	E	F	G	H
1	FROM	VALUE_1	VALUE_2	VALUE_3	VALUE_4	VALUE_5	VALUE_6	VALUE_7
2	河北省	74.69	61.18	51.36	52.35	44.32	40.87	51.96
3	山东省	4.22	5.35	5.57	5.16	6.06	6.36	5.42
4	内蒙古自	1.89	2.76	3.21	3.1	3.5	3.75	3.06
5	天津市	1.7	3.4	5.19	5.3	5.76	6.15	5.6
6	江苏省	1.52	2.81	3.1	2.92	3.32	3.13	2.47
7	山西省	1.42	2.16	2.56	2.27	2.85	2.84	2.5
8	辽宁省	1.33	2.03	2.61	2.48	2.71	2.79	2.16
9	海南省	1.1	1.72	2.07	1.94	2.4	2.67	2.6
10	广东省	1.03	1.58	2.11	2.44	2.81	3.3	2.89

图 9.10　横向拼接示例（输出）

【示例 7】横向多对一连接（表 9.11）。

表 9.11　横向多对一连接示例表

步骤	操作说明	输入	操作	输出	说明
1	OD 矩阵	【网络节点】 【公园】 【道路网络】	【说明】网络分析 【关键词】方法（服务范围-s，邻近距离-n，OD 矩阵-o，点距分析-p）|{参数} 【方法】生成 OD 矩阵-o，ODCostMatrix，<V#V#N，V>，<距离或时间字段（Length|Time），{搜索信息（@1000@5000）}> KX_NetWork（o|Time，@1000@1000）	【OD1】 OD1.shp	
2	多对一连接	【OD1】 【公园】	【说明】表格处理* 【方法】连接表格（多对一）-l，LinkTable，<A#A，A>，<主关联字段#被关联字段，关联内容字段> KX_Table（L|Destinatio #FID，Capacity）	【OD2】 OD2.shp	

示例说明：计算项 1 计算【网络节点】到【公园】沿【道路网络】的 OD 矩阵【OD1】线图层；计算项 2 将【OD1】中的目的点号"Destinatio"字段与点图层【公园】的"FID"字段进行关联，从而获得公园服务量"Capacity"。图 9.11 为输出结果。

	FID	Shape *	Name	OriginID	Destinatio	Destinat_1	Total_time	CAPACITY
▶	0	Polyline	0 - 5	0	5	1	45.812858	47000
	1	Polyline	0 - 2	0	2	2	47.671194	35000
	2	Polyline	0 - 1	0	1	3	49.661986	45000
	3	Polyline	0 - 7	0	7	4	50.566206	51000
	4	Polyline	0 - 6	0	6	5	50.771896	42000
	5	Polyline	0 - 0	0	0	6	57.922027	35000
	6	Polyline	0 - 8	0	8	7	67.870656	29000
	7	Polyline	0 - 3	0	3	8	71.437418	48000
	8	Polyline	0 - 9	0	9	9	71.552116	41000
	9	Polyline	0 - 4	0	4	10	75.076481	39000
	10	Polyline	0 - 14	0	14	11	95.445788	65000

图 9.11　横向多对一连接示例(输出)

9.4　专题地图制作 KX_Mapping

1. 概述

在地理分析模型的成果表达中, 专题地图是最主要的表达形式, 为了灵活、方便、高效地采用自动化的方式制作专题地图, G 语言内置专题地图制作关键词 KX_Mapping, 该关键词具有以下特点:

(1)可指定任意图层范围作为制图范围;

(2)可对专题地图图名、制图时间等信息进行动态设置;

(3)可根据需要对专题地图中的各图层自动进行剪裁处理;

(4)可对专题地图中各图层的显示样式进行设置, 显示样式既可选择固定样式, 也可选择动态样式(数值字段的分类级别可根据需要动态调整);

(5)可对专题地图图例标注进行动态设置(包括对象逻辑名和类别标注)。

2. 参数说明

【输入】栅格或矢量图层列表(VR*)。

【输出】图片(F)。

【控制参数】替代图层样式列表|背景图层样式列表|输出分辨率|{输出模板}|{范围参数#{扩大系数}}。

■ 替代图层样式列表:可用输入图层的数据替换图层样式中的数据源, 具体使用方法遵循如下规定:

✓ 图层裁剪控制:图层样式前无"*"时表示图层需剪裁, 有"*"时表示不处理。

✓ 图层标识显示控制:图层样式不包含"@"标识, 表示图层标识采用模板中的标识;图层样式有"@"标识, 且其后有其他标识信息, 则表示图层标识采用标识信息;图层样式有"@"标识, 但其后无其他信息时, 表示图层标识采用输入对象逻辑名。

■ 背景图层列表:模板图层中可显示的图层列表。

■ 输出模板：1——【专题地图模板】，2——【图谱模板】。【专题地图模板】和【图谱模板】在【基本参数表】或【输入与控制表】中定义。

■ 范围参数：可选参数包括无信息、"A"、"*"以及第一输入图层特征筛选式（如Name=[龙穴岛]），分别表示不改变显示范围、采用【范围图层】的范围、采用第一图层的范围和采用筛选要素的范围。

■ 扩大系数：将地图显示范围扩大。

3. 示例

【示例 1】图层剪裁控制（表 9.12）。

表 9.12　图层剪裁控制示例表

步骤	操作说明	输入	操作	输出	说明
1	制作专题地图	【研究区域】 【瓦片地图】	【说明】专题制图[M]； 【关键词】替代图层列表|背景图层列表|输出分辨率|{输出模板}|{范围参数#{扩大系数}} KX_Mapping（CJFW@研究范围，*Map|区界|200|1|*#1.05）	【背景专题地图 3A】 MapBJZTA.jpg	
2	制作专题地图	【研究区域】 【瓦片地图】	【说明】专题制图[M] 【关键词】替代图层列表|背景图层列表|输出分辨率|{输出模板}|{范围参数#{扩大系数}} KX_Mapping（CJFW@研究范围，Map|区界|200|1|*#1.05）	【背景专题地图 3B】 MapBJZTB.jpg	

示例说明：计算项 1 的【瓦片地图】栅格图层采用"Map"样式，"*"表示不需要对该图层进行剪裁；计算项 2 的【瓦片地图】栅格图层采用"Map"样式，由于没有"*"标识，该图层需要利用【研究区域】矢量图层进行剪裁。图 9.12 为输出结果。

图 9.12　图层剪裁控制示例（输出）

【示例 2】矢量动态分级+结构化表达（表 9.13）。

表 9.13　矢量动态分级+结构化表达示例表

步骤	操作说明	输入	操作	输出	说明
1	专题制图	【@中心城区[1：2]】 【@道路统计 1[*]】 【@瓦片地图[*]】	【说明】专题制图[M]* KX_Mapping(CJFW2@　　　， *RoadBuf#{RV[1：2]}；5.00，*Map |区界|200|2|*#1.1)	【工作日 7 时街道热力图】 B7R.jpg 【工作日 9 时街道热力图】 B9R.jpg	

示例说明：【输入】与【操作】的控制参数参数均采用采用结构化表达式，"RoadBuf"为动态矢量样式，分级字段分别为"RV1"和"RV2"，采用等间隔法分为 5 级，图例标注保留 2 位小数，图层显示范围扩大 1.1 倍，所有图层无需剪裁处理。图 9.13 为输出结果。

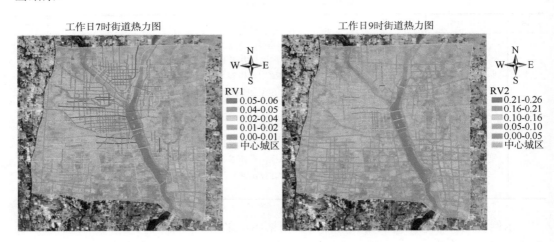

图 9.13　矢量动态分级+结构化表达示例(输出)

【示例 3】栅格动态分级+裁剪(表 9.14)。

表 9.14　栅格动态分级+裁剪示例表

步骤	操作说明	输入	操作	输出	说明
1	专题制图	【研究区域】 【地表温度分级】	【说明】专题制图[M]* KX_Mapping(CJFW@，RNGR#强绿岛区；绿 岛区；正常区；热岛区；强热岛区|区界 |200|1|*#1.05)	【地表真实温度分 级专题地图】 MapDBWDFJ.jpg	

示例说明：栅格图层【地表温度分级】采用栅格动态样式 RNGR，等间隔分为 5 级，图例标注为"强绿岛区；绿岛区；正常区；热岛区；强热岛区"，栅格图层需剪裁处理。图 9.14 为输出结果。

图 9.14　栅格动态分级+裁剪示例（输出）

9.5　OD 弧绘制 KX_DrawOD

1. 概述

当需要绘制两点间的连线时，ArcGIS 提供了"XY To Line"工具，并给出了 4 种绘制弧线的方法，即 GEODESIC（测地线）、GREAT_CIRCLE（大圆）、RHUMB_LINE（等角航线）和 NORMAL_SECTION（法截弧）。该工具能满足一般应用的需求，但也存在一些问题，如弧线的高度、弧线方向、弧线绘制密度以及弧线绘制次序没有办法进行控制。为此，在 G 语言中增加了 OD 弧绘制关键词 KX_ DrawOD 来解决这些问题。该关键词主要用于人口迁徙、地区间联系的可视化表达。

2. 参数说明

【输入】点图层#连接表或线图层（V#A）。

【输出】线图层（V）。

【控制参数】连接信息（点层信息（连接表或*|页号|点号字段|点连接参数）或线层信息（线连接参数））|{弧方向（*——反向）}绘制弧信息。

■ 连接表：xls 格式的表格文件（包含起点、终点、连接值信息），当为"*"时，采用【输入】栏连接表中相关信息；

■ 页号：xls 表页序号；

■ 点号字段：点图层中点号字段名称；

■ 点连接参数：起点列序号#起点名称，终点列序号#终点名称，连接值列序号#连接名称；

■ 线连接参数：线层中的连接值字段#新图层中连接值字段；

■ 绘制弧参数：弧高比例#步长#{最大点数}，最大点数缺省值为 100。

3. 示例

【示例】点图层连接弧（表 9.15）

表 9.15　点图层连接弧示例表

步骤	操作说明	输入	操作	输出	说明
1	空间化 OD	【城市点】 【迁入上海】	【说明】OD 弧线图 【关键词】连接信息(点层信息(连接表或*|页号|点号字段|点连接参数)或线层信息(线连接参数))|{弧方向(*-反向)}绘制弧信息 KX_BD_OD(*|0|NAME|From#OD1，To#OD2，QR1#Value_D|0#200#100)	【迁入上海 OD】 SHQROD.shp	

示例说明：【迁入上海】表与【迁入上海 OD】图层字段对应关系如图 9.15 所示，【迁入上海】表中"from"和"to"列为点名称，对应于【城市点】图层中的"NAME"字段。绘制弧线时采用两点间直线距离的 0.1 倍作为弧高，内插点间距为 200m，最大点数为 100 点。图 9.16 为【迁入上海 OD】线图层制图输出的结果。

	A	I	J
1	FROM	TO	QR1
2	苏州市	上海市	210.1
3	嘉兴市	上海市	47.15
4	南通市	上海市	38.91
5	杭州市	上海市	33.41
6	无锡市	上海市	22.49
7	宁波市	上海市	19.04
8	南京市	上海市	14.83
9	盐城市	上海市	12.6
10	常州市	上海市	12.14
11	舟山市	上海市	11.25
12	湖州市	上海市	10.36
13	合肥市	上海市	9.72
14	北京市	上海市	8.99

SHQR1_OD

FID	Shape	Id	VALUE	OD1	OD2
39	Polyline	0	210.1	苏州市	上海市
38	Polyline	0	47.15	嘉兴市	上海市
37	Polyline	0	38.91	南通市	上海市
36	Polyline	0	33.41	杭州市	上海市
35	Polyline	0	22.49	无锡市	上海市
34	Polyline	0	19.04	宁波市	上海市
33	Polyline	0	14.83	南京市	上海市
32	Polyline	0	12.6	盐城市	上海市
31	Polyline	0	12.14	常州市	上海市
30	Polyline	0	11.25	舟山市	上海市
29	Polyline	0	10.36	湖州市	上海市
28	Polyline	0	9.72	合肥市	上海市

图 9.15　【迁入上海】表与【迁入上海 OD】图层字段对应关系

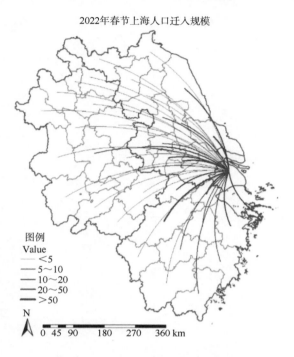

图 9.16　点图层连接弧示例(输出)

第三篇

G 语言应用开发案例

　　本篇选取 10 个案例展示 G 语言的应用，这 10 个案例具有一定的代表性，基本涵盖了 G 语言目前的应用方向。这 10 个案例大致分为 4 类，即 GIS 教学应用、时空大数据应用、遥感应用以及国土空间规划应用。每个案例是一个完整的地理计算工程，为了便于介绍这些案例，每个案例仅包含一个地理计算任务。由于只有一个地理计算任务，地理计算工程中的【基本参数表】和【任务设置表】就不再赘述了，仅介绍地理计算任务中的【相关说明】【输入数据】【过程分析】和【计算过程】部分。其中【相关说明】【输入数据】【过程分析】属于地理分析模型的描述性表达，而【计算过程】则是地理分析模型的计算性表达。

　　【相关说明】主要介绍案例的相关背景、任务要求、分析方法、关键技术等内容。

　　【输入数据】为地理分析模型的输入数据(图层、文档或目录)内容，详细罗列了后续分析所用的所有数据，并对数据进行了说明。

　　【过程分析】提供了地理分析模型的主要分析流程图，以及对每步分析过程的详细描述，包括输入数据、输出数据以及具体的操作参数等。需要说明的是，为了帮助读者理解模型，DAS 智能文档中的【结果输出】部分的内容(专题地图、统计表和统计图)也提前在这部分进行了展示。

　　【计算过程】是地理分析模型的核心部分，是对【过程分析】内容的 G 语言实现，读者结合【过程分析】可读懂这部分内容。

第 10 章　GIS 教学应用

本书 2.2.4 节中已介绍了 G 语言在 GIS 教学中的应用情况，在教学中除了讲授 G 语言的基本知识和开发方法外，还设置了与城乡规划相关的 20 多个实验内容，训练学生的地理思维能力。本章选取了其中的 3 个实验，它们参考了汤国安等所著《ArcGIS 地理信息系统空间分析实验教程》中的"市区择房分析"和"学校选址"实验，以及宋小冬等所著《地理信息系统实习教程》中的"基于网络的设施服务水平"实验。

10.1　基于矢量数据的市区择房分析

1. 相关说明

1）背景及目的

选址问题是 GIS 应用中常见的内容，涉及人类生产、生活、文化、娱乐等各个方面。选址问题的数学模型取决于可供选址的范围、条件以及如何判断选址质量等内容（徐建华，2020）。"市区择房分析"是一个典型的选址分析实验，能够体现 GIS 空间分析的主要内容。该实验综合考虑了交通、环境、购物、教育等多个因素的影响，空间分析方法上主要采用了矢量数据空间分析方法中的缓冲区分析与叠置分析，这两种空间分析方法是地理分析模型中最为常用的方法。

本案例主要展示 G 语言在矢量数据空间分析以及分析结果表达的功能，所用关键词主要包括：

(1) 缓冲区分析关键词 KX_SelRasDisReclass：构建定值或字段类型缓冲距的缓冲区。

(2) 矢量叠置分析关键词 KX_VecOverlay：进行矢量图层的 Union 和 Erase 操作。

(3) 字段计算器关键词 KX_FieldCalculator：用于矢量图层字段的计算。

(4) 专题图地图制作关键词 KX_Mapping：用于各种专题地图的制作。

(5) 统计表制作关键词 KX_Statistic：用于制作分类统计表。

(6) 统计图制作关键词 KX_Table：用于统计数据的表格输出和统计图制作。

2）选址要求

(1) 噪声污染方面：所选地段应离交通要道 200 m 以外。

(2) 购物方面：所选地段应在商业服务中心的服务范围内，服务范围根据商业服务中心的规模来确定。

(3) 教育方面：所选地段应距高中 750 m 以内。

(4) 环境方面：所选地段应距最近的公园应在 500 m 以内。

3) 任务要求

(1) 最佳地段选取。通过空间叠置的方法筛选出满足所有选址条件的地段，作为最佳地段。

(2) 地段综合评价。对整个选址范围进行综合评价，并对评价结果按统计单元进行统计分析。

2. 输入数据

市区择房分析的输入数据如表 10.1 所示。

表 10.1　市区择房分析输入数据表

序号	对象逻辑名	对象物理名	值及说明
1	【范围图层】	MapRange1.shp	用于设置工作范围、坐标系统和裁减输出地图
2	【统计图层】	MapRange1.shp	用于分区统计数据
3	【研究范围】	MapRange1.shp	
4	【道路】	Network.shp	线图层，包含 Type-道路等级，其中 ST-主干道，影响范围 200m
5	【商场】	Marketplace.shp	点图层，包含 Scope-商场服务半径
6	【学校】	school.shp	点图层，服务范围 750m
7	【公园】	Park.shp	点图层，服务范围 500m

3. 分析过程

市区择房分析的主要流程如图 10.1 所示。

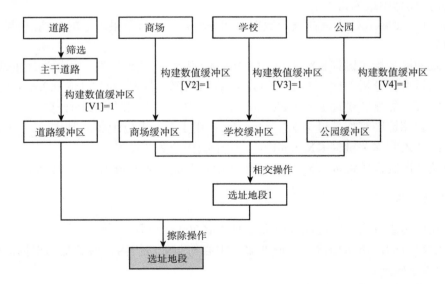

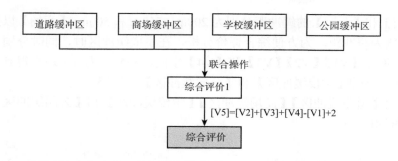

图 10.1　市区择房分析流程图

主要过程描述如下。

➢步骤 1　制作输入数据专题地图。

分别利用【道路】【商场】【学校】和【公园】制作专题地图（图 10.2）。

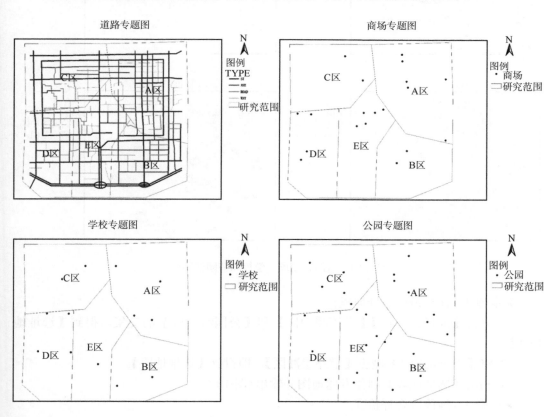

图 10.2　道路、商场、学校和公园分布

➢步骤 2　生成缓冲区。

（1）从【道路】选择主干道路，得到【主干道】。

（2）分别对【主干道】【商场】【学校】【公园】按照指定的缓冲距构建缓冲区。其中，

【主干道】【学校】和【公园】的缓冲距分别为 200m、750m 和 500m，【商场】以服务半径【Scope】字段为缓冲距。为方便综合评价分析，在生成缓冲区时，同时分别为每个缓冲区图层分别增加【V1】【V2】【V3】和【V4】字段，并赋值为 1。最终得到【道路缓冲区】【商场缓冲区】【学校缓冲区】和【公园缓冲区】面图层。

(3) 分别利用【道路缓冲区】【商场缓冲区】【学校缓冲区】和【公园缓冲区】制作缓冲区专题地图(图 10.3)。

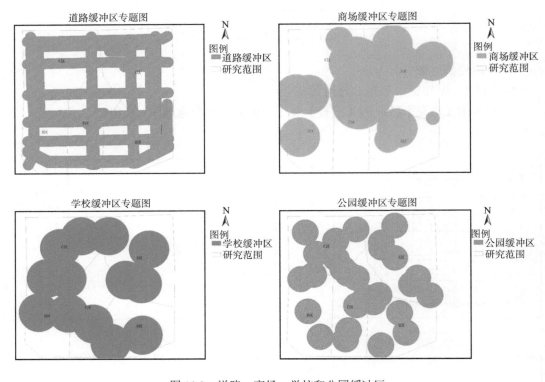

图 10.3　道路、商场、学校和公园缓冲区

➢步骤 3　计算最佳选址地段。

(1) 分析【商场缓冲区】【学校缓冲区】和【公园缓冲区】的交集，得到【选址地段 1】。

(2) 将【选址地段 1】减去【道路缓冲区】，即得到【选址地段】。

(3) 利用【选址地段】制作专题地图并输出(图 10.4)。

➢步骤 4　地段综合评价。

(1) 将【道缓冲区】【商场缓冲区】【学校缓冲区】和【公园缓冲区】进行联合(Union)操作，得到【综合评价 1】面图层。

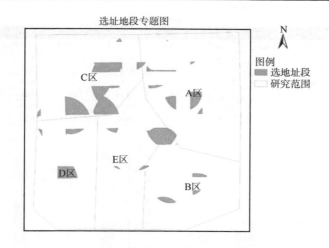

图 10.4　最佳选址地段

(2)为【综合评价 1】增加【V5】字段，且【V5】＝【V2】＋【V3】＋【V4】-【V1】+2，得到【综合评价】面图层。

➤步骤 5　输出分析成果。

(1)利用【综合评价】制作专题地图并输出(图 10.5)。

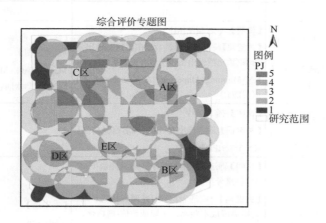

图 10.5　综合评价分析结果

(2)对【综合评价】进行空间单元统计分析，输出统计表和统计图(图 10.6)。

4. 计算过程

市区择房分析的 G 语言实现如表 10.2 所示。

综合评价统计表

名称*	5级地区		4级地区		3级地区		2级地区		1级地区	
	面积	占比	面积	占比	面积	占比	面积	占比	面积	占比
A区	0.28	3.59	2.40	30.85	3.68	47.40	0.90	11.56	0.51	6.60
B区	0.19	3.70	1.17	22.97	2.24	44.13	0.73	14.39	0.75	14.80
C区	0.83	14.20	2.19	37.41	1.42	24.19	0.84	14.30	0.58	9.91
D区	0.22	4.74	1.45	31	1.55	33.14	1.16	24.68	0.30	6.44
E区	0.22	4.33	1.16	22.66	2.71	52.74	0.99	19.20	0.05	1.06
合计	1.74	6.11	8.37	29.35	11.60	40.67	4.61	16.16	2.20	7.72

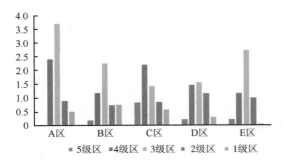
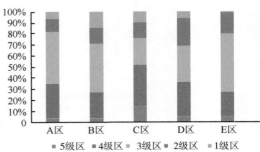

图 10.6　综合评价统计表与统计图

表 10.2　市区择房分析计算过程表

步骤	操作说明	输入	操作	输出	说明
1	制作专题图	【@[道路；商场；学校；公园]研究范围】【[*]】	【说明】专题制图[M] 【关键词】替代图层列表|背景图层列表|输出分辨率|{输出模板}|{范围参数#{扩大系数}} KX_Mapping(MapRange1@，*network@ | 区界|200)	【[道路；商场；学校；公园]专题图】 Map[Network；Marketplace；School；Park].jpg	S1：制作输入数据专题地图
2	插入专题图	【[道路；商场；学校；公园]专题图】	【说明】插入图片 【关键词】图片高度(6-12)|{图名过滤信息} KX_InsertPic(9)	1	
3	筛选	【道路】	【说明】筛选+栅格化|缓冲区|欧式距离|成本距离+重分类[M] 【关键词】{筛选表达式}|处理表达式(*-欧式距离或成本距离，字段或数值-栅格化，缓冲字段名#A|栅格化字段#赋值-构建缓冲区)%{重分类描述} KX_SelRasDisReclass(Type|ST)	【主干道】 roadS.shp	S2：生成缓冲区
4	缓冲分析	【主干道】	【说明】构造缓冲区+统计分析+归一化[M]* KX_BufferStat(200#A|V1=1)	【道路缓冲区】 roadbuf.shp	
5	缓冲分析	【商场】	【说明】构造缓冲区+统计分析+归一化[M]* KX_BufferStat(SCOPE#A|V2=1)	【商场缓冲区】 Marketbuf.shp	
6	缓冲分析	【学校】	【说明】构造缓冲区+统计分析+归一化[M]* KX_BufferStat(750#A|V3=1)	【学校缓冲区】 Schoolbuf.shp	
7	缓冲分析	【公园】	【说明】构造缓冲区+统计分析+归一化[M]* KX_BufferStat(500#A|V4=1)	【公园缓冲区】 Parkbuf.shp	

续表

步骤	操作说明	输入	操作	输出	说明
8	制作专题图	【@[道路；商场；学校；公园]研究范围】【*]缓冲区】	【说明】专题制图[M]* KX_Mapping（MapRange1@，*{V1[R；G；B；R]}@|区界|200）	【[道路；商场；学校；公园]缓冲区专题图】 Map[Network；Marketplace；School；Park]buf.jpg	
9	插入专题图	【[道路；商场；学校；公园]缓冲区专题图】	【说明】插入图片* KX_InsertPic（9）	2	
10	取交集	【商场缓冲区】【学校缓冲区】【公园缓冲区】	【说明】矢量叠置分析 【关键词】方法（并集-u，交集-i，擦除-e，剪裁-c，采样-s，空间连接-s2，拼接-m，增量-s3，合并-m2，属性交集-i2）|{参数} 【方法】图层交集-i，Intersect，inter，<V#V，V> KX_VecOverlay（Inter）	【选址地段 1】 XZDD1.shp	S3：计算最佳地段
11	剔除道路缓冲去	【选址地段 1】【道路缓冲区】	【说明】矢量叠置分析* 【方法】图层擦除-e，Erase，<V#V，V> KX_VecOverlay（Erase）	【选址地段】 XZDD.shp	
12	制作专题图	【研究范围】【选址地段】	【说明】专题制图[M]* KX_Mapping（MapRange1@，*V1R@|区界|200）	【选址地段专题图】 MapXZDD.jpg	
13	插入专题图	【选址地段专题图】	【说明】插入图片* KX_InsertPic（12）	3	
14	叠置分析	【[道路；商场；学校；公园]缓冲区】	【说明】矢量叠置分析* 【方法】图层并集-u，Union，b，<V#V，V> KX_VecOverlay（U）	【综合评价 1】 ZHPJ1.shp	S4：地段综合评价
15	计算评价结果	【综合评价 1】	【说明】字段计算或属性连接[M]* KX_FieldCalculator（FID|V1#V2#V3#V4|PJ=[F2]+[F3]+[F4]-[F1]+2）	【综合评价】 ZHPJ.shp	
16	制作专题图	【研究范围】【综合评价】	【说明】专题制图[M]* KX_Mapping（MapRange1@，*V5RG@#PJ|区界|200）	【综合评价专题图】 MapZHPJ.jpg	
17	插入专题图	【综合评价专题图】	【说明】插入图片* KX_InsertPic（12）	4	
18	生成统计表	【综合评价】	【说明】分类统计[1M]* KX_Statistic（Name#PJ，C0|5，4，3，2，1）	5 【统计数据】 TJ.csv	S5：输出分析成果
19	制作统计图	【统计数据】	【说明】表格处理** KX_Table（C|Name#A5#A4#A3#A2#A1|合计C，5 级区，4 级区，3 级区，2 级区，1 级区）	6，各级别面积统计图	
20	制作浮动统计图	【统计数据】	【说明】表格处理** KX_Table（C|Name#A[5：1]|合计C，5 级区，4 级区，3 级区，2 级区，1 级区）	【浮动统计图】 Ftable1.csv	
21	制作系列统计图	【统计数据】	【说明】表格处理** KX_Table（C|Name# A[5：1]]*，C1|C，5 级区，4 级区，3 级区，2 级区，1 级区）	7 【系列统计图】 Qtable1.csv	

10.2　基于栅格数据的学校选址分析

1. 相关说明

1）背景与目的

"学校选址分析"同样是一个选址分析实验，与"市区择房分析"实验不同的是，"市区择房分析"实验采用的是矢量数据空间分析方法，而"学校选址分析"采用的是栅格数据空间分析方法，如地形分析、重分类、欧式距离分析和栅格数据叠置分析等。本案例主要展示 G 语言在栅格数据空间分析方法的功能，所用关键词主要包括：

（1）地形分析关键词 KX_TerrainAnalysis：用于坡度分析。

（2）重分类关键词 KX_Reclass：用于栅格数据的重分类。

（3）增强式栅格化关键词 KX_SelRasDisReclass：用于欧式距离分析和重分类。

（4）栅格计算器关键词 KX_RasCalculator：用于栅格图层间的计算或集成。

2）选址要求

（1）地形方面：新学校应位于地势较平坦处。

（2）成本方面：新学校的建立应结合现有土地利用类型综合考虑，选择成本不高的区域，不同类型土地的成本分别为：public——10，transportation——7，argriculture——5，vegetable——4，city center——3，forest——2，barren land——1。

（3）便利性方面：新学校应该与现有娱乐场所相配套，学校距离这些场所越近越好；

（4）社会效益方面：新学校应避开现有学校，合理分布。

（5）综合分析时的权重分配：地形因子 0.125，成本因子 0.125，便利性因子 0.5，社会效益因子 0.25。

3）任务要求

（1）根据选址要求，进行多因子综合分析，选择评价值大于 8 的区域作为最佳适宜区。

（2）根据综合评价值对评价区域进行适宜等级划分。

2. 输入数据

学校选址分析的输入数据如表 10.3 所示。

表 10.3　学校选址分析输入数据表

序号	对象逻辑名	对象物理名	值及说明
1	【DEM】	DEM.tif	栅格图层
2	【娱乐场所】	rec_sites.shp	点图层
3	【学校】	school.shp	点图层
4	【土地利用】	landuse.tif	栅格图层，1-public，2-transportation，3-argriculture，4-water，5-vegetable，6-forest，7-wetland，8-city center，9-grass，10-barren land

3. 分析过程

学校选址分析主要流程如图 10.7 所示。

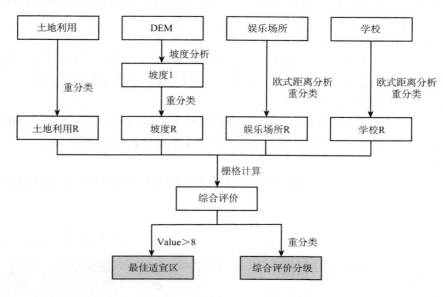

图 10.7　学校选址分析流程

主要过程描述如下。

➤步骤 1　制作输入数据专题地图。

利用【土地利用】【DEM】【娱乐场所】和【学校】制作专题地图（图 10.8）；

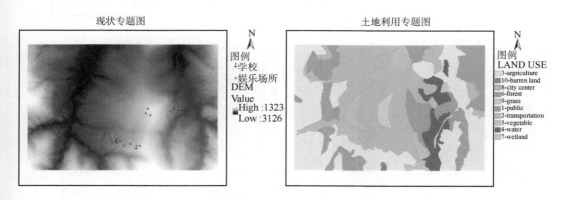

图 10.8　学校选址输入数据

➤步骤 2　土地利用数据处理。

根据不同土地类型赋予不同的值，其中，public——10，transportation——7，argriculture——5，vegetable——4，city center——3，forest——2，barren land——1，得到【土地利用 R】栅格图层。

➢步骤 3　DEM 数据处理。

(1)根据 DEM 进行坡度分析,得到【坡度 1】栅格图层。

(2)对【坡度 1】采用等间隔分级分为 10 级,值越小级别越高(坡度越小,越适宜),得到【坡度 R】栅格图层。

➢步骤 4　娱乐场所数据处理。

首先对【娱乐场所】进行欧式距离分析,在此基础上,采用等间隔分级分为 10 级,值越小级别越高(距娱乐场所越近,越适宜),得到【娱乐场所 R】栅格图层。

➢步骤 5　学校数据处理。

首先对【学校】进行欧式距离分析,在此基础上,采用等间隔分级分为 10 级,值越大级别越高(距现有学校越远,越适宜),得到【学校 R】栅格图层。

➢步骤 6　综合分析。

(1)分别利用【土地利用 R】【坡度 R】【娱乐场所 R】和【学校 R】制作专题图地图并输出(图 10.9)。

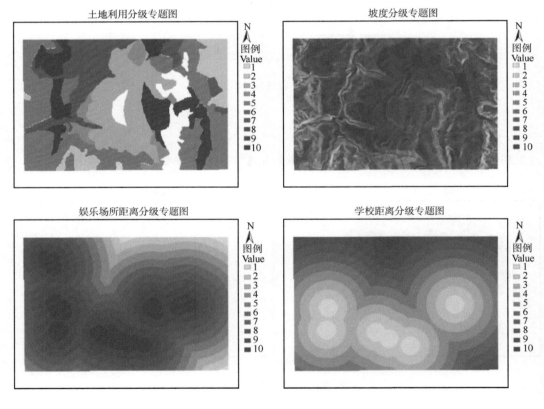

图 10.9　选址选址各评价因子

(2)采用式(10.1)计算综合评价结果,得到【综合评价】栅格图层。

【综合评价】=0.125×【土地利用 R】+0.125×【坡度 R】+0.25×【学校 R】+0.5×【娱乐场所 R】

(10.1)

（3）选取【综合评价】>8 的区域作为适宜区，得到【适宜区】栅格图层。

（4）将【综合评价】按等间隔分级分为 5 级，值越大级别越高，适宜性越高，得到【综合评价分级】栅格图层。

（5）分别利用【综合评价】【最佳适宜区】和【综合评价分级】制作并输出专题地图（图 10.10、图 10.11）。

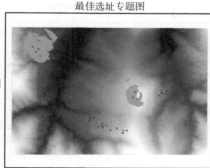

图 10.10　综合评价及适宜区专题地图

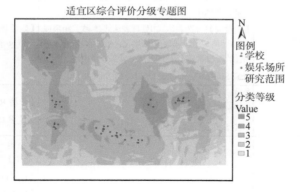

图 10.11　综合评价分级图

4. 计算过程

学校选址分析的 G 语言实现如表 10.4 所示。

表 10.4　学校选址分析计算过程表

步骤	操作说明	输入	操作	输出	说明
1	制作专题地图	【DEM】 【娱乐场所】 【学校】	【说明】专题制图[M] 【关键词】替代图层列表|背景图层列表|输出分辨率|{输出模板}|{范围参数#{扩大系数}} KX_Mapping（DEM，rec_sites@，school@|区界|200）	【现状专题地图】 MapXZ.jpg	S1： 制作输入数据专题地图

步骤	操作说明	输入	操作	输出	说明
2	制作专题地图	【土地利用】	【说明】专题制图[M]* KX_Mapping（landuse@|区界|200）	【土地利用专题地图】 MapTDLY.jpg	
3	插入专题地图	【现状专题地图】 【土地利用专题地图】	【说明】插入图片* KX_InsertPic（8）	1	
4	重分类	【土地利用】	【说明】{{分类字段}，{目标字段}，{缺省值}}# 重分类表达式 KX_Reclass（1：10|2：6|3：8|4：5|5：3|7：2|10：1）	【土地利用R】 TDLY_R.tif	S2： 土地利用数据处理
5	生成坡度	【DEM】	【说明】地形分析 【关键词】方法（坡度-s，坡向-a，粗糙度-c，起伏度-q，表面曲率-q2，填挖方-c2，反向-f，山体阴影-h，视场-v）|{参数} 【方法】坡度分析-s，Slope，pd，<R，R> KX_TerrainAnalysis（PD）	【坡度1】 PD1_R.tif	S3： DEM数据处理
6	坡度重分类	【坡度1】	【说明】重分类* KX_Reclass（10|9|8|7|6|5|4|3|2|1）	【坡度R】 PD_R.tif	
7	娱乐场所距离	【娱乐场所】	【说明】筛选+栅格化|缓冲区|欧式距离|成本距离+重分类[M] 【关键词】{筛选表达式}|处理表达式（*-欧式距离或成本距离，字段或数值-栅格化，缓冲字段名#A|栅格化字段#赋值-构建缓冲区）%{重分类描述} KX_SelRasDisReclass（*%10|9|8|7|6|5|4|3|2|1）	【娱乐场所R】 YLCS_R.tif	S4： 娱乐场所数据处理
8	学校距离	【学校】	【说明】筛选+栅格化|缓冲区|欧式距离|成本距离+重分类[M]* KX_SelRasDisReclass（*%1|2|3|4|5|6|7|8|9|10）	【学校R】 XX_R.tif	S5： 学校数据处理
9	制作专题地图	【土地利用R】 【坡度R】 【娱乐场所R】 【学校R】	【说明】专题制图[M]* KX_Mapping（R10B@|区界|200）	【土地利用分级专题地图】 MapTDLYFJ.jpg 【坡度分级专题地图】 MapPDFJ.jpg 【娱乐场所距离分级专题地图】 MapFWSSJLFJ.jpg 【学校距离分级专题地图】 MapXXJLFJ.jpg	S6： 综合分析
10	插入专题地图	【土地利用分级专题地图】 【坡度分级专题地图】 【娱乐场所距离分级专题地图】 【学校距离分级专题地图】	【说明】插入图片* KX_InsertPic（6.5）	2	

续表

步骤	操作说明	输入	操作	输出	说明
11	栅格计算	【娱乐场所 R】 【学校 R】 【土地利用 R】 【坡度 R】	【说明】栅格计算[M] 【关键词】{@-标准化}数学、逻辑、单元统计、邻域统计表达式 KX_RasCalculator([R1]*0.5+[R2]*0.25+[R3]*0.125+[R4]*0.125)	【综合评价】 ZHPJ.tif	
12	栅格计算	【综合评价】	【说明】栅格计算[M]* KX_RasCalculator([R1]>8，1)	【最佳选址】 ZJXZ1.tif	
13	重分类	【综合评价】	【说明】重分类* KX_SelRasDisReclass（1|2|3|4|5）	【综合评价分级】 ZHPJFJ.tif	
14	制作专题地图	【范围图层】 【综合评价】	【说明】专题制图[M]* KX_Mapping（MapRange@研究范围，DEM|区界|200|1|*#1.05）	【综合评价专题地图】 MapZHPJ.jpg	S7: 输出分析结果
15	制作专题地图	【范围图层】 【DEM】 【娱乐场所】 【学校】 【最佳选址】	【说明】专题制图[M]* KX_Mapping(MapRange@研究范围，DEM，rec_sites@娱乐场所，school@学校，ZJXZ@最佳位置|区界|200|1|*#1.05)	【最佳选址专题地图】 MapZJXZ.jpg	
16	插入专题地图	【综合评价专题地图】 【最佳选址专题地图】	【说明】插入图片* KX_InsertPic（8）	3	
17	制作专题地图	【范围图层】 【娱乐场所】 【学校】 【综合评价分级】	【说明】专题制图[M]* KX_Mapping(MapRange@研究范围，rec_sites@娱乐场所，school@学校，R5G@分类等级 |区界|200|1|*#1.05)	【综合评价分级专题地图】 MapZHPJFJ.jpg	
18	插入专题地图	【综合评价分级专题地图】	【说明】插入图片* KX_InsertPic（12）	4	

10.3　基于网络数据的设施服务水平分析

1. 相关说明

1）背景与目的

在城市规划中，"服务区"是一个较常用的空间概念，是指公共服务设施所提供的服务覆盖范围。通常，对点状服务设施来说，服务区就是以设施的位置为圆心、以服务距离为半径的圆的范围。然而，由于城市空间是一个非均质空间，不同区域的路网密度不同，可达性也不同，从而导致根据服务半径所确定的服务区并不能很好地反映公共服务设施的服务范围，而顾及交通网络的服务区，则能较为准确地反映公共服务设施的服务状况，同时还可以考虑交通速度、运输成本等因素的影响。

本案例采用网络分析的方法确定公园服务区，进而测算每个公园服务区的服务水平。本案例主要展示 G 语言在网络分析方面的功能，所用关键词主要包括：

(1)网络分析关键词 KX_NetWork：用于求解公园服务区。

(2)矢量空间叠置分析关键词 KX_VecOverlay：用于矢量图层 Union 和 Clip 操作。

(3)字段计算器关键词 KX_FieldCalculator：用于矢量图层字段的计算。

(4)专题地图制作关键词 KX_Mapping：用于各种专题地图的制作。

(5)统计图制作关键词 KX_Table：用于统计数据的表格输出和统计图中制作。

2)任务要求

(1)利用网络数据集求解公园 800m 的有效服务区范围。

(2)根据各公园的服务容量计算各有效服务区内的总公园服务容量。

(3)根据人口统计区的人口数据计算各有效服务区内的总人口数量。

(4)根据各有效服务区内的公园的总服务容量和总人口数量计算各有效服务区服务水平。

2. 输入数据

设施服务水平分析的输入数据如表 10.5 所示。

表 10.5　设施服务水平分析输入数据表

序号	对象逻辑名	对象物理名	值及说明
1	【范围图层】	M1/MapRange1.shp	
2	【统计图层】	M1/MapRange1.shp	
3	【道路】	Road.shp	线图层，用于构建网络数据集，包含 Length-道路长度，time-通行时间
4	【公园】	gate.shp	点图层，包含 Capacity-服务容量
5	【人口统计区】	Bound.shp	面图层，包含 Popu-人口数量
6	【道路网络】	M2/ZDB1.gdb/NW3/NW3_ND	由道路构建的网络数据集，需在 ArcGIS 中构建

3. 过程分析

设施服务水平分析的主要流程如图 10.12 所示。

主要过程描述如下：

➤步骤 1　建立网络数据集。

在 ArcMap 中利用【道路】图层构建【道路网络】网络数据集。需要注意的是，【道路】图层应有【Length】和【time】和两个字段，分别表示道路的长度(单位为 m)和通过道路的时间(单位为分钟)，并指定这两个字段为【道路网络】的属性。

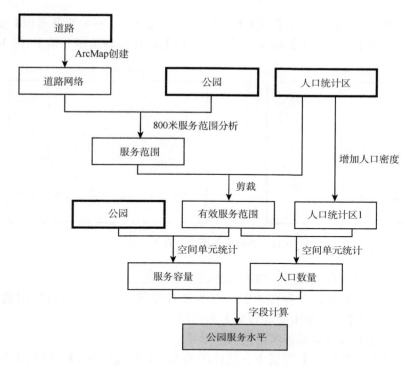

图 10.12　设施服务水平分析流程

➤步骤 2　制作输入数据专题地图。

利用【道路】【公园】和【人口统计区】制作专题地图并输出（图 10.13）。

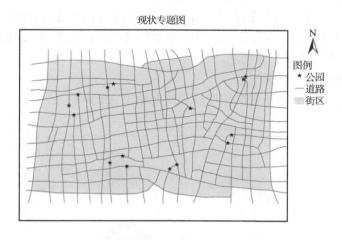

图 10.13　设施服务水平分析输入数据

➤步骤 3　公园有效服务区分析。

（1）利用已构建完成的【道路网络】计算【公园】800 m 服务范围，得到【服务范围】面图层；

(2)【服务范围 1】图层用【街区】图层进行剪裁得到【有效服务范围】面图层；

(3)分别利用【服务范围】和【有效服务范围】制作专题地图并输出（图 10.14）；

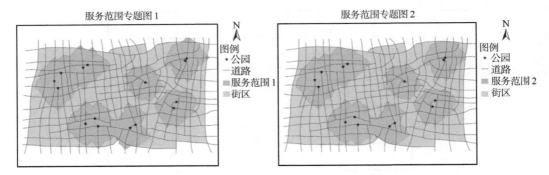

图 10.14　公园服务范围与有效服务范围

➤步骤 4　计算各有效服务区内的总公园服务容量。

以【有效服务范围】中各有效服务区为统计单元统计其范围内公园的服务容量【Capacity1】，得到【服务范围服务容量】面图层。

➤步骤 5　计算各有效服务区内的人口数量。

(1)计算【人口统计区】图层中各统计区的人口密度【DEN1】，得到【人口统计区1】面图层。

(2)【有效服务范围】对【人口统计区 1】进行单元统计，统计量【Popu1】=【面积】×【DEN1】，得到【服务范围人口数量】面图层。

➤步骤 6　计算各有效服务区的公园服务水平。

利用【服务范围服务容量】图层中的【Capacity1】字段和【人口统计区 1】图层中的【Popu1】字段，计算各有效服务区的公园服务水平：【CapaPopu】=【Capacity1】/【Popu1】，得到【公园服务水平】面图层。

➤步骤 7　输出分析结果。

(1)利用【公园服务水平】制作专题地图并输出（图 10.15）；

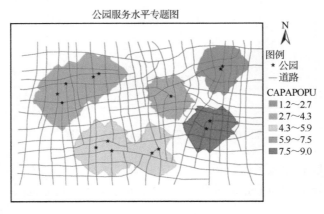

图 10.15　公园服务水平

（2）对【公园服务水平】进行空间单元统计分析，输出统计表和统计图（图 10.16）。

服务区 ID***	面积（km²）	服务容量	人口数量	服务水平	服务区 ID*	面积（km²）	服务容量	人口数量	服务水平
0	3.07	210000	38114	5.51	3	3.04	202000	70540	2.86
1	1.31	112000	12405	9.03	4	1.34	26000	22223	1.17
2	1.12	65000	16136	4.03	/	/	/	/	/

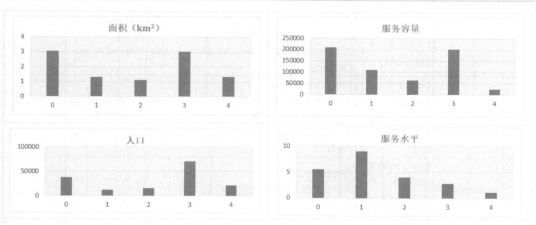

图 10.16　公园服务水平统计表与统计图

4. 计算过程

设施服务水平分析的 G 语言实现如表 10.6 所示。

表 10.6　设施服务水平分析计算过程表

步骤	操作说明	输入	操作	输出	说明
1	制作专题地图	【道路】【公园】【人口统计区】	【说明】专题制图 M 【关键词】替代图层列表|背景图层列表|输出分辨率|{输出模板}|{范围参数#{扩大系数}} KX_Mapping（road@，*gate@，*Bound@|区界|200）	【现状专题地图】MapXZ.jpg	S1：制作输入数据专题地图
2	插入专题地图	【现状专题地图】	【说明】插入图片 【关键词】图片高度(6-12)|{图名过滤信息} KX_InsertPic（12）	1	S2：公园有效服务区分析
3	服务范围	【公园】【道路网络】	【说明】网络分析 【关键词】方法（服务范围-s，邻近距离-n，OD 矩阵-o，点距分析-p）|{参数} 【方法】计算服务范围-s，ServiceArea, f, <V#N, VR>，<{筛选条件}%距离单位(Meter-m|Minute-m2)#{单次点数}|时间或距离列表#{Detail}%{重分类列表}> KX_NetWork（S|M|800#Detail）	【服务范围】FWFW.shp	

步骤	操作说明	输入	操作	输出	说明
4	剪裁	【服务范围】 【人口统计区】	【说明】图层剪裁 M 【关键词】<VR*#V，VR*> KX_Clip	【有效服务范围】 YXFWFW.shp	
5	制作专题地图	【道路】 【公园】 【人口统计区】 【服务范围】	【说明】专题制图 M 【关键词】替代图层列表|背景图层列表|输出分辨率|{输出模板}|{范围参数#{扩大系数}} KX_Mapping(road@，gate@，V1Gray@，V1R@|区界|200)	【服务范围专题地图】 MapFWFW.jpg	
6	制作专题地图	【道路】 【公园】 【人口统计区】 【有效服务范围】	【说明】专题制图 M 【关键词】替代图层列表|背景图层列表|输出分辨率|{输出模板}|{范围参数#{扩大系数}} KX_Mapping(road@，gate@，V1Gray@，V1R@|区界|200)	【有效服务范围专题地图】 MapYXFWFW.jpg	
7	插入专题地图	【服务范围专题地图】 【有效服务范围专题地图】	【说明】插入图片 【关键词】图片高度(6-12)|{图名过滤信息} KX_InsertPic(9)	2	
8	服务容量统计分析	【有效服务范围】 【公园】	【说明】构造缓冲区+统计分析+归一化 M 【关键词】<V#VR*，A>，{泰森多边形(T)|缓冲距|缓冲字段#{A}}|{目标字段=数值|统计量(MIN|MAX|MEAN|SUM|临近距离(NEAR)|点距(PD)|几何量乘字段)}%{归一化(1|2)} KX_BufferStat(Capacity1=CAPACITY)	【服务范围服务容量】 FWFWFWRL.shp	S3: 计算服务容量
9	人口密度计算	【人口统计区】	【说明】字段计算或属性连接 M 【关键词】连接字段列表#|F11#F12#...，F21#F22#...，|计算表达式列表（支持变量[@FSum]）|{归一化} KX_FieldCalculator(FID|POPU#G_Area|DEN1=[F1]/([F2]/1000000))	【人口统计区 1】 RKTJQ1.shp	S4: 计算人口数量
10	人口数量统计分析	【有效服务范围】 【人口统计区 1】	【说明】构造缓冲区+统计分析+归一化 M 【关键词】<V#VR*，A>，{泰森多边形(T)|缓冲距|缓冲字段#{A}}|{目标字段=数值|统计量(MIN|MAX|MEAN|SUM|临近距离(NEAR)|点距(PD)|几何量乘字段)}%{归一化(1|2)} KX_BufferStat(0|Popu1=DEN1)	【服务范围人口数量】 FWFWRK.shp	
11	服务容量计算	【服务范围服务容量】 【服务范围人口数量】	【说明】字段计算或属性连接 M* KX_FieldCalculator(FID| Capacity1，Popu1#G_Area|CapaPopu = [F1]/[F2]，Popu1=[F2]，Area=[F3]/1000000)	【公园服务水平】 GYFWSP.shp	S5: 计算公园服务水平
12	制作专题地图	【公园服务水平】 【道路】 【公园】	【说明】专题制图[M] 【关键词】替代图层列表|背景图层列表|输出分辨率|{输出模板}|{范围参数#{扩大系数}} KX_Mapping(VNGR@服务水平# CapaPopu；5.0，*road@，*gate@|区界|200)	【公园服务水平专题地图】 MapGYFWSP.jpg	S6: 输出分析结果

步骤	操作说明	输入	操作	输出	说明
13	插入专题地图	【公园服务水平专题地图】	【说明】插入图片* KX_InsertPic（12）	3	
14	生成统计表	【公园服务水平】	【说明】表格处理* 【方法】抽取表格数据-s，SelectData，c，<A，A>，<输出字段列表|选择对象（*-所有|对象列表（Name1#Nam2#..）|行筛选（[ID]<25）|SQL 筛选（[F1]>1）），{排序 N1}，{输出行数（*-全部）}，{输出列数}|{后处理（行折叠 M|表转置 T|归一化 S|正负列 Z|求和 S|定制补列 D|名称排名 N|统计图制作 C）}，{别名列表#{固定量（平均值（M1）|数值（3）|区间（6-8）}> KX_Table（S| FID#Area#Capacity1#Popu1#CapaPopu|*，N0，*，2）	4，服务水平信息表	
15	制作统计图	【公园服务水平】	【说明】表格处理** KX_Table（S|FID#Area#Capacity1#Popu1#CapaPopu|*|C）	5， 【统计表】 TJ1.csv	

第 11 章　时空大数据应用

时空大数据是指与时空位置相关的一类大数据，是时空信息与大数据的融合，具有时间维度与空间维度的特性。轨迹数据、社交媒体的位置签到数据、手机信令数据、互联网电子地图、公交刷卡数据等均为时空大数据，这些数据已在居民时空行为研究、城市交通现状研究、城市功能分区研究、城市增长边界的划分、规划评估、城市体检等得到应用。网络地图数据是时空大数据的一大类别，主要来源于谷歌、百度、腾讯、高德等互联网电子地图，如 POI、热力图、实时定位数据，这些互联网公司目前在其开放平台通过 API 向社会提供了这些数据，这些数据具有覆盖面广、更新快、错误少等重要特征，使得时空大数据的广泛应用成为现实。

在 G 语言中，提供了一系列获取网络地图数据(兴趣点、兴趣线、行政区划、兴趣面、瓦片地图、街景图片以及人口迁徙等)的关键词，方便了用户开展网络时空大数方面的研究工作。本章将用 3 个案例来展示 G 语言在时空大数据方面的应用。这 3 个案例分别为"基于 POI 数据的城市用地功能识别""基于街景图片的街道空间品质评价"以及"基于百度迁徙的城市人口流动时空分布格局研究"。

11.1　基于 POI 数据的城市用地功能识别

1. 相关说明

1) 背景及目的

准确识别城市功能用地，有助于了解城市内部空间结构，为城市规划与管理提供决策依据。传统的城市功能区划分研究方法存在主观性较大、数据更新慢以及人工成本高等问题。大数据的兴起以及数据挖掘技术的发展为城市功能区划分研究提供了新的方法，由于 POI 数据具有数据量大、精度高和时效性强等特点，能精细地反映出城市活动状况。为此，利用 POI 数据对城市进行功能分区研究，对了解城市空间结构和指导区域空间优化调控具有现实意义。

慧敏等的论文《基于 POI 大数据划分与识别城市功能区——以南宁市中心城区为例》(黄慧敏等，2021)较为详细地介绍了利用 POI 数据识别城市功能用地的整个过程，本案例是对该论文的过程复现。主要展示 G 语言在 POI 数据获取和分析方面的功能，所用关键词主要包括：

(1)获取兴趣点关键词 KX_BD_GetPOI：用于在百度地图或高德地图获取指定类型的 POI 数据。

(2)空间插值与密度分析关键词 KX_InterDentity：用于对 POI 数据进行核密度分析。

（3）规则网格绘制关键词 KX_DrawGrid：用于绘制规则格网，作为空间统计单元。

（4）增强式单元统计关键词 KX_BufferStat：用于对核密度分析数据进行空间单元统计。

（5）字段统计关键词 KX_FieldStat：用于分组统计单一功能单元和混合功能单元数量。

（6）统计图制作关键词 KX_Table：用于表格行排序、统计表输出和统计图输出。

2）任务要求

（1）获取研究范围公共设施、公司企业、商务住宅、生活服务、购物服务以及体育休闲服务等 6 种 POI 数据，并进行核密度分析。

（2）利用规则网格统计核密度值，根据统计结果进行排序，确定各单元第一占比类型。

（3）利用第一占比值将统计单元划分为单一功能单元、混合功能单元和无数据单元，并进行统计分析。

2. 输入数据

城市用地功能识别的输入数据如表 11.1 所示。

表 11.1　城市用地功能识别输入数据表

序号	对象逻辑名	对象物理名	值及说明
1	【范围图层】	BaseMap/MapRange2.shp	
2	【研究区域】	BaseMap/MapRange2.shp	
3	【瓦片地图】	WPDT3.tif	栅格图层
4	【道路】	CZRoad2.shp	线图层

3. 过程分析

用地功能识别主要流程如图 11.1 所示。

主要过程描述如下。

➤步骤 1　获取 POI 数据。

在高德地图上获取公共设施、公司企业、商务住宅、生活服务、购物服务以及体育休闲服务等 6 种 POI 数据，得到【POI_公共设施】…【POI_体育休闲服务】等点图层；

➤步骤 2　核密度分析。

（1）对所获得的【POI_公共设施】…【POI_体育休闲服务】图层进行核密度分析，得到【RL_公共设施】…【RL_体育休闲服务】等栅格图层。

（2）分别制作各类 POI 分析图和核密度图并输出（图 11.2）。

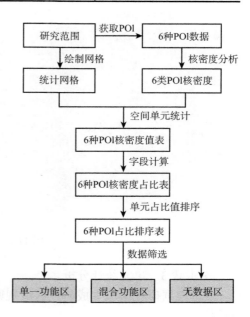

图 11.1　用地功能识别流程图

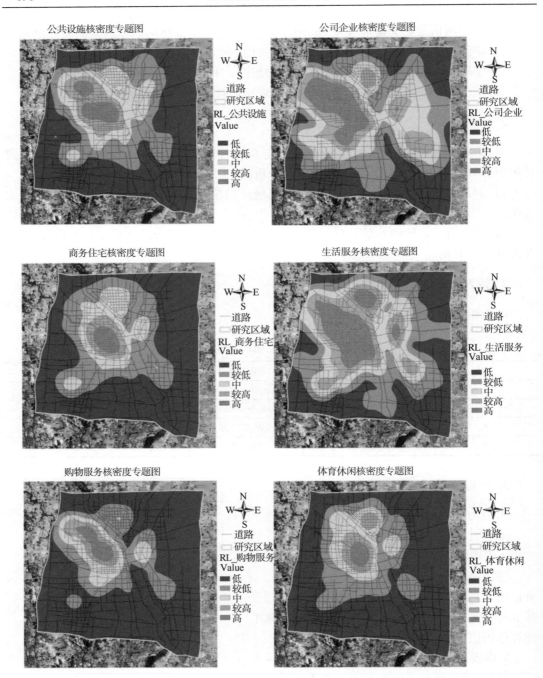

图 11.2　6 类 POI 核密度图

➤步骤 3　单元统计分析。

(1)根据研究区域生成研究区域规则网格，作为空间统计单元，得到【统计网格】面图层。

(2)将【统计网格】作为统计图层对【RL_公共设施】…【RL_体育休闲服务】进行空间单元统计，得到反映各统计单元各类 POI 核密度值的统计表【核密度统计表】。

(3)将【核密度统计表】按式(11.1)转换为反映各统计单元内各类 POI 核密度所占比例的【类型比例表】。

$$C_i = d_i/D \times 100 \tag{11.1}$$

式中，i 为 POI 类型序号；C_i 表示类型比例，表示每一个地块单元内第 i 种类型 POI 的核密度占比；d_i 为第 i 类 POI 在地块单元内的核密度总和；D 为单元中所有 POI 类型的核密度总和。

➢步骤4　单元功能区划分。

(1)将【类型比例表】各统计单元中所有类型比例进行排序，得到【类型比例排序表】并输出(图 11.3)。

网格单元 POI 核密度占比排序

名称*	第 1 占比		第 2 占比		第 3 占比		第 4 占比		第 5 占比		第 6 占比	
	类型	值	类型	值	类型	值	类型	值	类型	值	类型	值
0	购物服务	48.22	生活服务	33.11	公司企业	14.28	商务住宅	3.63	体育休闲服务	0.75	公共设施	0
1	公共设施	0	公共设施	0	公共设施	0	公共设施	0	公共设施	0	公共设施	0
2	购物服务	44.64	公司企业	32.54	生活服务	17.80	商务住宅	5.02	公共设施	0	公共设施	0
3	购物服务	43.29	公司企业	28.43	生活服务	27.68	商务住宅	0.42	体育休闲服务	0.10	公共设施	0.08
4	公司企业	36.83	购物服务	35.56	生活服务	25.97	商务住宅	0.77	体育休闲服务	0.65	公共设施	0.21
5	购物服务	46.30	生活服务	28.71	公司企业	22.01	体育休闲服务	1.54	商务住宅	0.97	公共设施	0.47
6	购物服务	52.28	生活服务	29.12	公司企业	14.57	体育休闲服务	1.82	商务住宅	1.27	公共设施	0.94
7	购物服务	36.56	公司企业	25.01	生活服务	24.90	商务住宅	6.54	体育休闲服务	6.06	公共设施	0.91
8	生活服务	34.42	购物服务	23.14	公司企业	19.94	商务住宅	14.74	体育休闲服务	7.76	公共设施	0
158	公司企业	56.81	购物服务	24.30	生活服务	16.73	商务住宅	2.14	公共设施	0.02	体育休闲服务	0

图 11.3　POI 类型比例排序表图

(2)将统计单元分为 3 类：单一功能单元，【类型比例排序表】中第一占比值大于 50%，功能区性质为第一占比类型；混合功能单元，第一占比值小于 50%，大于 0%，功能区性质由第一占比类型和第二占比类型共同确定；无数据单元，第一占比值为 0%。得到【统计单元功能表】。

步骤 5　分析结果输出。

(1)将【统计单元功能表】空间化处理，得到【统计网格 1】面图层，制作专题地图并输出(图 11.4)；

(2)从【统计网格 1】分别提取混合功能单元和单一功能单元，并分别制作统计图输出(图 11.5)。

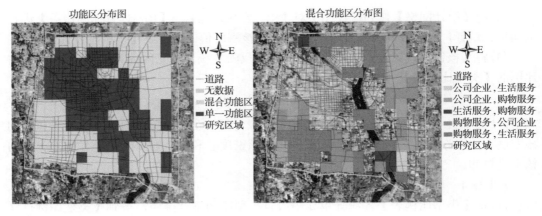

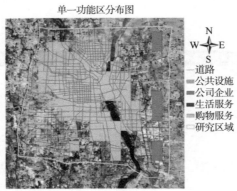

图 11.4　统计单元功能分布图

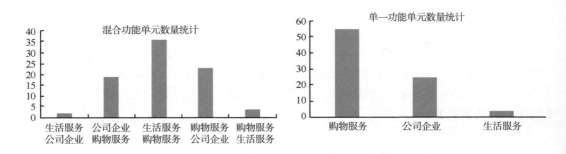

图 11.5　混合功能单元与单一功能单元统计图

4. 计算过程

城市用地功能识别的 G 语言实现如表 11.2 所示。

表 11.2　城市用地功能识别计算过程表

步骤	操作说明	输入	操作	输出	说明
1	提取高德地图 POI	【@[1：7]研究区域】	【说明】获取兴趣点数据 【关键词】地图类型|POI 类型列表|{子区大小#起始序号} KX_BD_GETPOI(GD|{公共设施；公司企业；商务住宅；生活服务；购物服务；体育休闲服务}|1)	【POI_[公共设施；公司企业；商务住宅；生活服务；购物服务；体育休闲服务]】 POI_[1：6].shp	S1：获取 POI 数据
2	核密度分析	【POI_[公共设施；公司企业；商务住宅；生活服务；购物服务；体育休闲服务]】	【说明】空间插值或密度分析[M] 【关键词】操作字段或*|插值(反距离权重-F|自然邻域 Z|样条函数-Y|趋势面-Q|泰森多边形-T|克里金法-K#模型(Spherical-S|Circular-C|-Exponential-E|Gaussian-G|Linear-L)|密度分析(核密度-H|点密度或线密度-M)|{搜索点数量}或搜索半径(100|R0.1)%{重分类信息} KX_InterDensity(*|H|R0.1)	【RL_[公共设施；公司企业；商务住宅；生活服务；购物服务；体育休闲服务]】 RL_[1：6].tif	S2：
3	制作专题图	【@研究区域[公共设施；公司企业；商务住宅；生活服务；购物服务；体育休闲服务]】 【POI_[*]】 【@道路[*]】 【@瓦片地图[*]】	【说明】专题制图[M]* KX_Mapping(CJFW10@，POI@，*roads3@道路，*Map@基础图|区界|200|1|*#1.1)	【[公共设施；公司企业；商务住宅；生活服务；购物服务；体育休闲服务]专题图】 T_POI_[1：6].jpg	
4	制作专题图	【@研究区域[公共设施；公司企业；商务住宅；生活服务；购物服务；体育休闲服务]】 【RL_[*]】 【@道路[*]】 【@瓦片地图[*]】	【说明】专题制图[M]* KX_Mapping(CJFW3@，RNGR@#低；较低；中；较高；高，*roads3@道路，*Map|区界|200|1|*#1.1)	【[公共设施；公司企业；商务住宅；生活服务；购物服务；体育休闲服务]核密度专题图】 RL_[1：6]K.jpg	
5	插入专题图	【[公共设施；公司企业；商务住宅；生活服务；购物服务；体育休闲服务]专题图】 【[*]核密度专题图】	【说明】插入图片* KX_InsertPic(12)	1	
6	制作网格	【研究区域】	【说明】绘制网格 【关键词】单元大小(宽度-km|A 面积-km²|C 列数|R 行数)，关系(WithIn-w|Clip-c|Intersect-i，inter|all-*)，形状(Square-s|Hexagon-h|Point-p) KX_DrawGrid(C15，Within，S)	【统计网格】 StatGrid.shp	S3：单元统计分析

步骤	操作说明	输入	操作	输出	说明
7	单元统计	【统计网格】 【RL_[公共设施；公司企业；商务住宅；生活服务；购物服务；体育休闲服务]】	【说明】构造缓冲区+统计分析+归一化[M] 【关键词】<V#VR*，A>，{泰森多边形(T)|缓冲距|缓冲字段#{A}}|{目标字段=数值|统计量(MIN|MAX|MEAN|SUM|临近距离(NEAR)|点距(PD)|几何量乘字段)}%{归一化(1|2)} KX_BufferStat(0|SUM1，SUM2，SUM3，SUM4，SUM5，SUM6)	【统计表1】 Report1.csv	
8	行排序	【统计表1】	【说明】表格处理* 【关键词】方法(同类表拼接-j，表格转置-t，抽取数据-s，多对一表连接-l，值类别纵转横[M]-r)|{参数} KX_Table(S| FID#SUM1-公共设施# SUM2-公司企业# SUM3-商务住宅# SUM4-生活服务# SUM5-购物服务# SUM6-体育休闲服务|，*，10|-P)	2，占比排序 【类型比例排序表】 Report11.csv	S4：统计单元排序
9	功能区划分	【类型比例排序表】	【说明】字段计算或属性连接[M]* KX_FieldCalculator(FID|Name1#Value1#Name2#Value2|FuncID=DFun([F2]，0#50；0；1；2))	【统计单元功能表】 Report12.csv	S5：分析结果输出
10	表连接	【统计网格】 【统计单元功能表】	【说明】字段计算或属性连接[M]* KX_FieldCalculator(FID|NAME1#NAME2#FuncID|NAME1_T=[F1]，NAME2_T=[F2]，FuncID=[F3])	【统计网格1】 StatGrid1.shp	
11	制作专题图	【@研究区域[1：3]】 【@统计网格1[*]】 【@道路[*]】 【@瓦片地图[*]】	【说明】专题制图[M]* KX_Mapping（CJFW3@，{[FuncAll；FuncMix；FuncSingle]}@，*，*roads3@道路，*Map|区界|200|1|*#1.1)	【功能区分布图】 MapFuncAll.jpg 【混合功能区分布图】 MapFuncMix.jpg 【单一功能区分布图】 MapFuncSingle.jpg	
12	插入专题图	【功能区分布图】 【混合功能区分布图】 【单一功能区分布图】	【说明】插入图片* KX_InsertPic(12)	3	
13	特征筛选	【统计网格1】	【说明】筛选+栅格化|缓冲区|欧式距离|成本距离+重分类[M]* KX_SelRasDisReclass(FuncID|1)	【统计网格-混合】 StatGrid-Mix.shp	
14	特征筛选	【统计网格1】	【说明】筛选+栅格化|缓冲区|欧式距离|成本距离+重分类[M]* KX_SelRasDisReclass(FuncID|2)	【统计网格-单一】 StatGrid-Single.shp	
15	字段统计	【统计网格-混合】	【说明】字段分组统计[M] 【关键词】统计类型(数值(频率)|*(总体)|组字段列表)，统计字段列表，{单个输出量(count|sum|mean|min|max|svar)} KX_FieldStat(Name1#Name2，FID)	【数量统计-混合】 StatMix.csv	
16	字段统计	【统计网格-混合】	【说明】字段分组统计[M]* KX_FieldStat(Name1，FID)	【数量统计-单一】 StatSingle.csv	

续表

步骤	操作说明	输入	操作	输出	说明
17	制作统计图	【数量统计-混合】	【说明】表格处理** KX_Table（S|Name1#Name2#Count|*|C）	4 【数量统计-混合 1】 StatMix1.csv	
18	制作统计图	【数量统计-单一】	【说明】表格处理** KX_Table（S|Name1 #Count|*|C）	5 【数量统计-单一 1】 StatSinge1.csv	

11.2　基于街景图片的街道空间品质评价

1. 相关说明

1）背景与目的

街道空间品质通常是指对街道的物质要素组成和环境景观质量水平的感知，提高街道空间品质的前提条件是需要对街道空间品质进行评价。对于街道空间品质评价的研究，在过去，通常采用社会调查的定性研究方法，其指标测度对人的主观判断依赖度高，且费时费力。随着网络大数据时代的到来，诸如谷歌、百度、腾讯等所提供的地图街景可以让研究者足不出户就能获取多个地点的街道空间实景图像，这为大规模评价城市建成环境质量提供了可能。使用街景图像数据研究城市空间环境已经成为一种趋势（张丽英等，2019）。

本案例采用百度地图的街景图片，对某市中心城区的 6 条街道从街道围合度、街道绿视率、街道开阔度和街道机动车率等 4 个指标进行街道空间品质对比分析研究。本案例主要展示了 G 语言在街景图片获取和图像识别方面的功能，所用关键词主要包括：

（1）布设采样点关键词 KX_BD_GetStreetPT：用于在指定道路按指定间距布设采样点。

（2）获取街景图片关键词 KX_BD_GetStreetPic：用于在百度地图获取指定位置和拍摄角度的街景图片。

（3）图像识别关键词 KX_PicRecognition：用于对获取的街景图片进行批量识别。

（4）字段统计关键词 KX_FieldStat：用于将表格按照采样点和道路进行分组统计。

（5）统计图制作关键词 KX_Table：用于表格行排序、统计表输出和统计图输出。

2）街道空间品质评价

评价街道空间品质有不同的量化指标，本案例采用街道绿视率、街道围合度、街道开阔度和街道机动化率 4 项指标。

（1）街道绿视率：指人们所能看到的街景中绿色所占的比例，该指标以人对环境的感知为衡量准则，更能体现公共空间的环境质量。本案例采用街景图片中树、草和植物等植被要素的占比来作为街道绿视率的量化指标，计算公式如下：

$$街道绿视率 = R_{树} + R_{草} + R_{植物} \tag{11.2}$$

(2)街道围合度：指建筑物、墙体及其他构筑物围合形成的公共空间的程度。一般来说，围合度高的街道空间给人带来一定的舒适感和可荫蔽的感觉。本案例采用街景图片中墙、建筑、高楼、房子和树等要素在所有要素中占比作为街道围合度的量化指标，计算公式如下：

$$街道围合度 = R_{墙} + R_{建筑} + R_{高楼} + R_{房子} + R_{树} \qquad (11.3)$$

(3)街道开阔度：指在观察点上所看到的天空面积所占的比例。街道开阔度与围合度相反，通常围合度越高的街道开阔度越低。本案例采用街景图片中天空要素占比作为街道开阔度的量化指标，计算公式如下：

$$街道开阔度 = R_{天空} \qquad (11.4)$$

(4)街道机动化率：指街道通行状况，一方面可以反映街道承担交通功能的比例和车辆通行效率，另一方面可以反映街道对于行人友好程度。本案例采用街景图片中机动车(轿车、公交车)和道路的占比与行人和人行道的占比的差值来表示，计算公式如下：

$$街道机动化率 = R_{轿车} + R_{公交车} + R_{道路} - R_{行人} - R_{人行道} \qquad (11.5)$$

3)任务要求

(1)利用百度地图街景 API 获取指定道路上采样点处的街景图片，并利用图像识别的方法识别目标要素。

(2)通过统计分析的方法获得反映街道空间品质在街道绿视率、街道围合度、街道开阔度和街道机动化率 4 个维度的评价指标。

2. 输入数据

街道空间品质评价的输入数据如表 11.3 所示。

表 11.3　街道空间品质评价输入数据表

序号	对象逻辑名	对象物理名	值及说明
1	【范围图层】	ZXCQFW5.shp	
2	【研究区域】	ZXCQFW5.shp	
3	【中心城区】	BaseMap/MapRange2.shp	
4	【瓦片地图】	WPDT3.tif	栅格图层
5	【道路】	CZRoad2.shp	线图层

3. 过程分析

街道空间品质评价主要流程如图 11.6 所示。

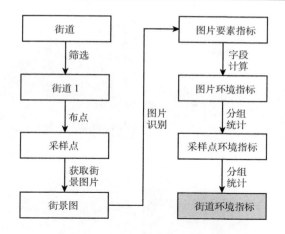

图 11.6　街道空间品质评价主要流程

主要过程描述如下。

➤步骤 1　筛选街道。

从【街道】中根据需要筛选需要布设采样点的道路，得到【街道 1】线图层。

➤步骤 2　布设采样点。

(1)根据【街道 1】按照指定的间隔距离布设街景图片采样点位置，得到【采样点】点图层。

(2)利用【采样点】绘制并输出专题地图(图 11.7)。

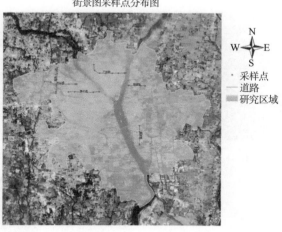

图 11.7　街景图采样点

➤步骤 3　采集街景图片。

(1)在百度地图上，按照指定的观察角度(方位角、俯仰角以及视场角)获取【采样点】中每个采样点处的街景图片，存放在【街景图片】目录中。

(2)输出【街景图片】中部分街景图片(图 11.8)。

大山路_0_前

大山路_0_左

大山路_0_右

大山路_1_前

图 11.8　在百度地图所获取的街景图

➤步骤 4　街景图片识别。

对【街景图片】目录每张图片进行识别，识别要素包括树、草、植物、墙、建筑、高楼、房子、树、天空、轿车、公交车、道路、行人、人行道。之后对识别的要素按指定颜色进行渲染。最后，输出反映各图片各要素空间占比指标的统计文件【图片要素指标】（图 11.9）。

临西十二路_0_右

临西十二路_0_右（识别）

临西十二路_1_前

临西十二路_1_前（识别）

图 11.9　街景图的识别

➢步骤 5　单张图片环境指标计算。

在【图片要素指标】的基础上，根据式(11.2)～式(11.5)计算各张街景图片的街道围合度、街道绿视率、街道开阔度和街道机动车率等 4 个指标，得到【图片环境指标】表格文件。

➢步骤 6　采样点环境指标计算。

(1)按街景采用点名称分组统计各街景采用点的 4 项指标，得到【采样点环境指标】表格文件。

(2)将【采样点环境指标】进行空间化，制作专题地图并输出(图 11.10)。

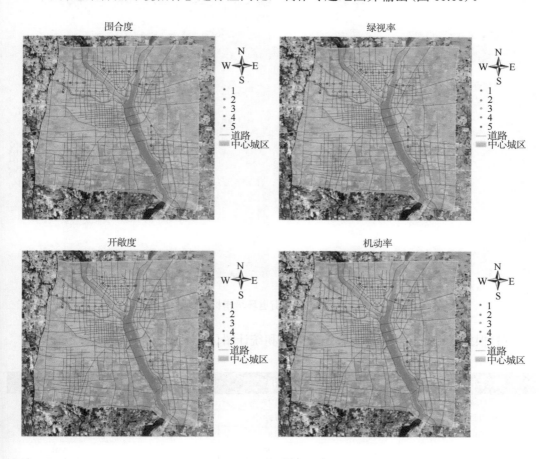

图 11.10　采样点环境指标

➢步骤 7　街道环境指标计算。

(1)按街道名称分组统计各街道的 4 项指标，得到【街道环境指标】表格文件；

(2)将【街道环境指标】空间化，制作专题地图并输出(图 11.11)；

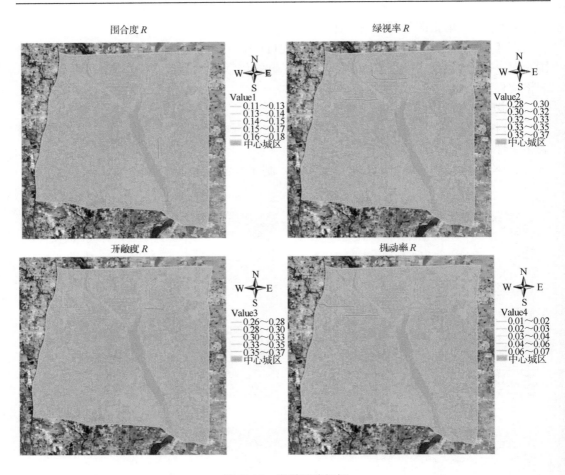

图 11.11　街道环境指标

(3) 根据【街道环境指标】输出统计表和统计图(图 11.12)。

道路名称*	围合度	绿视率	开敞度	机动率
广州路	0.11	0.37	0.29	0.02
桃园街	0.12	0.28	0.37	0.01
育才路	0.12	0.37	0.26	0.07
海关路	0.18	0.29	0.35	0.01
临西十二路	0.16	0.28	0.31	0.02
大山路	0.12	0.28	0.34	0.06

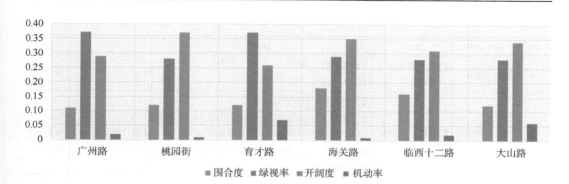

图 11.12　街道环境指标统计表和统计图

（4）将【街道环境指标】分别按街道围合度、街道绿视率、街道开阔度和街道机动车率进行排名处理，输出排名统计表（图 11.13）。

评价指标排行

排序*	围合度		绿视率		开敞度		机动率	
	名称	值	名称	值	名称	值	名称	值
1	海关路	0.18	广州路	0.37	桃园街	0.37	育才路	0.07
2	临西十二路	0.16	育才路	0.37	海关路	0.35	大山路	0.06
3	育才路	0.12	海关路	0.29	大山路	0.34	临西十二路	0.02
4	桃园街	0.12	大山路	0.28	临西十二路	0.31	广州路	0.02
5	大山路	0.12	桃园街	0.28	广州路	0.29	桃园街	0.01
6	广州路	0.11	临西十二路	0.28	育才路	0.26	海关路	0.01

图 11.13　街道环境指标排序

4. 计算过程

街道空间品质评价的 G 语言实现如表 11.4 所示。

表 11.4　街道空间品质评价计算过程表

步骤	操作说明	输入	操作	输出	说明
1	道路选取	【道路】	【说明】筛选特征并栅格化 【关键词】检索字段|检索项列表|{栅格化字段或常数} KX_SelectFeature（Name|大山路，桃园街，海关路，临西十二路，育才路，广州路）	【道路 1】 Road1.shp	S1： 道路筛选
2	布设采样点	【道路 1】	【说明】布设采样点 【关键词】筛选条件，采样距离，名称字段，{方向} KX_BD_GetStreetPT（Name|*，1000，Name，1）	【采样点 1000】 StreetPT1000.shp	S2： 布设采样点
3	制作专题题图	【研究区域】 【采样点 1000】 【道路 1】 【瓦片地图】	【说明】专题制图[M]* KX_Mapping（*CJFW2@，*采样点，*Roads3T@道路，*Map|区界|200|1|*#1.1）	【街景图采样点分布图】 StreetPT.jpg	

步骤	操作说明	输入	操作	输出	说明
4	插入专题图	【街景图采样点分布图】	【说明】插入图片* KX_InsertPic(12)	1	
5	获取街景图片	【采样点 1000】	【说明】获取街景图片 2 【关键词】图商|拍摄方位角列表#{采样点范围(1-150)}|镜头角度|图片尺寸|{最多显示图片} KX_BD_GetStreetPic2(BD|前，左，右|90#10|1024#512#6|6)	2 【图片目录 1000】 KX1000	S3: 获取街景图片
6	图像识别	【图片目录 1000】	【说明】街景图片识别 【关键词】{@-跳过识别}识别类列表(识别类#颜色(*-透明)#{矢量化类别 ID})|插入图片大小#显示图片数|名称数量(1)|筛选长度(*-不筛选，max-取最大，其他值) KX_PicRecognition(墙#g_y4，建筑#g_y4，高楼#g_y4，房子#g_y4， 树#g_g4，草#g_g4，植物#g_g4， 天空#g_b4， 行人#g_r3，汽车#g_r3，公交车#g_r3，自行车#g_r3|6#4|3)	3 【图片要素指标】 TPYSindex.csv	S4: 图像识别
7	字段处理	【图片要素指标】	【说明】字段计算或属性连接[M]* KX_FieldCalculator(PicName|墙#建筑#高楼#房子#树#草#植物#天空#行人#汽车#公交车#PtName#RoadName| 围合度=[F1]+[F2]+[F3]+[F4]，绿视率=[F5]+[F6]+[F7]，开敞度=[F8]，机动率=[F9]+[F10]+[F11])	【图片环境指标】 TPHJindex.csv	S5: 单张照片指标计算
8	分组统计	【图片环境指标】	【说明】字段分组统计[M] 【关键词】统计类型(数值(频率)|*(总体)|组字段列表)，统计字段列表，{单个输出量(count|sum|mean|min|max|svar)} KX_FieldStat(PtName，围合度#绿视率#开敞度#机动率)	【采样点环境指标】 CYDindex.csv	S6: 采样点指标计算
9	空间连接	【采样点 1000】 【采样点环境指标】	【说明】字段计算或属性连接[M]* KX_FieldCalculator(Name，ptName|mean[1：4]|Value[1：4]=[F1])	【采样点 2】 StreetPT2.shp	

10	重分类	【@[1:4]采样点2】	【说明】重分类
			【关键词】{{分类字段}，{目标字段}，{缺省值}}#重分类表达式
			KX_Reclass(Value1，Rvalue_S，1|2|3|4|5)
				【PTValue[1：4]】
				PTValue[*].shp	

续表

步骤	操作说明	输入	操作	输出	说明
11	制作专题地图	【@中心城区 [1：4]】 【PTValue[*]】 【@道路[*]】 【@瓦片地图[*]】	【说明】专题制图[M]* KX_Mapping（CJFW2@，*V5GRP@，*Roads3@，*Map@背景地图|区界|200|1|*#1.1)	【围合度】 Value1.jpg 【绿视率】 Value2.jpg 【开敞度】 Value3.jpg 【机动率】 Value4.jpg	
12	插入专题图	【围合度】 【绿视率】 【开敞度】 【机动率】	【说明】插入图片* KX_InsertPic（12）	4	街道环境指标
13	分组统计	【图片环境指标】	【说明】字段分组统计[M] 【关键词】统计类型（数值（频率）|*（总体）|组字段列表，统计字段列表，{单个输出量（count|sum|mean|min|max|svar）} KX_FieldStat（RoadName，围合度#绿视率#开敞度#机动率）	【街道环境指标】 JDHJindex.csv	S7： 道路指标计算
14	空间连接	【道路1】 【街道环境指标】	【说明】字段计算或属性连接[M]* KX_FieldCalculator（Name，RoadName|mean[1：4]|Value[1：4]=[F1])	【道路2】 Road2.shp	S8： 成果输出
15	专题制图	【@中心城区 [1：4]】 【@道路2[*]】 【@瓦片地图[*]】	【说明】专题制图[M]* KX_Mapping（CJFW10@，*StRoad#{ Value[1：4]}；5.00，*Map@背景地图|区界|200|1|*#1.1)	【[围合度；绿视率；开敞度；机动率]R】 Value[1：4]R.jpg	
16	插入专题图	【围合度；绿视率；开敞度；机动率]R】	【说明】插入图片* KX_InsertPic（12）	5	
17	表格处理	【道路2】	【说明】表格处理** KX_Table（C|Name#Value[1：4]|*)	6，街道环境质量评价统计表 【街道环境质量评价】 PJ5.csv	
18	表格处理	【街道环境质量评价】	【说明】表格处理** KX_Table（C|Name#Value1-围合度# Value2-绿视率#Value3-开阔度# Value4-机动率|* |C)	7，图街道环境质量评价统计图	
19	属性输出	【道路2】	【说明】表格处理** KX_Table（C|NAME# Value[1：4] |*|-N)	8，评价指标排行	

11.3　基于百度迁徙的城市人口流动时空分布格局研究

1. 相关说明

1) 背景及目的

人口流动趋势是城市与城市间联系的重要指标，研究城市间的联系度，实际上是研究人的联系。因此，通过城市人口流动的时空分布，可以评价城市联系性、城市吸引力与中心度等城市发展指标，并推动各区域经济空间格局的重构，进而指导城市的未来发展与转型。

近些年，随着百度迁徙数据和腾讯迁徙数据的推出，利用新兴移动位置数据研究区域人口流动的时空分布，也逐步成为空间规划与经济地理的研究热点。

本案例是中国规划设计研究院研究生吴昌琦完成的一个实践作业，该案例参照了郭诗洁等的论文——《基于腾讯迁徙数据的城市人口流动时空分布格局——以西安市为例》（郭诗洁等，2021），复现了通过人口迁徙数据评价城市人口流动时空分布格局的过程。本案例主要展示 G 语言在人口迁徙数据获取和分析方面的功能，所用关键词主要包括：

(1) 获取兴趣面 KX_BD_GetAOI：用于在高德地图获取指定城市的行政区界。

(2) 获取人口迁徙数据 KX_BD_GetQX：用于在百度地图迁徙大数据平台获取人口迁徙数据。

(3) 字段计算器 KX_FieldCalculator：用于多表字段的处理。

(4) OD 弧绘制关键词 KX_DrawOD：用于绘制两城市之间的连接弧。

(5) 统计图制作关键词 KX_Table：用于表格排名并制作系列统计图。

2) 任务要求

(1) 获取 2021 年国庆节期间上海市、杭州市、南京市、合肥市与长三角各地级市间迁入、迁出人口规模。

(2) 分析 2021 年国庆节期间上海市、杭州市、南京市、合肥市与长三角各地级市人口迁入、迁出规模空间分布与排名。

2. 输入数据

人口流动时空分布格局研究的输入数据如表 11.5 所示。

表 11.5　人口流动时空分布格局研究评价输入数据表

序号	对象逻辑名	对象物理名	值及说明
1	【范围图层】	BaseMap/MapRangeChinaP.shp	

3. 过程分析

人口流动时空分布格局研究主要流程如图 11.14 所示。

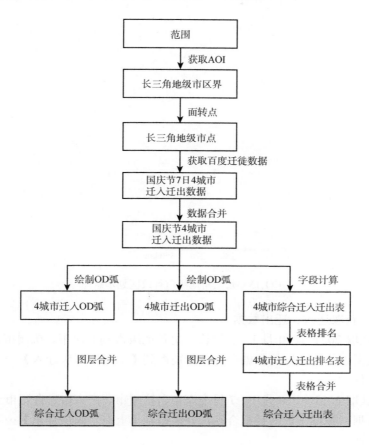

图 11.14　人口流动时空分布格局研究主要流程

主要过程描述如下。

➤步骤 1　提取城市行政区划数据。

(1)提取上海、浙江、江苏和安徽的省界数据，得到【省界面】面图层。

(2)提取上海、浙江、江苏和安徽的市界数据，得到【市界面】面图层。

(3)将【省界面】【市界面】分别转换为【省界】【市界】线图层。

(4)将【市界面】分别转换为【城市点】点图层。

(5)利用【省界】【市界】绘制并输出专题地图(图 11.15)。

图 11.15　长三角地级市行政区划示意图

➤步骤 2　获取迁入、迁出数据。

(1) 分别获取 2021 年 10 月 1～7 日长三角各地级市到上海市、杭州市、南京市、合肥市的迁入数据，并将 7 日的数据合并，分别得到【上海市国庆迁入】…【合肥市国庆迁入】表格文件。

(2) 分别获取 2021 年 10 月 1～7 日上海市、杭州市、南京市、合肥市至长三角各地级市的迁出数据，并将 7 日的数据合并，分别得到【上海市国庆迁出】…【合肥市国庆迁出】表格文件。

➤步骤 3　绘制迁入、迁出图。

(1) 分别根据【上海市国庆迁入】…【合肥市国庆迁入】数据文件，生成国庆节期间长三角各地级市到上海市、杭州市、南京市、合肥市的迁入图层，得到【上海市国庆迁入 OD】…【合肥市国庆迁入 OD】线图层。

(2) 分别根据【上海市国庆迁出】…【合肥市国庆迁出】数据文件生成国庆节期间上海市、杭州市、南京市、合肥市至长三角各地级市的迁出图层，得到【上海市国庆迁出 OD】…【合肥市国庆迁出 OD】线图层。

(3) 分别根据【上海市国庆迁入 OD】…【合肥市国庆迁出 OD】图层绘制专题地图，并输出 (图 11.16)。

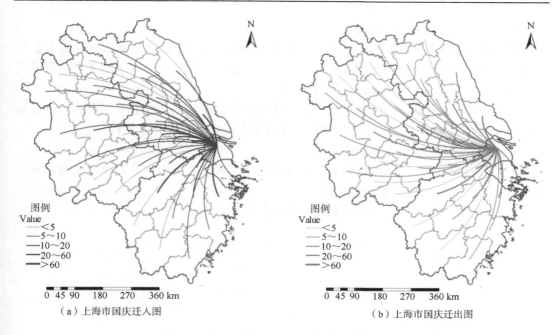

（a）上海市国庆迁入图　　　　　（b）上海市国庆迁出图

图 11.16　迁入、迁出图（部分）

（4）将【上海市迁入 OD】…【合肥市迁入 OD】等 4 个图层合并，得到【长三角迁入 OD】线图层；将【上海市迁出 OD】…【合肥市迁出 OD】等 4 个图层合并，得到【长三角迁出 OD】线图层，并制图输出（图 11.17）。

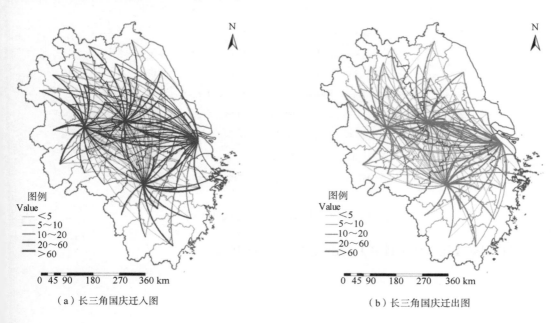

（a）长三角国庆迁入图　　　　　（b）长三角国庆迁出图

图 11.17　迁入、迁出综合图

➢步骤4　迁入迁出排名。

(1)分别根据【上海市国庆迁入】与【上海市国庆迁出】…【合肥市国庆迁入】与【合肥市国庆迁出】计算包含迁入量、迁出量、净迁入量的数据表，得到【上海市国庆迁入迁出】…【合肥市国庆迁入迁出】表格文件。

(2)分别将【上海市国庆迁入迁出】…【合肥市国庆迁入迁出】数据表进行排名处理，得到【上海市国庆迁入迁出排名】…【合肥市国庆迁入迁出排名】表格文件。

➢步骤5　迁入迁出排名输出。

(1)【上海市国庆迁入迁出排名】…【合肥市国庆迁入迁出排名】进行纵向合并，得到【国庆迁入迁出排名】表格文件。

(2)根据【国庆迁入迁出排名】输出统计表(图11.18)。

	排名	迁入		迁出		净迁入		净迁出	
		城市	值	城市	值	城市	值	城市	值
上海	1	苏州市	111.78	苏州市	116.13	南通市	4.02	苏州市	4.35
	2	南通市	45.56	南通市	41.54	宁波市	1.80	湖州市	2.52
	3	杭州市	35.37	杭州市	36.46	北京市	1.20	昆明市	1.55
	4	嘉兴市	34.41	嘉兴市	35.82	福州市	1.20	舟山市	1.50
杭州	1	绍兴市	79.72	绍兴市	79.66	宁波市	4.56	湖州市	14.45
	2	嘉兴市	76.81	嘉兴市	78.13	金华市	4.12	舟山市	2.45
	3	金华市	59.27	湖州市	66.60	上海市	3.01	嘉兴市	1.32
	4	湖州市	52.15	金华市	55.15	上饶市	2.93	南京市	1.17
南京	1	镇江市	56.89	镇江市	65.13	南通市	2.05	镇江市	8.24
	2	滁州市	45.85	滁州市	47.42	盐城市	1.99	常州市	2.73
	3	淮安市	35.61	淮安市	35.86	上海市	1.82	滁州市	1.57
	4	马鞍山市	34.49	马鞍山市	33.53	徐州市	1.62	湖州市	0.97
合肥	1	六安市	92.58	六安市	92.91	阜阳市	5.20	芜湖市	4.25
	2	安庆市	60.64	淮南市	56.27	安庆市	4.42	池州市	3.83
	3	淮南市	58.63	安庆市	56.22	亳州市	3.67	黄山市	3.27
	4	阜阳市	44.38	芜湖市	43.30	宿州市	2.64	南京市	3.06

图11.18　迁入、迁出排名统计表图

(3)根据【迁入迁出排名】输出统计图(图11.19)。

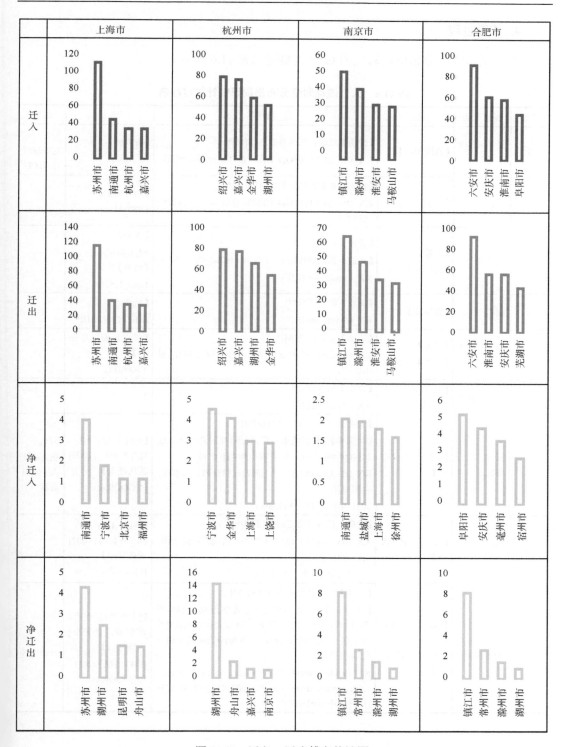

图 11.19　迁入、迁出排名统计图

4. 计算过程

人口流动时空分布格局研究的 G 语言实现如表 11.6 所示。

表 11.6　人口流动时空分布格局研究计算过程表

步骤	操作说明	输入	操作	输出	说明
1	提取行政区界	【范围图层】	【说明】获取行政区界或 AOI[M]* KX_BD_GETAOI（GD|上海，浙江，江苏，安徽）	【省界面】 SJ_M.shp	S1： 提取城市行政区划
2	提取行政区界	【范围图层】	【说明】获取行政区界或 AOI[M]* KX_BD_GETAOI（GD|上海市，浙江省*，江苏省*，安徽省*）	【市界面】 DJSJ_M.shp	
3	面转线	【省界面】 【市界面】	【说明】转换工具* 【方法】面层转线层-p，P2Line，p2l，<V*，V*> KX_Conversion（P2L）	【省界】 SJ_L.SHP 【市界】 DJSJ_L.SHP	
4	面转点	【市界面】	【说明】转换工具** KX_Conversion（f）	【城市点】 SHI_POINT.SHP	
5	制作专题题图	【省界】 【市界】	【说明】专题制图[M]* KX_Mapping（省界@省界，*市界@市界|区界|100|1|*）	【长三角地级市分布】 YJQY.JPG	
6	插入专题图	【长三角地级市分布】	【说明】插入图片* KX_InsertPic（12）	1	
7	获取迁入数据	【@[1：28]城市点】	【说明】获取百度迁徙数据[M] 【关键词】目标省或市名称列表|日期列表|迁入或迁出[in or out]列表|目标省或市标识[p or c] KX_BD_GetQX（{[7*；上海市；杭州市；南京市；合肥市]}| 202110{[01：07；*4]}|in|c）	【[SH；HZ；NJ；HF；*；1001：1007]国庆迁入】 [*]GQQR.csv	S2： 获取迁入、迁出数据
8	获取迁出数据	【@[1：28]城市点】	【说明】获取百度迁徙数据[M]* KX_BD_GetQX（{[7*；上海市；杭州市；南京市；合肥市]}| 202110{[01：07；*4]}|out|c）	【[SH；HZ；NJ；HF；*；1001：1007]国庆迁出】 [*]GQQC.csv	
9	多日迁入数据合并	【[SH；HZ；NJ；HF；*；1001：1007] 国庆迁入】	【说明】字段计算或属性连接[M] 【关键词】{$-文件变量}连接字段列表{#S-求和}|F11#F12#...，F21#F22#...|计算表达式列表（{*-因子归一化}FN1=expr1，...（变量[@FSum]）|{归一化（1-正|2-反）} KX_FieldCalculator（from| value，value，value，value，value，value，value#to|QR1=[F1]+[F2]+[F3]+[F4]+[F5]+[F6]+[F7]）	【[上海市；杭州市；南京市；合肥市]国庆迁入】 [SH；HZ；NJ；HF]GQQR.csv	

步骤	操作说明	输入	操作	输出	说明
10	多日迁出数据合并	【[SH；HZ；NJ；HF；*；1001：1007]国庆迁出】	【说明】字段计算或属性连接[M]* KX_FieldCalculator(to| value，value，value，value，value，value#from|QC1=[F1]+[F2]+[F3]+[F4]+[F5]+[F6]+[F7])	【[上海市；杭州市；南京市；合肥市]国庆迁出】[SH；HZ；NJ；HF]GQQC.csv	
11	绘制OD图构建OD线数据	【@城市点[上海市；杭州市；南京市；合肥市]】【[*]国庆迁入】	【说明】OD弧线图[M] 【关键词】连接信息(点层信息(连接表或*|页号|点号字段|连接弧信息)|线层信息(连接值信息))|{弧方向(*-反向)}弧绘制信息 KX_BD_OD(*|0|NAME|From#OD1，To#OD2，QR1#Value_D| 0.1#200#100)	【[上海市；杭州市；南京市；合肥市]国庆迁入OD】[SH；HZ；NJ；HF]GQQR_OD.SHP	S3：绘制迁入、迁出图
12	绘制OD图构建OD线数据	【@城市点[上海市；杭州市；南京市；合肥市]】【[*]国庆迁出】	【说明】OD弧线图[M]* KX_BD_OD(*|0|NAME|From#OD1，To#OD2，QC1#Value_D| 0.1#200#100)	【[上海市；杭州市；南京市；合肥市]国庆迁出OD】[SH；HZ；NJ；HF]GQQC_OD.SHP	
13	制作专题图	【@省界[上海市；杭州市；南京市；合肥市]】【@市界[*]】【[*]国庆迁入OD】	【说明】专题制图[M]* KX_Mapping(省界@省界，*市界@市界，*QR@迁入人口等级#value|区界|100|1|*)	【[上海市；杭州市；南京市；合肥市]国庆迁入图】Map[SH；HZ；NJ；HF]GQQR.JPG	
14	制作专题图	【@省界[上海市；杭州市；南京市；合肥市]】【@市界[*]】【[*]国庆迁出OD】	【说明】专题制图[M]* KX_Mapping(省界@省界，*市界@市界，*QC@迁出人口等级#value|区界|100|1|*)	【[上海市；杭州市；南京市；合肥市]国庆迁出图】Map[SH；HZ；NJ；HF]GQQC.JPG	
15	插入专题图	【[上海市；杭州市；南京市；合肥市]国庆迁入图】【[*]国庆迁出图】	【说明】插入图片* KX_InsertPic(12)	2	
16	合成	【[上海市；杭州市；南京市；合肥市]国庆迁入OD】	【说明】矢量叠置分析 【关键词】方法(并集-u，交集-i，擦除-e，剪裁-c，采样-s，空间连接-s2，拼接-m，增量-s3，合并-m2，属性交集-i2)|{参数} 【方法】图层合并-m2，Merge，h，<V*，V> KX_VecOverlay(Merge)	【长三角国庆迁入OD】CSJGQQR_OD.SHP	
17	合成	【[上海市；杭州市；南京市；合肥市]国庆迁出OD】	【说明】矢量叠置分析** KX_VecOverlay(Merge)	【长三角国庆迁出OD】CSJGQQC_OD.SHP	

步骤	操作说明	输入	操作	输出	说明
18	制作专题图	【省界】 【市界】 【长三角国庆迁入OD】	【说明】专题制图[M]* KX_Mapping(省界@省界，*市界@市界，*QR@迁入人口等级#value|区界|100|1|*)	【长三角国庆迁入图】 MapCSJGQQR.JPG	
19	制作专题图	【省界】 【市界】 【长三角国庆迁出OD】	【说明】专题制图[M]* KX_Mapping(省界@省界，*市界@市界，*QC@迁出人口等级#value|区界|100|1|*)	【长三角国庆迁出图】 MapCSJGQQC.JPG	
20	插入专题图	【长三角国庆迁入图】 【长三角国庆迁出图】	【说明】插入图片* KX_InsertPic(12)	3	

21	迁入迁出表合并	【上海市；杭州市；南京市；合肥市]国庆迁入】
		【*]国庆迁出】
			【说明】字段计算或属性连接[M]
			【关键词】{$-文件变量}连接字段列表{#S-求和}|F11#F12#...，F21#F22#...，|计算表达式列表({*-因子归一化}FN1=expr1，...(变量[@FSum])|{归一化(1-正|2-反)}
			KX_FieldCalculator(From，to|QR1，QC1|Name_T=[F0]，QR=[F1]，QC=[F2]，JQR=[F1]-[F2]，JQC=[F2]-[F1])
				【上海市；杭州市；南京市；合肥市]国庆迁入迁出】
				[*]GQQRQC.csv
					S4：迁入迁出排名

22	平时迁入迁出排名	【上海市；杭州市；南京市；合肥市]国庆迁入迁出】	【说明】表格处理** KX_Table(C|NAME# QR#QC#JQR#JQC|*|-N4)	【上海市；杭州市；南京市；合肥市]国庆迁入迁出排名】 [SH；HZ；NJ；HF] GQQRQCPM.csv	
23	纵向拼接	【上海市；杭州市；南京市；合肥市]国庆迁入迁出排名】	【说明】表格处理** KX_Table(J|@ID ，NAME1#QR#NAME2#QC#NAME3#JQR#NAME4#JQC，1：2)	【国庆迁入迁出排名】 GQQRQCPM.csv	S5：迁入迁出排名输出
24	表格输出	【国庆迁入迁出排名】	【说明】表格处理** KX_Table(S|UID#NAME1#QR#NAME2#QC#NAME3#JQR#NAME4#JQC|*)	4，国庆人口迁徙数据统计表	
25	制作统计图	【国庆迁入迁出排名】	【说明】表格处理** KX_Table(S|UID#NAME1#QR#NAME2#QC#NAME3#JQR#NAME4#JQC|*|C)	5 【国庆迁入迁出排名统计图】 GQQRQCPMTJT.csv	

第12章 遥感应用

近20年来，作为"3S"技术的代表之一，遥感技术取得了长足的发展，遥感数据获取渠道越来越多，遥感数据产品日益丰富，其应用领域也日益广泛和深入，成为地理分析中不可或缺的重要数据来源。同时，越来越多的GIS软件也整合了遥感数据处理功能，使遥感数据的分析更加高效、便捷。为此，G语言也提供了部分遥感数据处理的关键词，支持遥感数据的分析和处理，并开发了若干遥感应用的案例，涉及土地利用变化、地表温度反演、夜间灯光数据反演人口、文化遗产保护等方面。本章将用2个案例来展示G语言在遥感方面的应用，这2个案例分别为"基于遥感数据的生态环境质量评价"和"基于POI和夜间灯光数据的城市空间结构分析"。

12.1 基于遥感数据的生态环境质量评价

1. 相关说明

1）背景及目的

生态环境质量作为生态系统结构、功能和要素在一定时间和空间上的综合表征，一直是当今社会最受关注的热点之一。及时监测多尺度生态系统的变化并发现所存在的问题，已成为保护生态系统的重要手段。利用遥感数据构建反映生态系统不同方面的不同指数，可以表征生态系统的质量，而在反映生态质量的诸多自然因素中，绿度、湿度、热度、干燥度是与人类生存密切相关的4个重要指标，常被用于评价生态系统。

本案例参考乔敏的论文——《面向空间规划的村镇聚落制图研究——以北京为例》（乔敏，2021），利用Landsat 8多光谱遥感数据对某县进行生态环境质量评价，主要展示G语言在遥感数据处理和分析方面的功能，所用关键词主要包括：

（1）栅格计算器关键词 KX_RasCalculator：用于多光谱遥感数据的辐射定标和栅格计算。

（2）栅格空间叠置关键词 KX_RasOverlay：用于栅格图层主成分分析。

（3）统计表制作关键词 KX_Statistic：用于栅格图层统计分析。

2）任务要求

（1）对参与计算的多光谱遥感数据进行辐射定标。

（2）分别进行湿度、绿度、干燥度和地表温度的计算。

(3) 利用湿度、绿度、干燥度和地表温度数据，采用主成分分析法进行生态环境质量的综合评价。

2. 输入数据

表 12.1 为本案例的输入数据。其中，【变量】为变量文件，包含辐射定标的 6 个波段的加常数和乘常数（见遥感数据中的元数据文件）以及湿度计算公式中的 6 个系数。

表 12.1　生态环境质量评价输入数据表

序号	对象逻辑名	对象物理名	值及说明
1	【B1】	R2019B1.tif	Landsat 8 OLI 蓝波段
2	【B2】	R2019B2.tif	Landsat 8 OLI 绿波段
3	【B3】	R2019B3.tif	Landsat 8 OLI 红波段
4	【B4】	R2019B4.tif	Landsat 8 OLI 近红外波段
5	【B5】	R2019B5.tif	Landsat 8 OLI 短波红外波段
6	【B6】	R2019B6.tif	Landsat 8 TIRS 热红外波段
7	【变量】	变量 1.csv	包含辐射定标的 6 个波段的加常数和乘常数以及湿度计算公式中的 6 个系数

3. 过程分析

生态环境质量评价主要流程如图 12.1 所示。

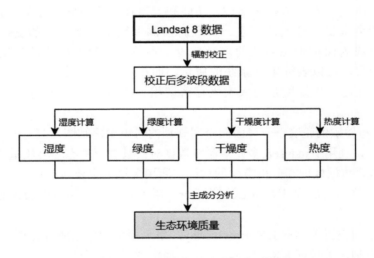

图 12.1　生态环境质量评价主要流程

主要过程描述如下。

➢步骤 1　制作输入数据专题地图。

分别利用【B1】【B2】【B3】【B4】【B5】以及【B6】制作专题地图，并输出（图 12.2）；

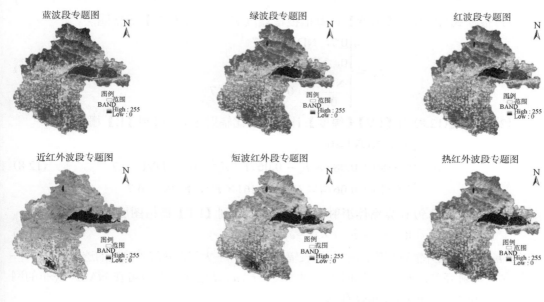

图 12.2　各波段数据

➢步骤 2　辐射定标。

对【B1】【B2】【B3】【B4】【B5】以及【B6】波段数据采用式(12.1)进行辐射定标，分别得到【B1R】【B2R】【B3R】【B4R】【B5R】以及【B6R】等栅格图层。

$$L = \text{gain} \times \text{DN} + \text{bias} \tag{12.1}$$

式中，L 为各波段的像元在传感器处的辐射值；DN 为像元灰度值；gain 和 bias 分别为各波段的增益值和偏置值，可通过影像头文件获得。

➢步骤 3　计算湿度 WET。

利用式(12.2)计算湿度 WET，得到【湿度】栅格图层。

$$\text{WET} = 0.0315 \times b_1 + 0.2021 \times b_2 + 0.3102 \times b_3 + 0.1594 \times b_4 - 0.6806 \times b_5 - 0.6109 \times b_6 \tag{12.2}$$

式中，b_1——蓝波段；b_2——绿波段；b_3——红波段；b_4——近红波段；b_5——短波红外波段；b_6——热红外波段。

➢步骤 4　计算绿度 NDVI。

采用式(12.3)计算绿度，得到【绿度】栅格图层。

$$\text{NDVI} = (b_4 - b_3) / (b_4 + b_3) \tag{12.3}$$

➢步骤 5　计算干燥度 NDSI。

采用式(12.4)～式(12.6)计算干燥度，得到【干燥度】栅格图层。

$$\text{SI} = ((b_5 + b_3) - (b_4 + b_1)) / ((b_5 + b_3) + (b_4 + b_1)) \tag{12.4}$$

$$\text{IBI} = (2 \times b_5 / (b_5 + b_4) - (b_4 / (b_4 + b_3) + b_2 / (b_2 + b_5))) / (2.0 \times b_5 / (b_5 + b_4)$$
$$+ (b_4 / (b_4 + b_3) + b_2 / (b_2 + b_5))) \tag{12.5}$$

$$\text{NDSI} = (\text{SI} + \text{IBI}) / 2 \tag{12.6}$$

➢步骤 6　计算热度 LST。

(1) 根据式 (12.7) 由【绿度】计算植被覆盖度 F_v，得到【FV】栅格图层。

$$F_v = \begin{cases} 0.7, & \text{NDVI} > 0.7 \\ 0, & \text{NDVI} < 0 \\ \dfrac{\text{NDVI}}{0.7}, & 0 \leqslant \text{NDVI} \leqslant 0.7 \end{cases} \tag{12.7}$$

(2) 根据式 (12.8) 由【FV】【绿度】计算地表比辐射率 e，得到【E】栅格图层。

$$e = \begin{cases} 0.7, & \text{NDVI} \leqslant 0 \\ 0.9589 + 0.086 \times F_v - 0.0671 \times F_v^2, & 0 < \text{NDVI} < 0.7 \\ 0.9625 + 0.0614 \times F_v - 0.0461 \times F_v^2, & \text{NDVI} \geqslant 0.7 \end{cases} \tag{12.8}$$

(3) 根据式 (12.9) 计算黑体辐射亮温计算 lt，得到【LT】栅格图层。

$$\text{lt} = (b_6 - u - t \times (1 - e) \times d) / (\tau \times e) \tag{12.9}$$

式中，b_6——热红外辐射亮度；e——地表辐射率；τ——大气在热红外波段的透过率；u——大气向上辐射亮度；d——大气向下辐射亮度；τ、u、d 这 3 个参数可在 NASA 公布的网站 (http://atmcorr.gsfc.nasa.gov) 查询。

(4) 根据式 (12.10) 计算地表温度值 ts，得到【TS】。

$$\text{ts} = K_2 / \text{alog} \, (K_1 / \text{lt} + 1) - 273 \tag{12.10}$$

式中，lt——黑体辐射亮温；对于 Landsat 8 OLI，$K_1 = 774.68 \text{W}/(\text{m}^2 \cdot \mu\text{m} \cdot \text{sr})$，$K_2 = 1321.08 \text{ K}$

➢步骤 7　计算生态环境质量 RSEI。

(1) 对【湿度】【绿地】【干燥度】和【热度】进行归一化处理，得到对【湿度 1】【绿地 1】【干燥度 1】和【热度 1】等栅格图层。

(2) 利用【湿度 1】【绿地 1】【干燥度 1】和【热度 1】制作专题地图，并输出 (图 12.3)。

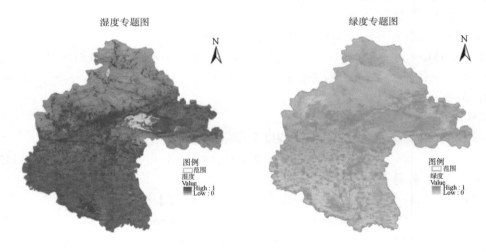

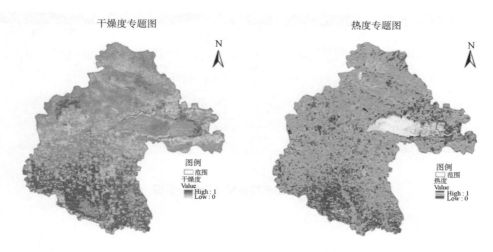

图 12.3　湿度、绿地、干度和热度计算结果

（3）采用主成分分析的方法对【湿度 1】【绿地 1】【干燥度 1】和【热度 1】进行分析，取第一主成分作为生态环境质量，得到【生态环境质量 1】栅格图层。

（4）对【生态环境质量 1】按等间隔法进行重分类，得到【生态环境质量 2】栅格图层。

（5）利用【生态环境质量 2】制作专题地图，并输出（图 12.4）。

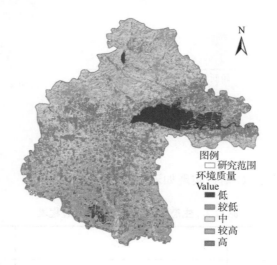

图 12.4　生态环境质量评价结果

（6）步骤 8　输出分析成果。

对【生态环境质量 2】进行空间单元统计分析，输出统计表（图 12.5）和统计图（图 12.6）。

地类	高		较高		中等		较低		低	
名称	面积	占比	面积	占比	面积	占比	面积	占比	面积	占比
桃花寺	0.17	24.39	0.28	40.13	0.21	30.45	0.04	5.03	0	0
梁庄子	0.15	11.08	0.18	13.68	0.39	29.48	0.58	44.12	0.02	1.64
毛家峪	0.25	6.03	0.70	17.31	2.18	53.60	0.94	23.01	0.04	0.04
垛庄子	0.05	13.05	0.04	9.51	0.10	24.78	0.21	52.65	0	0
大巨各庄	0.16	28.41	0.21	36.73	0.16	27.16	0.04	7.69	0	0
小穿芳峪	0.17	42.60	0.11	27.79	0.11	27.33	0.01	2.28	0	0
西井峪	0.08	2.62	0.81	28.17	1.53	53.10	0.46	16.10	0	0
程家庄	0.35	19.81	0.40	22.92	0.41	23.43	0.59	33.74	0.10	0.10
果园西	0.04	0.57	1.43	20.93	4.42	64.74	0.94	13.76	0	0
合计	1.41	7.44	4.17	22.02	9.51	50.24	3.82	20.17	0.03	0.13

单位：面积，平方公里；占比，%

图 12.5　生态环境质量评价统计表图

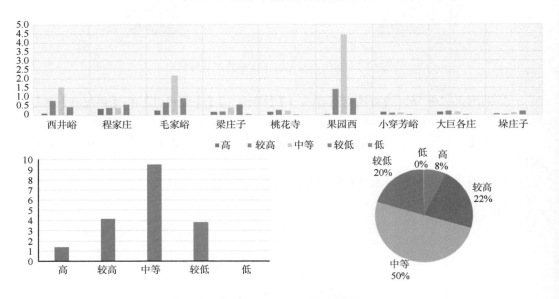

图 12.6　生态环境质量评价统计图

4. 计算过程

生态环境质量评价的 G 语言实现如表 12.2 所示。

表 12.2　生态环境质量评价计算过程表

步骤	操作说明	输入	操作	输出	说明
1	制作专题地图	【@[1：6]范围图层】【B[*]】	【说明】专题制图[M]* KX_Mapping（MapRange@研究范围，BAND|区界|200)	【[蓝；绿；红；近红外；短波红外；热红外]波段专题地图】MapB[1：6]C.jpg	S1：制作输入数据专题地图
2	插入专题地图	【[蓝；绿；红；近红外；短波红外；热红外]波段专题地图】	【说明】插入图片* KX_InsertPic(6)	1	

续表

步骤	操作说明	输入	操作	输出	说明
3	辐射定标	【B[1：6]】 【变量】	【说明】栅格计算[M]* KX_RasCalculator（${B[1：6]C}+{B[1：6]M}*[R1]）	【B[1：6]R】 B[*]R.tif	S2： 辐射定标
4	计算湿度WET	【B[1：6]R】 【变量】	【说明】栅格计算[M]* KX_RasCalculator（${Wet1}*[R1]+{Wet2}*[R2]+{Wet3}*[R3]+{Wet4}*[R4]+{Wet5}*[R5]+{Wet6}*[R6]）	【湿度】 WET.tif	S3： 计算湿度
5	计算绿度NDVI	【B4R】 【B3R】	【说明】栅格计算[M]* KX_RasCalculator（（[R1]-[R2]）/（[R1]+[R2]））	【绿度】 NDVI. Tif	S4： 计算绿度
6	计算 SI	【B1R】 【B3R】 【B4R】 【B5R】	【说明】栅格计算[M]* KX_RasCalculator（（（[R4]+[R2]）-（[R3]+[R1]]）/（（[R4]+[R2]）+（[R3]+[R1]）））	【SI】 SI.tif	S5： 计算干燥度
7	计算 IBI	【B2R】 【B3R】 【B4R】 【B5R】	【说明】栅格计算[M]* KX_RasCalculator（（2*[R4]/（[R4]+[R3]）-（[R3]/（[R3]+[R2]）+[R1]/（[R1]+[R4]）））/（2.0*[R4]/（[R4]+[R3]）+[R3]/（[R3]+[R2]）+[R1]/（[R1]+[R4]））））	【IBI】 IBI. tif	
8	计算干燥度 NDSI	【SI】 【IBI】	【说明】栅格计算[M]* KX_RasCalculator（（[R1]+[R2]）/2）	【干燥度】 NDSI. tif	
9	计算 LN	【B6R】	【说明】转换工具* 【方法】全能拷贝[M]-sc, SCopyFile, <A*, A*> KX_Conversion（SC）	【LN】 LN. tif	S6： 计算热度
10	计算植被覆盖度	【绿度】	【说明】栅格计算[M]* KX_RasCalculator（（[R1]>0.7），1%（[R1]<0），0%[R1]/0.7）	【FV】 FV. tif	
11	计算地表比辐射率	【绿度】 【FV】	【说明】栅格计算[M]* KX_RasCalculator（（[R1]<0），0.995%（[R1]>0）and（[R1]<0.7），0.9589 + 0.086*[R2]-0.0671*[R2]*[R2]%（[R1]>=0.7），0.9625 + 0.0614*[R2]-0.0461*[R2]*[R2]）	【E】 E. tif	
12	计算黑体辐射亮度	【E】 【LN】	【说明】栅格计算[M]* KX_RasCalculator（（[R2]-0.60-0.91*（1-[R1]）*1.07）/（0.91*[R1]））	【LT】 LT.tif	
13	计算地表温度	【LT】	【说明】栅格计算[M] 【关键词】{$-文件变量}{@-标准化}算数表达式、逻辑表达式、单元统计、焦点统计 KX_RasCalculator（1321.08/Ln（774.89/[R1]+1）-273）	【热度】 LST.tif	
14	归一化处理	【湿度】 【绿度】 【干燥度】 【热度】	【说明】归一化[M] 【关键词】{归一化字段}|处理模式（1|2） KX_StandardField（1）	【湿度1】 WET1.tif 【绿度1】 NDVI1.tif 【干燥度1】 NDSI1. tif 【热度1】 LT1. tif	S7： 计算生态环境质量

续表

步骤	操作说明	输入	操作	输出	说明
15	制作专题地图	【湿度1】 【绿度1】 【干燥度1】 【热度1】	【说明】专题制图[M]* KX_Mapping（{[Blue；Green；Red；Color]}|区界|200）	【湿度专题地图】 WET1.jpg 【绿度专题地图】 NDVI1.jpg 【干燥度专题地图】 NDSI1.jpg 【热度专题地图】 LT1.jpg	
16	插入专题地图	【湿度专题地图】 【绿度专题地图】 【干燥度专题地图】 【热度专题地图】	【说明】插入图片* KX_InsertPic（9）	2	
17	计算生态环境质量	【湿度1】 【绿度1】 【干燥度1】 【热度1】	【说明】栅格叠置分析* 【方法】主成分分析-p，PrincipalComponents，<R*，R#A>，<主成分数目> KX_RasOverlay（P|1）	【RSEI2】 RSEI2.tif 【参数】 P1.txt	
18	分级	【RSEI2】	【说明】重分类 【关键词】{{分类字段}，{目标字段}，{缺省值}}#重分类表达式 KX_Reclass（1|2|3|4|5）	【RSEI】 RSEI.tif	
19	制作专题地图	【RSEI】	【说明】专题制图[M]* KX_Mapping（C1|区界|200）	【生态环境质量分级图】 RSEI.jpg	S8：计算成果输出
20	插入专题地图	【生态环境质量分级图】	【说明】插入图片* KX_InsertPic（12）	3	
21	生成统计表	【RSEI】	【说明】分类统计[1M]* KX_Statistic（ZLDWMC |5，4，3，2，1）	4，环境质量评价统计表 【统计数据】 TJ.csv	
22	输出统计表	【统计数据】	【说明】表格处理** KX_Table（S| ZLDWMC-名称#A5-高#A4-较高#A3-中等#A2-较低#A1-低|*，-C0|C）	5	
23	城市统计图	【统计数据】	【说明】表格处理** KX_Table（S| ZLDWMC-名称 #A5-高#A4-较高#A3-中等#A2-较低#A1-低|合计|C）	6，各级别面积统计图 【统计图】 Table1.csv	

12.2　基于 POI 和夜间灯光数据的城市空间结构分析

1. 相关说明

1）背景与目的

夜光数据和兴趣点 POI 数据能间接反映地表人类的经济活动，是目前研究城市问题的重要数量来源，通过夜光数据和兴趣点 POI 数据的耦合分析，可以判断公共服务设施与人口的匹配程度，为公共服务设施的规划布局提供支持。

本案例参考罗虹等的论文《兴趣点与夜光数据耦合关系下的城市空间结构分析——以昆明市为例》（罗虹等，2021）。该论文采用核密度分析、六边形规则格网、归一化处理及双因素制图法，进行两种数据的耦合分析，探讨城市耦合的相合及相异区域。本案例复现了该论文的整个过程，主要展示 G 语言在 POI 数据与遥感数据综合分析方面的功能，所用关键词主要包括：

(1) 规则网格绘制关键词 KX_DrawGrid：用于绘制六边形规则格网。

(2) 获取 POI 关键词 KX_BD_GetPOI：用于获取指定类别的 POI 数据。

(3) 插值与密度分析关键词 KX_InterDensity：用于核密度分析。

(4) 重分类关键词 KX_Reclass：用于栅格重分类。

(5) 栅格计算器关键词 KX_RasCalculator：用于栅格数据集成。

(6) 字段计算器关键词 KX_FieldCalculator：用于矢量图层字段的计算。

(7) 增强式单元统计关键词 KX_BufferStat：用于空间单元统计。

(8) 增强式栅格化关键词 KX_SelRasDisReclass：用于特征筛选。

2) 任务要求

(1) 根据研究范围构建六边形规则格网作为统计单元。

(2) 利用获取 POI 关键词 KX_BD_GetPOI 获取研究区域生活服务、购物服务、医疗保健服务、科教文化服务以及商务住宅等 5 种类型的 POI 数据，并进行核密度分析。

(3) 用网格单元统计 POI 数据，并划分为 5 级，形成网格 POI 分级图层。

(4) 对夜光数据进行校正，用网格单元统计夜光数据，并划分为 5 级，形成网格夜光分级图层。

(5) 网格 POI 分级图层与网格夜光分级图层进行耦合分析。

2. 输入数据

表 12.3 为本案例输入数据。需说明的是，【夜光数据 1】为"珞珈一号"夜光数据，源自高分辨率对地观测系统湖北数据与应用网（http://www.hbeos.org.cn/），获取时间为 2019 年 3 月。

表 12.3　城市空间结构分析输入数据表

序号	对象逻辑名	对象物理名	值及说明
1	【范围图层】	M1/YJQY.shp	
2	【研究区域】	M1/YJQY.shp	
3	【统计图层】	M1/YJQY.shp	
4	【瓦片地图[1：2]】	WPDT[1：2].tif	栅格图层
5	【夜光数据 1】	L201811.tif	栅格图层

3. 过程分析

城市空间结构分析主要流程如图 12.7 所示。

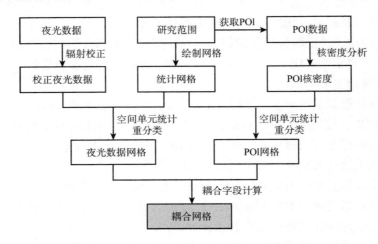

图 12.7　城市空间结构分析流程

主要过程描述如下。

➢步骤 1　建立统计网格。

(1) 根据【研究区域】构建六边形规则网格，得到【统计网格】面图层。

(2) 利用【统计网格】绘制并输出专题地图(图 12.8)。

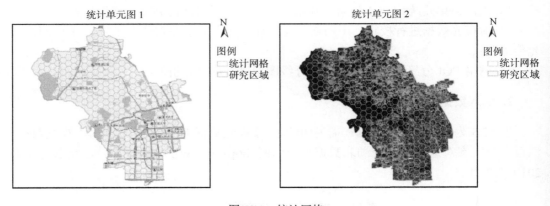

图 12.8　统计网格

➢步骤 2　校正夜光数据。

(1) 对【夜光数据 1】进行剪裁，得到【夜光数据 2】栅格图层。

(2) 对【夜光数据 2】进行辐射校正，得到【夜光数据 3】栅格图层。校正公式如下：

$$L = \mathrm{DN}^{3/2} \times 10^{-10} \tag{1.20}$$

式中，L 为绝对辐射校正后辐射亮度值，单位为：W/(m² · sr · μm)；DN 为图像灰度值。

➢步骤 3　统计夜光数据。

(1)用【统计网格】对【夜光数据 3】进行统计，计算每个统计单元的夜光数据均值【Mean】，得到【夜光数据网格 1】面图层。

(2)将【夜光数据网格 1】的【Mean】字段按等间隔分为三类，存入【M1】字段，得到【夜光数据网格 2】面图层。

(3)利用【夜光数据 2】和【夜光数据网格 2】制作专题地图，并输出(图 12.9)。

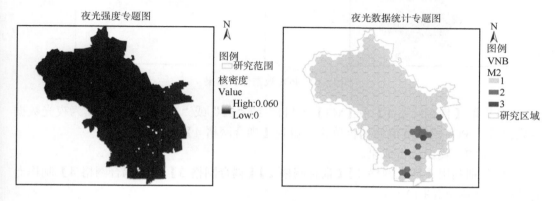

图 12.9 夜光数据分析结果

➤步骤 4 获取 POI 数据。

(1)在高德地图获取【研究区域】内生活服务、购物服务、医疗保健服务、科教文化服务以及商务住宅等 5 类 POI 数据，得到【生活服务】…以及【商务住宅】等 5 个点图层。

(2)将【生活服务】…以及【商务住宅】进行合并，得到【POI】点图层。

➤步骤 5 统计 POI 核密度。

(1)对【POI】进行核密度分析，得到【POI 核密度】栅格图层。

(2)用【统计网格】对【POI 核密度】进行统计，计算每个统计单元的夜光数据均值【Mean】，得到【POI 核密度网格 1】面图层。

(3)将【POI 核密度网格 1】的【Mean】字段按等间隔分为三类，存入【M2】字段，得到【POI 核密度网格 2】面。

(4)利用【POI 核密度】和【POI 核密度网格 2】制作专题地图，并输出(图 12.10)。

➤步骤 6 耦合分析。

(1)【夜光数据网格 2】中的【M1】字段与【POI 核密度网格 2】中的【M2】字段组合为【M3】字段，得到【耦合网格 1】面图层。

(2)提取【耦合网格 1】中【M3】="13"或"23"或"12"的单元，作为夜光数据强度值高于 POI 核密度值的耦合单元，得到【耦合网格 2】面图层。

(3)提取【耦合网格 1】中【M3】="21"或"31"或"32"的单元，作为夜光数据强度值低于 POI 核密度值的耦合单元，得到【耦合网格 3】面图层。

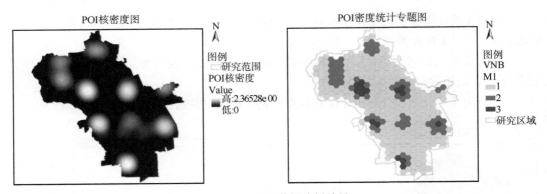

图 12.10　POI 数据分析结果

(4) 提取【耦合网格 1】中【M3】＝ "11" 或 "22" 或 "33" 的单元，作为夜光数据强度值等于 POI 核密度值的耦合单元，得到【耦合网格 4】面图层。

➤步骤 7　输出分析成果。

(1) 分别利用【耦合网格 1】【耦合网格 2】【耦合网格 3】和【耦合网格 4】制作专题地图，并输出(图 12.11)。

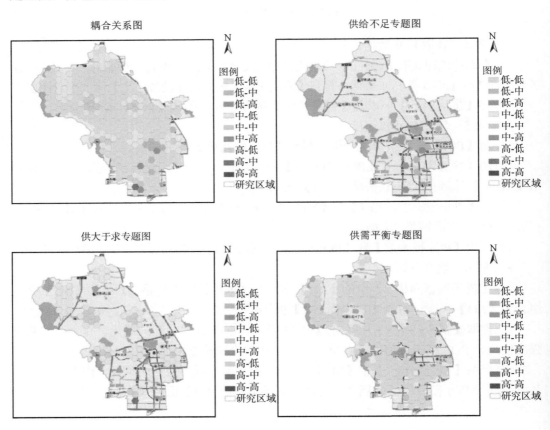

图 12.11　耦合分析专题地图

（2）将【耦合网格】面图层转化为点图层【耦合网格 P】。

（3）对【耦合网格 P】进行统计分析，输出统计图（图 12.12）。

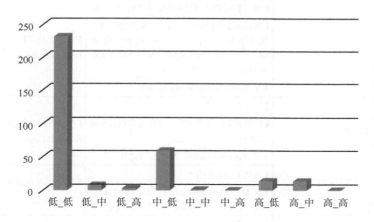

图 12.12　耦合分析统计图

4. 计算过程

城市空间结构分析的 G 语言实现过程如表 12.4 所示。

表 12.4　城市空间结构分析计算过程表

步骤	操作说明	输入	操作	输出	说明
1	绘制网格	【研究区域】	【说明】绘制网格 【关键词】单元大小（宽度-KM|A 面积-KM2|C 列数|R 行数），关系（WithIn-w|Clip-c|Intersect-i，inter|all-*），形状（Square-s|Hexagon-h|Point-p） KX_DrawGrid（C15，Within，H）	【统计网格】 StatGrid.shp	S1： 建立统计网格
2	制作专题地图	【@[1；3]]研究区域】 【@[*]统计网格】 【瓦片地图[*]】	【说明】专题制图* KX_Mapping（CJFW@，网格@统计网格，Map|区界|200|1|*）	【统计单元图[1；2]】 TJDY[*].jpg	
3	插入专题地图	【统计单元图1】 【统计单元图2】	【说明】插入图片* KX_InsertPic（9）	1	
4	剪裁	【夜光数据1】	【说明】图层剪裁 【关键词】<VR*#V，VR*> KX_Clip	【夜光数据2】 L201811K.tif	S2： 校正夜光数据
5	辐射校正	【夜光数据2】	【说明】栅格计算 【关键词】数学或逻辑表达式 KX_RasCalculator（[R1]**1.5*10**(-10)）	【夜光数据3】 L201811G.tif	

步骤	操作说明	输入	操作	输出	说明
6	单元统计	【统计网格】【夜光数据3】	【说明】M 构造缓冲区+统计分析+归一化 【关键词】<V#VR*，A>，{泰森多边形（T）/缓冲距或字段#{A}}|{目标字段}#数值 or 统计量（MIN/MAX/MEAN/SUM/NEAR/乘字段）%{归一化（1/2）} KX_BufferStat（0|Mean#Mean）	【统计网格3】 StatGrid3.shp	S3：统计夜光数据
7	重分类	【统计网格3】	【说明】重分类 【关键词】{{分类字段}，{目标字段}，{缺省值}}#重分类表达式 KX_Reclass（Mean，M2_S，1|2|3）	【统计网格4】 StatGrid4.shp	
8	制作专题地图	【研究区域】【夜光数据3】	【说明】专题制图* KX_Mapping（CJFW@研究范围，RNGR@#低；较低；中；较高；高|区界|200|1|*）	【夜光强度专题地图】 YGSJFBT.jpg	
9	制作专题地图	【研究区域】【统计网格4】	【说明】专题制图* KX_Mapping（CJFW@，VNB#M2；3|区界|200|1|*）	【夜光数据统计专题地图】 YGSJTJFBT.jpg	
10	插入专题地图	【夜光强度专题地图】【夜光数据统计专题地图】	【说明】插入图片* KX_InsertPic（9）	2	
11	提取景区POI	【@[1：5]研究区域】	【说明】获取兴趣点数据 【关键词】地图类型|POI类型列表|{子区大小#起始序号} KX_BD_GETPOI（GD|{[生活服务；购物服务；医疗保健服务；科教文化服务；商务住宅]}|10）	【POI_[生活服务；购物服务；医疗保健服务；科教文化服务；商务住宅]】 POI_[SHFW；GWZX；ZZYY；ZX；ZZQ].shp	S4：获取POI数据
12	图层合并	【POI_[生活服务；购物服务；医疗保健服务；科教文化服务；商务住宅]】	【说明】矢量叠置分析 【关键词】方法（Union|Intersect|Erase|Clip|Sampling|SpatialJoin|Mosaic|Merge|SetErase）|{参数} 【方法】合并-M2，<V*，V> KX_VecOverlay（Merge）	【POI】 POI_All.shp	
13	核密度	【POI】	【说明】空间插值或密度分析 【关键词】操作字段或*|插值（F/Z/Y/Q/K（S/C/E/G/L）或密度方法（H/M）|{搜索点数量}或搜索半径%{重分类信息} KX_InterDensity（*|H|R0.1）	【POI核密度】 POIHMD.tif	
14	单元统计	【统计网格】【POI核密度】	【说明】M 构造缓冲区+统计分析+归一化 【关键词】<V#VR*，A>，{泰森多边形（T）/缓冲距或字段#{A}}|{目标字段}#数值 or 统计量（MIN/MAX/MEAN/SUM/NEAR/乘字段）%{归一化（1/2）} KX_BufferStat（0|Mean#Mean）	【统计网格1】 StatGrid1.shp	S5：统计POI核密度

续表

步骤	操作说明	输入	操作	输出	说明
15	重分类	【统计网格 1】	【说明】重分类 【关键词】{{分类字段}，{目标字段}，{缺省值}}#重分类表达式 KX_Reclass（Mean，M1_S，1|2|3）	【统计网格 2】 StatGrid2.shp	
16	制作专题地图	【研究区域】 【POI 核密度】	【说明】专题制图* KX_Mapping（CJFW@研究范围，DEM@POI 核密度|区界|200|1|*）	【POI 核密度图】 POIHMDT.jpg	
17	制作专题地图	【研究区域】 【统计网格 2】	【说明】专题制图* KX_Mapping（CJFW@，VNB#M1；5#低:;;高|区界|200|1|*）	【POI 密度统计专题地图】 POIMDTJFBT.jpg	
18	插入专题地图	【POI 核密度图】 【POI 密度统计专题地图】	【说明】插入图片* KX_InsertPic（9）	3	
19	字段处理	【统计网格 2】 【统计网格 4】	【说明】字段计算或属性连接 【关键词】连接字段列表#|F11#F12#...，F21#F22#...，|计算表达式列表（支持变量[@FSum]）|{归一化} KX_FieldCalculator（Input_FID| M1，M2|M3_S=[F1]*10+[F2]）	【耦合网格 1】 OHGrid1.shp	S6： 耦合分析
20	特征筛选	【耦合网格 1】	【说明】M 筛选+栅格化/欧式距离+重分类 【关键词】{筛选列表}|{字段重分类/字段缓冲/栅格化/欧氏距离/成本距离}%{重分类描述} KX_SelRasDisReclass（M3|13，23，12）	【耦合网格 2】 OHGrid2.shp	夜光数据强度值高于 POI 核密度值
21	特征筛选	【耦合网格 1】	【说明】M 筛选+栅格化/欧式距离+重分类* 【关键词】{筛选列表}|{字段重分类/字段缓冲/栅格化/欧氏距离/成本距离}%{重分类描述} KX_SelRasDisReclass（M3|21，31，32）	【耦合网格 3】 OHGrid3.shp	夜光数据强度值低于 POI 核密度值
22	特征筛选	【耦合网格 1】	【说明】M 筛选+栅格化/欧式距离+重分类* KX_SelRasDisReclass（M3|11，22，33）	【耦合网格 4】 OHGrid4.shp	夜光数据强度值等于 POI 核密度值
23	制作专题地图	【@研究区域[1：4]】 【统计网格[*]】 【@瓦片地图 1[*]】	【说明】专题制图* KX_Mapping（CJFW@，耦合，Map|区界|200|1|*）	【耦合关系图】 OHGXT1.jpg 【供给不足专题地图】 OHGXT2.jpg 【供大于求专题地图】 OHGXT3.jpg 【供需平衡专题地图】 OHGXT4.jpg	S7： 输出分析成果

步骤	操作说明	输入	操作	输出	说明
24	插入专题地图	【耦合关系图】 【供给不足专题地图】 【供大于求专题地图】 【供需平衡专题地图】	【说明】插入图片 【关键词】图片高度(6-12)|{图名过滤信息} KX_InsertPic(9)	4	
25	特征转换	【耦合网格1】	【说明】转换工具 【关键词】方法（面转点-m，面转线-p2Line，XY转点-x，组合栅格-C|{参数}） 【方法】面转点-F，FP，F2P，M，<V*，V*> KX_Conversion(F)	【耦合网格P】 OHGridP.shp	
26	统计分析	【研究区域】 【耦合网格P】	【说明】统计报表 【关键词】显示字段#{统计字段}#{单位}#{比例类型（{空-自比例}，G_Area-面积比例，其他字段-其他比例）}，{纵向排序}，{最大行数|Value列表}|{横向排序} KX_Statistic(Name#M3|11，12，13，21，22，23，31，32，33)	【统计表1】 Report1.csv	
27	统计图	【统计表1】	【说明】表格处理** KX_Table(C|Name#A11-低_低#A12-低_中#A13-低_高#A21-中_低#A22-中_中#A23-中_高#A31-高_低#A31-高_中#A33-高_高|合计|C)	5，POI-夜光数据耦合单元统计图2	

第13章 国土空间规划应用

规划行业经过多年的转变，已从原来的城市规划到城乡规划，一直到现在的国土空间规划。与传统城乡规划不同，新的国土空间规划在指导思想、编制审批体系、技术标准体系、法规政策体系和实施监管体系方面均进行了重大调整。在技术层面，国土空间规划分析内容越来越广泛，规划实施评估、"双评价"、生态红线划定与永久农田保护、城镇开发边界划定等都纳入了规定的业务范围，这些业务的开展涉及大量的数据分析工作，离不开 GIS 技术的支持。

国土空间规划的"双评价"是指资源环境承载能力评价和国土空间开发适宜性评价(简称"双评价")，是优化国土空间格局的基本依据和编制国土空间规划的前提条件，其实质就是通过利用 GIS 的空间分析工具，如坐标转换、格式转换、空间插值、网络分析、空间叠置、空间统计等，综合分析土地资源、水资源、矿产资源、海洋资源、文化资源、生态、环境、灾害、区位等因素在国家、省、市县不同层面判断资源环境承载能力和国土空间开发适宜性(周文生，2019；2021)。为了在国土空间规划中切实落实 "双评价"工作，2020 年自然资源部发布了《资源环境承载能力评价和国土空间开发适宜性评价指南(试行)》(简称《技术指南》)。该《技术指南》是专家组经过若干轮修改后的成果，与 2019 年 6 月版的《技术指南》(简称 2019 版《技术指南》)相比，最终版的《技术指南》涉及的技术细节较少。在 2019 版《技术指南》中，"双评价"内容包括生态、土地资源、水资源、气候、环境、灾害、区位等 7 个单项评价，生态保护重要性、农业生产适宜性、农业生产承载规模、城镇建设适宜性和城镇建设承载规模等集成评价。

本章选取"双评价"中土地资源评价和区位优势度评价来展示 G 语言在国土空间规划中的应用情况，其余评价模型的介绍详见《新型地理计算模式及其在双评价的应用》(周文生，2019)。

13.1 国土空间规划"双评价"之土地资源评价

1. 相关说明

1)背景与目的

土地资源评价就是根据土地资源的特定使用目的，对土地的性状进行评估的过程。借助土地资源评价，可以对土地资源的性能进行综合性的、定性的或定量的质量鉴定，在全面考察土地构成各要素的组成状况、区位状况、基础设施状况的基础上，阐明土地对某种用途的适宜程度和限制程度，阐明土地的生产潜力和经济效益以及对周围环境有利与不利的后果，阐明土地生产能力的提高与增加经济收入所必须采取的措施（彭补拙等，2014）。

土地资源评价根据不同的评价目标有不同的评价模型，本案例参照 2019 年版《技术指南》中土地资源评价模型[1]，利用 G 语言构建面向农业生产的农业耕作条件和面向城镇建设的城镇建设条件分析模型。本案例主要展示 G 语言在栅格数据空间分析方面的功能，所用关键词主要包括：

(1)地形分析关键词 KX_TerrainAnalysis：用于坡度与起伏度计算。

(2)栅格空间叠置分析 KX_RasOverlay：用于矢量图层修正栅格图层。

(3)栅格计算器关键词 KX_RasCalculator：用于栅格图层间的逻辑集成。

(4)统计表制作关键词 KX_Statistic：用于制作分类统计表。

2) 分析任务

(1)农业耕作条件。农业耕作条件是指土地资源用于农业生产的适宜开发利用的程度。具体应满足一定的坡度、土壤质地等条件，此外，还需扣除河流、湖泊及水库水面区域。其计算模型如式(13.1)所示。

$$【农业耕作条件】=f(【坡度】，【土壤质地】，【水域】) \tag{13.1}$$

(2)城镇建设条件。城镇建设条件是指城镇建设的土地资源适宜城镇建设的程度。具体应需满足一定的坡度、高程条件，对于地形起伏剧烈的地区，还应考虑地形起伏度指标。其计算模型如式(13.2)所示。

$$【城镇建设条件】=f(【坡度】，【高程】，【地形起伏度】) \tag{13.2}$$

2. 输入数据

土地资源评价的输入数据如表 13.1 所示。

表 13.1　土地资源评价输入数据表

序号	对象逻辑名	对象物理名	值及说明
1	【高程】	DX2_GCC.tif	
2	【土壤质地】	DX2_TRZD3C.tif	土壤粉砂含量百分比
3	【水域】	Water.shp	

3. 过程分析

土地资源评价的主要流程如图 13.1 所示。

---

1)参考《技术指南》，6 月版，27～28 页。

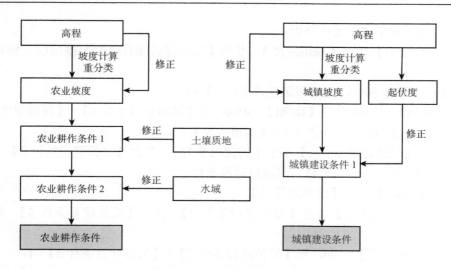

图 13.1　土地资源评价流程图

主要过程描述如下。

➢步骤 1　农业坡度分析。

利用【DEM】计算坡度，并按表 13.2 进行重分类，得到【农业坡度】栅格图层。

表 13.2　农业坡度分级参考阈值

农业坡度分级	5 平地	4 平坡地	3 缓陡坡地	2 缓陡坡地	1 陡坡地
坡度/(°)	≤2	2~6	6~15	15~25	>25

➢步骤 2　农业耕作条件分析。

(1)利用【土壤质地】修正【农业坡度】，得到【农业耕作条件 1】栅格图层。修正规则如下：

若【土壤质地】≥80，则【农业耕作条件 1】=1；

若【土壤质地】≥60 并且【土壤质地】<80，则【农业耕作条件 1】=【农业坡度分级】-1；

其他情况：【农业耕作条件 1】=【农业坡度分级】。

(2)将【农业耕作条件 1】小于 1 的值调整为 1，得到【农业耕作条件 2】栅格图层。

(3)将【农业耕作条件 2】扣除【水域】，得到【农业耕作条件】栅格图层。

➢步骤 3　城镇坡度分析。

利用【DEM】计算坡度，并按表 13.3 进行重分类，得到【城镇坡度】栅格图层。

表 13.3　城镇坡度分级参考阈值

城镇坡度分级	5 平地	4 平坡地	3 缓陡坡地	2 缓陡坡地	1 陡坡地
坡度/(°)	≤3	3~8	8~15	15~25	>25

➢步骤 4　城镇建设条件分析。

(1)用【DEM】修正【城镇坡度】,得到【城镇建设条件 1】栅格图层。修正规则如下:

若【DEM】≥5000,则【城镇建设条件 1】=1;

若【DEM】≥3500 并且【DEM】<5000,则【城镇建设条件 1】=【城镇坡度】−1;

其他情况:【城镇建设条件 1】=【城镇坡度】。

(2)调整【城镇建设条件 1】小于 1 的值调整为 1,得到【城镇建设条件 2】;

➢步骤 5　用地形起伏度修正算城镇建设条件。

(1)用【DEM】计算【地形起伏度】;

(2)用【地形起伏度】修正【城镇建设条件 2】,得到【城镇建设条件 3】。修正规则为:

若【地形起伏度】>200,则【城镇建设条件 3】=【城镇建设条件 2】−1;

若【地形起伏度】>100 并且【DEM】<=200,则【城镇建设条件 3】=【城镇坡度分级 2】−1;

其他情况:【城镇建设条件 3】=【城镇坡度分级 2】。

(3)调整【城镇建设条件 3】小于 1 的值调整为 1,得到【城镇建设条件】栅格图层。

➢步骤 6　输出分析结果。

(1)分别根据【农业耕作条件】和【城镇建设条件】制作并输出专题地图(图 13.2);

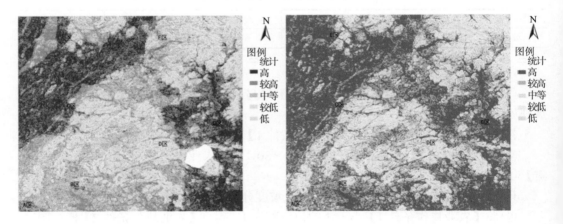

图 13.2　土地资源评价结果

(2)分别对【农业耕作条件】和【城镇建设条件】进行空间单元统计,输出统计表与统计图(图 13.3、图 13.4)。

农业耕作条件统计表

（单位：面积，平方公里；比重，%）

等级 名称	高		较高		中等		较低		低	
	面积	比重	面积	比重	面积	比重	面积	比重	面积	比重
A 区	1.01	8.02	4.73	37.60	5.36	42.59	1.44	11.44	0.04	0.34
B 区	0.84	0.78	25.26	23.32	54.05	49.90	23.52	21.71	4.65	4.29
C 区	101.66	22.35	117.15	25.76	101.47	22.31	95.31	20.96	39.25	8.63
D 区	22.80	6.06	80.70	21.45	124.68	33.15	105.06	27.93	42.92	11.41
E 区	56.36	30.16	65.71	35.16	37.97	20.31	20.86	11.16	6.01	3.21
F 区	14.88	9.75	28.04	18.37	43.49	28.50	49.13	32.20	17.07	11.18
G 区	114.11	28.51	107.20	26.79	68.48	17.11	75.19	18.79	35.23	8.80
合计	311.67	18.42	428.78	25.35	435.49	25.74	370.51	21.90	145.17	8.58

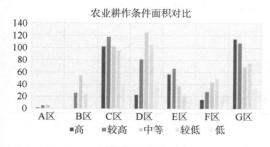

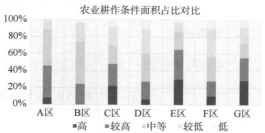

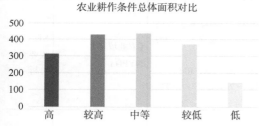

图 13.3　农业耕作条件统计表和统计图

城镇建设条件统计表

（单位：面积，平方公里；比重，%）

区域 名称	高		较高		中等		较低		低	
	面积	比重	面积	比重	面积	比重	面积	比重	面积	比重
A 区	3.20	25.43	6.72	53.47	2.43	19.36	0.21	1.68	0.01	0.05
B 区	37.09	34.25	46.99	43.38	14.76	13.63	7.92	7.31	1.56	1.44
C 区	190.15	41.81	136.49	30.01	74.58	16.40	46.30	10.18	7.31	1.61
D 区	114.59	30.46	132.54	35.23	76.57	20.35	45.31	12.04	7.19	1.91
E 区	110.22	58.97	49.11	26.28	17.65	9.44	8.87	4.75	1.05	0.56
F 区	36.49	23.91	43.21	28.32	35.53	23.28	29.85	19.56	7.51	4.92
G 区	165.60	39.68	119.02	28.52	75.68	18.14	46.59	11.16	10.41	2.49
合计	657.34	38.47	534.09	31.26	297.21	17.39	185.05	10.83	35.04	2.05

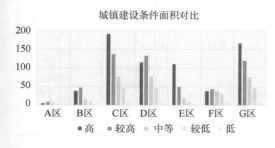

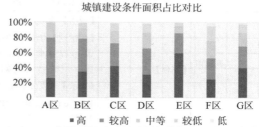

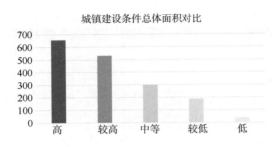

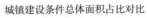

图 13.4　城镇建设条件统计表和统计图

4. 计算过程

土地资源评价的 G 语言实现如表 13.4 所示。

表 13.4　土地资源评价计算过程表

步骤	操作说明	输入	操作	输出	说明
1	计算农业坡度	【高程】	【说明】地形分析 【关键词】方法(坡度-s，坡向-a，粗糙度-c，起伏度-q，表面曲率-q2，填挖方-c2，反向-f，山体阴影-h，视场-v)|{参数} 【方法】坡度分析-s，Slope，pd，<R，R> KX_TerrainAnalysis(PD%5：<2| 4：2-6| 3：6-15 |2：15-25 | 1：>=25)	【农业坡度】 NYPD.tif	S1： 农业坡度分析
2	土壤质地修正	【土壤质地】 【农业坡度】	【说明】栅格计算[M] 【关键词】{$-文件变量}{@-标准化}算数表达式、逻辑表达式、单元统计、焦点统计 KX_RasCalculator(([R1]>=80)，1%([R1]>=60) and([R1]<80)，[R2]-1%[R2])	【农业耕作条件 1】 NYGZTJ1.tif	S2： 农业生产条件分析
3	调整值	【农业耕作条件 1】	【说明】栅格计算[M]* KX_RasCalculator(([R1]<1)，1，[R1])	【农业耕作条件 2】 NYGZTJ2.tif	
4	水域修正	【水域】 【农业耕作条件 2】	【说明】栅格叠置分析 【关键词】方法(取最大值-m，取最小值-m2，补空值-f，替换值-r，取交集-i，拼接-m3，剪裁-c，擦除-e，抽取值-g，栅格统计-s，主成分分析-p)|{参数} 【方法】用数值或字段值替换现有值-r，Replace，<V#R，R>，<数值或字段名> KX_RasOverlay(R|0)	【农业耕作条件】 NYGZTJ.tif	
5	计算城镇坡度	【高程】	【说明】地形分析 【关键词】方法(坡度-s，坡向-a，粗糙度-c，起伏度-q，表面曲率-q2，填挖方-c2，反向-f，山体阴影-h，视场-v)|{参数} 【方法】坡度分析-s，Slope，pd，<R，R> KX_TerrainAnalysis(PD%5：<3| 4：3-8| 3：8-15 |2：15-25 | 1：>=25)	【城镇坡度】 CZPD.tif	S3： 城镇坡度分析

续表

步骤	操作说明	输入	操作	输出	说明
6	高程修正	【高程】 【城镇坡度】	【说明】栅格计算[M]* KX_RasCalculator(((([R1]>=5000)，1%([R1]>3500) and([R1]<5000)，[R2]-1%[R2])	【城镇建设条件 1】 CZJSTJ1.tif	S4: 城镇建设条件分析
7	调整值	【城镇建设条件 1】	【说明】栅格计算[M]* KX_RasCalculator(([R1]<1)，1% [R1])	【城镇建设条件 2】 CZJSTJ2.tif	S5: 修正城镇建设条件分析
8	计算起伏度	【高程】	【说明】地形分析 【关键词】方法(坡度-s，坡向-a，粗糙度-c，起伏度-q，表面曲率-q2，填挖方-c2，反向-f，山体阴影-h，视场-v)|{参数} 【方法】起伏度分析-q，QF，<R，R>，<邻域大小(5)> KX_TerrainAnalysis(QF|5)	【起伏度】 QFD.tif	
9	起伏度修正	【起伏度】 【城镇建设条件 2】	【说明】栅格计算[M]* KX_RasCalculator(([R1]>200)，[R2]-2%([R1]>100) and([R1]<200)，[R2]-1%[R2])	【城镇建设条件 3】 CZJSTJ3.tif	
10	调整值	【城镇建设条件 3】	【说明】栅格计算[M]* KX_RasCalculator((([R1]<1)，1% [R1])	【城镇建设条件】 CZJSTJ.tif	
11	制作专题图	【农业耕作条件】 【城镇建设条件】	【说明】专题制图[M] 【关键词】替代图层列表|背景图层列表|输出分辨率|{输出模板}|{范围参数#{扩大系数}} KX_Mapping({C2；C3}|区界|200)	【农业耕作评价结果分级图】 MapNYGZTJ.jpg 【城镇建条件评价结果分析图】 MapCZJSTJ.jpg	S6: 输出分析结果
12	插入专题图	【农业耕作条件评价结果分级图】 【城镇建设条件评价结果分析图】	【说明】插入图片 【关键词】图片高度(6-12)|{图名过滤信息} KX_InsertPic(9)	1	
13	生成统计表	【农业耕作条件】	【说明】分类统计[1M] 【关键词】单元名字段#{统计字段}#{单位}#{BaseField}，{纵向排序}，{最大行数}|Value 类别列表|{横向排序} KX_Statistic(名称，C0|5，4，3，2，1)	2，农业耕作条件统计表 【统计表 1】 TJB1.csv	
14	制作系列统计图	【统计表 1】	【说明】表格处理* 【方法】抽取表格数据-s，SelectData，c，<A，A>，<输出字段列表|选择对象(*-所有|对象列表(Name1#Nam2#..)| 行筛选 ([ID]<25)|SQL 筛选([F1]>1))，{排序 N1}，{输出行数(*-全部)}，{输出列数}|{后处理(行折叠 M|表转置 T|归一化 S|正负列 Z|求和 S|定制补列 D|名称排名 N|类别行排名 P|统计图制作 C)}，{别名列表#{固定量(平均值(M1)|数值(3)|区间(6-8)}> KX_Table(C|名称#A5#A4#A3#A2#A1 |*，C0|C，高，较高，中等，较低，低)	3 【系列统计图 1】 Qtable1.csv	

续表

步骤	操作说明	输入	操作	输出	说明
15	制作系列统计图	【统计表1】	【说明】表格处理** KX_Table(C|名称#A5-高#A4-较高#A3-中等#A2-较低#A1-低 |合计|TC)	4 【系列统计图1A】 Qtable1A.csv	
16	制作统计表	【城镇建设条件】	【说明】分类统计[1M] 【关键词】单元名字段#{统计字段}#{单位}#{BaseField}, {纵向排序}, {最大行数}|Value 类别列表|{横向排序} KX_Statistic(名称, C0|5, 4, 3, 2, 1)	5, 城镇条件条件统计表 【统计表2】 TJB2.csv	
17	制作系列统计图	【统计表2】	【说明】表格处理** KX_Table(S|名称# A5#A4#A3#A2#A1 |*, C0|C, 高, 较高, 中等, 较低, 低)	6 【系列统计图2】 Qtable2.csv	
18	制作系列统计图	【统计表2】	【说明】表格处理** KX_Table(S|名称#A5-高#A4-较高#A3-中等#A2-较低#A1-低 |合计|TC)	7 【系列统计图2A】 Qtable2A.csv	

13.2　国土空间规划"双评价"之区位优势度评价

1. 相关说明

1) 背景与目的

"双评价"中的区位优势度主要是指由各评价单元与中心城市间的交通距离所反映的区位条件和优劣程度。2019版《技术指南》中的区位优势度评价包括省级和市县级两个层面的评价。省级层面的区位优势度相对简单,市县级层面区位优势度评价相对复杂。本案例参照2019版《技术指南》构建市县级层面区位优势度评价模型。

在本案例中,涉及交通干线可达性、中心城区可达性、交通枢纽可达性以及周边中心城市可达性的分析。通常可达性分析需利用路网数据来进行,考虑到建立路网数据集的实际困难,在这里采用欧氏距离分析并结合栅格重分类的方法进行可达性分析(数据条件允许时,可参照10.3的内容,利用网络数据进行可达性分析)。本案例主要展示G语言在栅格数据处理和通过判断矩阵进行栅格数据集成方面的功能,所用关键词主要包括:

(1)增强式栅格化关键词KX_SelRasDisReclass:用于欧氏距离分析及重分类。

(2)空间插值与密度分析关键词KX_InterDentity:用于核密度分析。

(3)栅格计算器关键词KX_RasCalculator:用于栅格图层间的代数集成。

(4)判断矩阵关键词KX_JudgeMatrix:用于通过判断矩阵进行栅格图层的集成。

(5)统计表制作关键词KX_Statistic:制作分类统计表。

2) 分析任务

按照2019版《技术指南》进行市县级层面区位优势度评价,评价模型如下所示:

$$【综合优势度】= f(【区位条件】,【交通网络密度】) \tag{13.3}$$

$$【区位条件】= f(【交通干线可达性】,【中心城区可达性】,$$
$$【交通枢纽可达性】,【周边中心城市可达性】) \tag{13.4}$$

2. 输入数据

区位优势度评价的输入数据如表 13.5 所示。

表 13.5　区位优势度评价输入数据表

序号	对象逻辑名	对象物理名	值及说明
1	【公路】	DX72_ROADC.shp	DJ(1, 2, 3, 4)
2	【中心城区】	DX72_ZXCQC.shp	几何中心
3	【中心城区面】	DX72_ZXCQMC.shp	中心四区
4	【机场】	DX72_C1AC.shp	点图层
5	【铁路站点】	DX72_C2RC.shp	点图层
6	【港口】	DX72_C3PC.shp	点图层，DJ(一般港口，主要港口)
7	【公路枢纽】	DX72_C4DC.shp	点图层
8	【高速公路出入口】	DX72_C5HC.shp	点图层
9	【市域轨道交通站点】	DX72_C6SC.shp	点图层

3. 过程分析

区位优势度的评价流程如图 13.5 所示。

主要过程描述如下。

➢步骤 1　交通干线可达性分析。

(1)利用【公路】通过筛选、欧式距离、重分类等操作，分别获得【一级公路服务范围】【二级公路服务范围】【三级公路服务范围】以及【四级公路服务范围】等栅格图层。

(2)将上述计算结果求和，并进行重分类为 5 级，得到【交通干线可达性】栅格图层。

➢步骤 2　中心城区可达性分析。

利用【道路网络】计算【中心城区】的可达性，得到【中心城区可达性】栅格图层。

➢步骤 3　交通枢纽可达性分析。

(1)分别对【机场】【铁路站点】【港口】【公路枢纽】【高速公路出入口】以及【市域轨道交通站点】进行欧式距离、重分类等操作，得到【机场服务范围】…【市域轨道交通站点服务范围】等栅格图层。

(2)将【机场服务范围】…【市域轨道交通站点服务范围】等求和，并进行重分类为 5 级，得到【交通枢纽可达性】栅格图层。

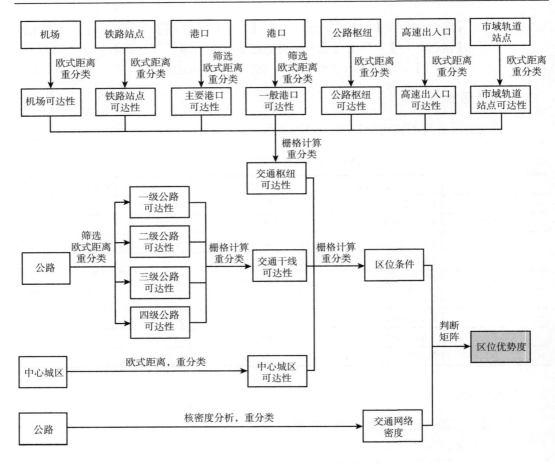

图 13.5　区位优势度评价流程

➤步骤 4　区位条件分析。

将【交通干线可达性】【中心城区可达性】以及【交通枢纽可达性】取和，并进行重分类，得到【区位条件】栅格图层。

➤步骤 5　交通网络密度分析。

将【公路】核密度分析，之后重分类为 5 级，得到【交通网络密度】栅格图层。

➤步骤 6　区位优势度分析

将【区位条件】和【交通网络密度】按表 13.6 进行集成，得到评价结果【区位优势度】栅格图层。

表 13.6　区位优势度参考判别矩阵

交通网络密度	区位条件				
	5—好	4—较好	3——一般	2—较差	1—差
5—高	5—高	5—高	4—较高	3—中	1—低
4—较高	5—高	5—高	4—较高	2—较低	1—低

续表

交通网络密度	区位条件				
	5—好	4—较好	3——一般	2—较差	1—差
3——一般	5—高	4—较高	3—中	2—较低	1—低
2—较低	4—较高	4—较高	3—中	1—低	1—低
1—低	3—中	3—中	2—较低	1—低	1—低

➤步骤 7　输出分析成果。

分别根据【区位条件】【交通网络密度】和【区位优势度】制作并输出专题地图(图 13.6、图 13.7)。

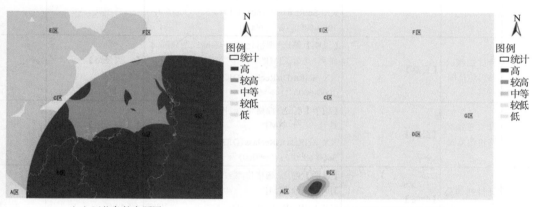

（a）区位条件专题图　　　　　　　（b）交通网络密度专题图

图 13.6　区位条件和交通网络密度评价结果

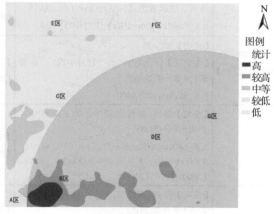

区位优势度专题图

图 13.7　区位优势度评价结果

4. 计算过程

区位优势区分析的 G 语言实现过程如表 13.7 所示。

表 13.7　区位优势度评价计算过程表

步骤	操作说明	输入	操作	输出	说明
1	计算一级公路可达范围	【公路】	【说明】筛选+栅格化|缓冲区|欧式距离|成本距离+重分类[M] 【关键词】{筛选表达式}|处理表达式(*-欧式距离或成本距离,字段或数值-栅格化,缓冲字段名#A|栅格化字段#赋值-构建缓冲区)%{重分类描述} KX_SelRasDisReclass(DJ|1% 5:<3000| 4:3000-6000| 1: >=6000)	【一级公路】GL1.tif	S1:交通干线可达性分析
2	计算二级公路可达范围	【公路】	【说明】筛选+栅格化|缓冲区|欧式距离|成本距离+重分类[M]* KX_SelRasDisReclass(DJ|2% 4:<3000| 3:3000-6000| 1: >=6000)	【二级公路】GL2.tif	
3	计算三级公路可达范围	【公路】	【说明】筛选+栅格化|缓冲区|欧式距离|成本距离+重分类[M]* KX_SelRasDisReclass(DJ|3% 3:<3000| 2:3000-6000| 1: >=6000)	【三级公路】GL3.tif	
4	计算四级公路可达范围	【公路】	【说明】筛选+栅格化|缓冲区|欧式距离|成本距离+重分类[M]* KX_SelRasDisReclass(DJ|4% 2 : <3000|1: >=3000)	【四级公路】GL4.tif	
5	计算交通干线可达范围	【一级公路】 【二级公路】 【三级公路】 【四级公路】	【说明】栅格计算[M] 【关键词】{$-文件变量}{@-标准化}算数表达式、逻辑表达式、单元统计、焦点统计 KX_RasCalculator([R1]+[R2]+[R3]+[R4])	【交通干线可达范围1】QWA1.tif	

6	重分类	【交通干线可达范围1】	【说明】重分类
			【关键词】{{分类字段},{目标字段},{缺省值}}#重分类表达式
			KX_Reclass(1|2|3|4|5)
				【交通干线可达范围】QWA.tif	

7	计算中心城区可达范围	【中心城区】	【说明】筛选+栅格化|缓冲区|欧式距离|成本距离+重分类[M]* KX_SelRasDisReclass(*% 5:<30000| 4:30000-60000| 3: 60000-90000|2: 90000-120000|1: >=120000)	【中心城区可达范围】QWB.tif	S2:中心城区可达性分析
8	计算机场可达范围	【机场】	【说明】筛选+栅格化|缓冲区|欧式距离|成本距离+重分类[M]* KX_SelRasDisReclass(*% 5:<60000| 4:60000-90000| 3:90000-120000|0:>=1200000)	【机场可达范围】QWC1.tif	S3:交通枢纽可达性分析

续表

步骤	操作说明	输入	操作	输出	说明
9	计算铁路站点可达范围	【铁路站点】	【说明】筛选+栅格化|缓冲区|欧式距离|成本距离+重分类[M]* KX_SelRasDisReclass（*% 5：<30000| 4：30000-60000|0：>=60000）	【铁路站点可达范围】QWC2.tif	
10	计算主要港口可达范围	【港口】	【说明】筛选+栅格化|缓冲区|欧式距离|成本距离+重分类[M]* KX_SelRasDisReclass（DJ|主要港口% 3：<60000| 2：60000-90000|0：>=90000）	【主要港口可达范围】QWC31.tif	
11	计算一般港口可达范围	【港口】	【说明】筛选+栅格化|缓冲区|欧式距离|成本距离+重分类[M]* KX_SelRasDisReclass（DJ|一般港口% 2：<60000| 0：>=60000）	【一般港口可达范围】QWC32.tif	
12	计算公路枢纽可达范围	【公路枢纽】	【说明】筛选+栅格化|缓冲区|欧式距离|成本距离+重分类[M]* KX_SelRasDisReclass（*% 3：<30000| 2：30000-60000|0：>=60000）	【公路枢纽可达范围】QWC4.tif	
13	计算高速公路出入口可达范围	【高速公路出入口】	【说明】筛选+栅格化|缓冲区|欧式距离|成本距离+重分类[M]* KX_SelRasDisReclass（*% 4：<30000| 3：30000-60000|0：>=60000）	【高速公路出入口可达范围】QWC5.tif	
14	计算市域轨道交通站点可达范围	【市域轨道交通站点】	【说明】筛选+栅格化|缓冲区|欧式距离|成本距离+重分类[M]* KX_SelRasDisReclass（*% 5：<30000| 4：30000-45000|3：45000-60000|0：>=60000）	【市域轨道交通站点可达范围】QWC6.tif	
15	计算交通枢纽可达范围	【[机场；铁路站点；主要港口；一般港口；公路枢纽；高速公路出入口；市域轨道交通站点]可达范围】	【说明】栅格计算[M]* KX_RasCalculator（[R1]+[R2]+[R3]+[R4]+[R5]+[R6]+[R7]）	【交通枢纽可达范围1】QWC7.tif	
16	重分类	【交通枢纽可达范围1】	【说明】重分类 【关键词】{{分类字段}，{目标字段}，{缺省值}}#重分类表达式 KX_Reclass（1|2|3|4|5）	【交通枢纽可达范围】QWC.tif	
17	计算区位条件	【交通干线可达范围】【中心城区可达范围】【交通枢纽可达范围】	【说明】栅格计算[M]* KX_RasCalculator（[R1] +[R2] +[R3]）	【区位条件1】QW1.tif	S4：区位条件分析
18	重分类	【区位条件1】	【说明】重分类* KX_Reclass（1|2|3|4|5）	【区位条件】QWTJP.tif	
19	计算交通网络密度	【公路】	【说明】空间插值或密度分析[M] 【关键词】操作字段或*|插值（反距离权重-F|自然邻域 Z|样条函数-Y|趋势面-Q|泰森多边形-T|克里金法-K#模型（Spherical-S|Circular-C|-Exponential-E|Gaussian-G|Linear-L）| 密度分析（核密度-H|点密度或线密度-M）{搜索点数量}或搜索半径（100|R0.1）%{重分类信息} KX_InterDensity（*|H|2000%1|2|3|4|5）	【交通网络密度】JTMDP.tif	S5：交通网络密度分析

步骤	操作说明	输入	操作	输出	说明
20	计算区位优势度	【区位条件】 【交通网络密度】	【说明】判断矩阵 【关键词】行描述|列描述|第 1 行描述|第 2 行描述|…… KX_Matrix([5，4，3，2，1]|[5，4，3，2，1]|[5，5，4，3，1]|[5，5，4，2，1]|[5，4，3，2，1]|[4，4，3，1，1]|[3，3，2，1，1])	【区位优势度】 QWYSD.tif	S6: 区位优势度分析
21	制作专题图	【区位条件】 【交通网络密度】 【区位优势度】	【说明】专题制图[M]* KX_Mapping（C2|区界|200）	【区位条件专题图】 MapQWTJ.jpg 【交通网络密度专题图】 MapJTWLMD.jpg 【区位优势度专题图】 MapZHYSD.jpg	S7: 输出分析成果
22	插入专题图	【区位条件专题图】 【交通网络密度专题图】	【说明】插入图片* KX_InsertPic（9）	1	
23	插入专题图	【区位优势度专题图】	【说明】插入图片* KX_InsertPic（13）	2	

参 考 文 献

蔡砥. 2011. 网格环境上的地理计算模式. 北京：电子工业出版社.

崔铁军. 2016. 地理空间分析原理. 北京：科学出版社.

方刚，陈健宇，芮广军，等. 2021. 合肥市地表温度与植被覆盖度的关系研究. 河南工程学院学报(自然科学版)，33(3)：22-26.

郭仁忠. 1997. 空间分析. 武汉：武汉测绘科技大学出版社.

郭诗洁，金银. 2021. 基于腾讯迁徙数据的城市人口流动时空分布格局——以西安市为例. 面向高质量发展的空间治理——2021中国城市规划年会论文集(05城市规划新技术应用).

侯涛. 2019. 地理分析模型知识图谱构建与分析方法研究. 南京：南京师范大学.

黄慧敏，龙嘉露，吴宁邦，等. 2021. 基于POI大数据划分与识别城市功能区——以南宁市中心城区为例. 科技资讯，(14)：1-5，29.

李德仁，程涛. 1995. 从GIS数据库中发现知识. 北京：测绘学报，24(1)：37-44.

李霖，应申，朱海红. 2008. 地理计算原理与方法. 北京：测绘出版社.

刘湘南，黄方，王平. 2005. GIS空间分析原理与方法. 北京：科学出版社.

罗虹，赵政权. 2021. 兴趣点与夜光数据耦合关系下的城市空间结构分析——以昆明市为例. 河南科学，39(4)：619-626.

牛强. 2011. 城市规划GIS技术应用指南. 北京：中国建筑工业出版社.

彭补拙，濮励杰，黄贤金，等. 2014. 资源学导论(修订版). 南京：东南大学出版社.

乔敏. 2021. 面向空间规划的村镇聚落分类制图研究——以北京为例. 唐山：华北理工大学.

宋关福. 1998. 组件式地理信息系统研究. 北京：中国科学院地理研究所.

宋小冬，钮心毅. 2013. 地理信息系统实习教程(第3版). 北京：科学出版社.

汤国安，杨昕. 2007. ArcGIS地理信息系统空间分析实验教程. 北京：科学出版社.

王晓斌，等. 2015. 程序设计语言与编译——语言的设计与实现. 北京：电子工业出版社.

王铮，隋文娟，姚梓璇，等. 2007. 地理计算及其前沿问题. 地理科学进展，26(4)：1-10.

王铮，吴静. 2011. 计算地理学. 北京：科学出版社.

韦青，赵健，等. 2021. 实战低代码. 北京：机械工业出版社.

徐建华. 2020. 计量地理学(第2版). 北京：高等教育出版社.

尹海伟，孔繁花. 2018. 城市与区域规划空间分析实验教程. 南京：东南大学出版社.

郁天宇. 2013. 面向最终用户的领域特定语言的研究. 上海：上海交通大学.

张海平，周星星，代文. 2017. 空间插值方法的适用性分析初探. 地理与地理信息科学，33(6)：14-18，105.

张丽英，等. 2019. 基于街景图像的城市环境评价研究综述. 地球信息科学学报，21(1)：46-58.

张远，金贤锋，张泽烈，等. 2016. 地理设计理论、设计与实践. 北京：科学出版社.

郑刚. 2018. 自制编程语言. 北京：人民邮电出版社.

周文生. 2019. 新型地理计算模式及其在双评价中的应用. 北京：测绘出版社.

周文生. 2021. 基于DAS的地理设计方法在空间规划中的应用. 人类居住，3：32-42.

周文生，等. 2007. 开放式WebGIS的理论与实践. 北京：科学出版社.

Burnett M，Cook C，Rothermel G. 2004. End-user software engineering. Conmmunications of the ACM，47(9)：33-37.

Debasish G. 2011. DSLs in Action. Manning Publications.

Goodchild M F. 1987. A spatial analytical perspective of geographical information system. International Journal of Geographical Information Systems，(4)：327-334.

Longley P A，Goodchild M F，Maguire D J，et al. 2001. Geographic Information Systems and Science. Chichester/NewYork：Wiley.

Martin F. 2010. Domain-Specific Languages. Addison-Wesley Professional.

Openshaw S，Abrahart R J. 2000. GeoComputation. NewYork：Taylor & Francis.

Openshaw S，Openshaw C. 1997. Artificial Intelligence in Geography. Chichester，UK：John Wiley & Sons Inc.

Rees P，Urton I. 1998. Geocomputation：Solving geographical problems with new computing power (Guest editorial). Environment and Planning：A，30：1835-1838.

Zhou W S. 2021. A New GeoComputation Pattern and Its Application in Dual-Evaluation. Berlin：Springer.

附录 发明专利与软件著作权清单

编号	专利名称	专利号或软件著作权号	时间(年.月)	备注
1	一种新型地理计算装置	ZL201910584442.8	2022.2	专利(授权)
2	基于 DAS 的自定义功能扩展方法、装置、设备及存储介质	ZL202210532723.0	2022.5	专利(授权)
3	地理计算语言的结构化参数解析方法、装置、设备及介质	ZL202210498166.5	2023.2	专利(授权)
4	街道空间环境和街道活力评价 DAS 系统	2022SR0559044	2022.3	软件著作权
5	全球新冠肺炎疫情时空分析 DAS 系统	2020SR1667975	2020.12	软件著作权
6	时空大数据采集与分析 DAS 系统	2020SR1688671	2020.12	软件著作权
7	清华 GIS 实践教学 DAS 系统	2020SR1812439	2020.12	软件著作权
8	村镇聚落变化监测集成平台	2020SR1669257	2020.12	软件著作权
9	国土空间规划双评价智能数据处理与分析系统	2019SR0680488	2019.7	软件著作权